DESCARTES E O ÓDIO À ESCRITA

Ulysses Pinheiro

COLEÇÃO

Mire e Veja

DESCARTES E O ÓDIO À ESCRITA

Ulysses Pinheiro

1ª impressão. 2019

KOTTER
EDITORIAL

coordenação editorial: Sálvio
editor executivo: Raul K. Souza
editoração e capa: Manoela Leão
produção: Cristiane Nienkötter

Dados Internacionais de Catalogação na Publicação (CIP)
Angélica Ilacqua CRB-8/7057

Pinheiro, Ulysses
Descartes e o ódio à escrita / Ulysses Pinheiro. --
Curitiba : Kotter Editorial, 2019.
259 p.

ISBN 978-65-80103-69-0 (Brasil)
ISBN 978-989-54566-7-3 (Portugal)

1. Filosofia 2. Filosofia moderna 3. Descartes, René, 1596- 1650 I. Título
19-0820

CDD 200

Kotter Editorial
Rua das Cerejeiras, 194
82700-510 | Curitiba/PR
+55 41 3585-5161
www.kotter.com.br

Kotter Editorial
Rua da Emenda, 72
1200-170 | Lisboa/Portugal
+351 213471886
www.kotter.com.br

1º Edição
2019

Para Fabiano, que me ensinou o valor do ódio.

As citações das obras de Descartes serão sempre acompanhadas da referência à edição padrão de Charles Adam e Paul Tannery (abreviada pela sigla AT), seguidas da referência ao volume, em números romanos, e da referência à página, em números arábicos. Os textos de Descartes escritos originalmente em latim, mas cujas traduções foram revisadas por ele (as *Meditações metafísicas*, as *Primeiras*, *Segundas*, *Terceiras*, *Quartas* e *Sextas* Objeções e os *Princípios da filosofia*), serão referidas ao volume VII de AT, a não ser quando se estiver discutindo diretamente o texto em francês ou quando a consulta às traduções revistas (que são geralmente consideradas textos "cartesianos", na medida em que foram chancelados pelo autor) for considerada relevante para a tarefa de compreender seu pensamento. Nesses últimos casos, daremos também a referência ao volume de AT que contém a versão francesa (IX e IX, II). Quando as traduções já existentes para o português não forem assinaladas, elas serão de minha responsabilidade. Textos de outros filósofos e de comentadores citados ao longo deste livro foram traduzidos por mim, a não ser quando houver uma advertência ao contrário, acompanhada da referência à edição utilizada.

O uso das aspas ao longo do texto indica ou bem citações literais (nesse caso, elas virão acompanhadas da sua referência), ou bem a menção de expressões usadas por Descartes em uma ou mais obras, sem que uma referência precisa seja dada – isto é, elas assinalam, nesse último caso, a menção a um léxico cartesiano, isolando-o, *em certa medida*, assim, do léxico do comentário. O contexto distinguirá, na maior parte das vezes, esses dois tipos de uso – mas, como sabemos, o contexto sempre deixa escapar ambiguidades e indecisões. Longe de prejudicar o comentário, isso que escapa é, em parte, o que o constitui.

Agradecimento:

Este livro foi escrito graças a um auxílio à pesquisa concedido pelo Conselho Nacional de Desenvolvimento Científico e Tecnológico (CNPq), através da chamada 07/2011, processo número 401778/2011-8.

"... minha inclinação, que me fez sempre odiar o ofício de fazer livros".
Descartes, *Discurso do método.*

"Só é de admirar o ridículo erro: que as pessoas julguem falar em intenção das coisas. Exatamente o específico da linguagem, que ela se aflige apenas consigo mesma, ninguém sabe. [....] Daí nasce também o ódio que tem tanta gente séria contra a linguagem".
Novalis, *Monólogo*

Índice

INTRODUÇÃO

Discurso sobre o livro

"Em cuja ocasião muito estimo pedir aqui a nossos descendentes que não creiam nunca que as coisas que se lhes dirá vêm de mim quando eu não as tiver eu mesmo divulgado".
Descartes, *Discurso do método.*

"A história *é um pesadelo do qual eu estou tentando acordar*".
James Joyce, *Ulysses*[1].

A Sexta Parte do *Discurso do método* é um dos textos mais curiosos escritos por René Descartes: encerrando a breve narrativa em seis passos de como chegou a um novo método para descobrir a verdade – sem pretender, entretanto, ensiná-lo[2] –, ele é, mais do que a conclusão de uma obra, a introdução para os *Ensaios* que ilustram sua proficuidade – *A Dióptrica, A Geometria* e *Os Meteoros.* O método proposto pelo livro deveria, pois, ser julgado pelos resultados visíveis que apresentava ao público, tal como, em um tribunal, uma evidência permite ao júri decidir-se sobre a tese da defesa. No entanto, a Sexta Parte do *Discurso* mostra-se como um prefácio peculiar, pois dedica-se a um longo balanço das razões – contrárias e favoráveis – para publicar um livro abortado três anos antes, que seria composto por duas partes, *O Mundo,*

1 A frase completa é: "*History, Stephen said, is a nightmare from which I am trying to awake*".

2 AT VI, 4. No breve resumo da obra, em suas primeiras linhas, lemos que sua Sexta Parte contém "algumas coisas que ele [o autor] crê necessárias para ir mais adiante do que foi na pesquisa da natureza *e que razões o levaram a escrever*" (AT VI, 1; grifo acrescentado na tradução).

ou Tratado da Luz e o *Tratado do Homem*[3], cujas principais teses foram resumidas um pouco acima, na Quinta Parte. Somando as páginas da Quinta e da Sexta Partes, a narrativa desse recente fracasso editorial perfaz uma extensão considerável do *Discurso*, cada uma delas sendo mais extensa do que qualquer uma das primeiras quatro Partes que as precederam, justamente as que expõem e fundamentam o método. Essa desproporção entre a narrativa de uma ausência e a apresentação positiva da doutrina introduz os *Ensaios* subsequentes como uma espécie de prótese compensatória situada no lugar do livro original, apenas fantasmaticamente presente.

O caso de pessoas que, tendo perdido algum de seus membros, ainda o sentiam, tempos depois, até suas extremidades, como se estivessem presentes sempre intrigou Descartes. O interesse por tais relatos médicos sobre amputações originara-se talvez da época em que se juntara ao exército, a partir dos casos de feridos de guerra. Nas *Meditações metafísicas*, a propósito do erro que pode estar contido mesmo nos "sentidos internos" [*sensuum internorum*], o autor observa: "ouvi outrora o caso de pessoas que, tendo os braços ou as pernas cortadas [*quibus crus aut brachium fuerat abcissum*], parecia-lhes ainda algumas vezes sentir dor na parte do corpo que lhes faltava [*in eâ parte corporis quâ carebant*]"[4]. Analogicamente, também *O Mundo* se faz sensível, em sua ausência, no *Discurso do método*. Além de ser uma prestação de contas aos leitores – alguns dos quais (e era a esses talvez a que o texto sobretudo se dirigia) sabiam de suas intenções de publicar o livro original –, a Sexta Parte do *Discurso* apresenta um característico tom purgativo, através do qual o autor como que se despedia e se livrava por fim do livro autocensurado. O cuidado obsessivo com que rememora cada um dos motivos que foram colocados na balança durante o processo de deliberação em torno da publicação tem início com uma confissão surpreendente, logo nas suas primeiras linhas:

> Ora, faz agora três anos que chegara ao fim do tratado que contém todas essas coisas [*isto é, as que foram narradas na Quinta Parte*] e que

3 A referência a essa obra inacabada será algumas vezes, daqui para a frente, feita apenas pelo título de sua primeira parte, *O Mundo*. Os capítulos que fariam a conexão entre as duas partes dessa obra não nos chegaram às mãos, seja por terem se perdido, seja por nunca terem sido escritos.

4 AT VII, 77; IX, 61.

> começava a revê-lo, a fim de pô-lo entre as mãos de um impressor, quando soube que pessoas, a quem respeito e cuja autoridade sobre minhas ações quase não é menor do que minha própria razão sobre meus pensamentos, haviam desaprovado uma opinião de física, publicada pouco antes por outra pessoa, opinião que não quero dizer que fosse minha, mas, antes, que nada reparara nela, antes de a censurarem, que pudesse imaginar ser prejudicial nem à religião nem ao Estado, nem, por conseguinte, que me impedisse de escrevê-la, se a razão mo houvesse persuadido, e isso me fez recear que se encontrasse, do mesmo modo, alguma entre as minhas, na qual me tivesse enganado, não obstante o grande cuidado que sempre tomei em não acolher novas [*opiniões*] em minha crença, das quais não tivesse demonstrações muito certas, e de não escrever nenhuma que pudesse resultar em desvantagem para qualquer pessoa. O que foi suficiente para me obrigar a mudar a resolução que eu tomara de as publicar[5].

Há, ao longo desse trecho, que se refere a Galileu sem nomeá-lo, um raciocínio similar àquele que, na Quarta Parte do mesmo livro, levara Descartes a suspender o juízo sobre todas as crenças que até então tomara como evidentes: assim como, lá, a hipótese de que vivia em um sonho ininterrupto fora suficiente para não mais afirmar as ideias acerca do mundo externo como verdadeiras, é agora dito que a autoridade dos representantes da Igreja tem, sobre sua *ação*, uma influência *quase* tão grande quanto a razão tem sobre seus *pensamentos*[6]. Desse modo, a "menor razão de duvidar" delas fora suficiente para a decisão de não mais publicar o livro. Para além de uma certa prudência – ou cinismo dissimulado –, ao negar que suas opiniões fossem as mesmas de Galileu, o trecho acima é o ponto inicial de um cuidadoso (auto) exame sobre as razões que o levaram a abortar a publicação de *O Mundo*; se a Primeira Parte do *Discurso* narrou as desventuras do jovem Descartes em seu período de formação, antes de se tornar um autor de

5 AT VI, 60 - Descartes (1979), p. 62 – tradução ligeiramente modificada por mim.

6 A restrição expressa de modo aparentemente causal pelo advérbio "*guère*" (aqui traduzido, no contexto da frase, por "quase": "*... lorsque j'appris que des personnes, à qui je défère et dont l'autorité ne peut guère moins sur mes actions que ma propre raison sur mês pensées...*") é menos inocente do que parece, pois é ela que introduz a longa recapitulação das hesitações de Descartes expostas minuciosamente na Sexta Parte. De certa forma, o presente livro consiste inteiramente em uma glosa desse advérbio.

livros filosóficos, a Sexta Parte dá conta de sua fracassada tentativa de ser aceito como membro da República das Letras.

Da compreensão desse arrazoado inicial da Sexta Parte depende a inteligibilidade de toda a narrativa que ele inaugura. Mencionamos a possibilidade de esse trecho exprimir a prudência daqueles que, em uma época de perseguição política e religiosa, dissimulam ou se calam, antecipando-se assim aos censores. Essa interpretação não daria conta, porém, da complexidade da posição aí explicitada, pois, como mostraremos ao longo deste estudo, há uma demanda *interna* conduzindo a obra cartesiana para o silêncio sobre certos temas, a qual não se reduz às pressões externas do ambiente cultural da época, relacionadas à censura que incidia sobre opiniões "inovadoras", potencialmente heréticas e subversivas politicamente. Que os cartesianos, a partir da segunda metade do século XVII, tenham sido levados, cada vez mais, a assumir ou a ser identificados com essas posições radicais não nos deve cegar para as tendências intrínsecas da filosofia do próprio Descartes em direção ao silêncio e ao ocultamento. Aliás, a interpretação do trecho citado acima feita a partir da aceitação da hipótese prudencial é bastante enfraquecida quando nos damos conta de que o começo da Sexta Parte do *Discurso* reproduz resumidamente uma carta privada, enviada a Marin Mersenne, seu antigo professor em La Flèche, datada de fim de novembro de 1633, na qual Descartes apresenta as razões para sua desistência de publicar *O Mundo*; se, por um lado, nela, ele deixa bastante claro que a "opinião de física" pela qual condenaram Galileu era a mesma que a sua ("e confesso que, se ele [*a saber, o movimento da Terra*] for falso, todos os fundamentos de minha Filosofia o são também, pois ele se demonstra evidentemente por eles"[7]), por outro lado, afirma que a principal razão que o levou a "quase ter resolvido queimar todos os meus papeis" não está ligada ao medo da perseguição, e sim a sua reverência pelas opiniões da Igreja: "Mas como não desejaria, por nada no mundo, que proviesse de mim um discurso no qual se encontrasse uma única palavra que fosse desaprovada pela Igreja, preferi suprimi-lo do que fazê-lo aparecer mutilado"[8]. Embora a carta aparentemente exclua a hipótese prudencial, porém, ela não chega ainda ao âmago das razões

7 AT I, 271.

8 AT I, 271.

internas, conceituais, que explicam a tendência da filosofia cartesiana para silenciar diante de alguns temas sensíveis, ainda que, como veremos, nos forneça uma pista importante em sua direção, a saber, o modo como a obra figurava o Deus da fé que o autor professava.

Um dos índices mais significativos da tendência intrínseca da filosofia cartesiana para interditar o tratamento de certos temas e para, de preferência, silenciar sobre eles – e, em um movimento de radicalização, estender esse silêncio sobre *qualquer outro assunto que seja*, calando-se de vez e não mais publicando nada – é a frase que conclui o raciocínio formulado no trecho da Sexta Parte do *Discurso* transcrito acima. Nela, Descartes deixa claro que, independentemente de pressões externas, já habitava em sua mente uma certa aversão generalizada ao ato de escrever; a frase diz:

> Pois, embora as razões, pelas quais eu a adotara anteriormente [*a saber, a resolução de publicar seu escrito*], fossem muito fortes, *minha inclinação, que me fez sempre odiar o ofício de fazer livros*, me levou incontinenti a achar muitas outras para me escusar dela[9].

Aristocratismo de nascença, que desprezava os "ofícios" em geral – e, em especial, os que envolviam o comércio com o público –, como sugeriram alguns[10]? Embora a situação social de Descartes não nos permita excluir essa interpretação, ela não é, como veremos, a única nem a mais importante. O ódio à escrita aí mencionado é uma inclinação adquirida provavelmente durante seu período de formação no colégio jesuíta de La Flèche, objeto da autobiografia intelectual da Primeira Parte do *Discurso* (voltaremos a ela oportunamente); diferentemente das inclinações "naturais", comuns ao gênero humano como um todo, e das inclinações "sociais", indicando um pertencimento de classe, mostraremos que a inclinação relativa aos livros e à publicação das suas ideias revela uma idiossincrasia de Descartes, formada ao sabor de encontros fortuitos e contingentes. É sob o signo do ódio à escrita, veremos, que não só a Sexta Parte do *Discurso*, mas também, em certo sentido, a totalidade da obra cartesiana deve ser lida.

9 AT VI, 60; grifo acrescentado na tradução. Na carta a Mersenne citada acima, a mesma ideia é expressa de forma um pouco mais branda: "Nunca tive o humor voltado para fazer livros" (AT I, 271).

10 Ver, por exemplo, Dunn (1994), p. 102; Ramond (2011), pp. 92-96.

Se formos bem-sucedidos ao excluir as motivações externas dessa tendência ao silêncio presente no âmago mesmo do pensamento cartesiano, restará ainda uma possível restrição relativamente à relevância de um estudo que a tomasse como objeto. De fato, poder-se-ia suspeitar que as nem sempre pacíficas – tanto menos no século XVII – relações entre o pensamento e seus meios públicos de circulação seriam de interesse sobretudo para o historiador, sendo, no entanto, desprovidas de importância filosófica. Ao invés de insistir sobre a arbitrariedade da atividade de traçar fronteiras rígidas entre disciplinas acadêmicas, o que nos cabe ressaltar no momento é a opção metodológica associada a essa objeção. Se fosse aqui adotada uma certa imagem da filosofia e de sua história, na qual os aspectos "necessários" do pensamento de um autor ou de uma época são nitidamente contrastados a suas vicissitudes e contingências, seria, sem dúvida, impossível ver na resistência de Descartes a "fazer livros" algo mais do que uma mera característica psicológica particular – embora, certamente, tributária do ambiente cultural de sua época e de sua classe social. Entretanto, de um outro ponto de vista, os percalços contingentes através dos quais um pensamento se exprime podem ser considerados tão ou mais importantes para sua compreensão quanto a reconstrução de sua lógica interna e a apresentação ordenada de seus argumentos. Assim, por exemplo, quando relacionarmos o "ódio à escrita" às teorias médicas de Descartes, não se trata de "confirmar" nem de "refutar" suas teses éticas através das doutrinas científicas, embora o próprio Decartes tenha afirmado, em provocação desafiadora, que, se uma parte qualquer de suas teorias fisiológicas – por exemplo, sua teoria da circulação – fosse falsa, todo o resto de seus escritos também o seria. Ao invés disso, trata-se, por um lado, de apontar para o caráter sistemático de seu pensamento, mas, ao mesmo tempo, de mostrar como ele não pode ser lido apenas a partir da ideia de "ordem das razões", celebrizada pelo livro de Martial Gueroult[11]. Assim também, para dar um outro exemplo, é preciso reconhecer o quanto as *Meditações* de Descartes devem às meditações jesuítas, mas também como essas últimas são transpassadas por uma outra *ordem* de considerações (precisamente, uma "ordem das razões"), que as distorce em direção ao jansenismo. Por outro lado, em nosso método

11 Gueroult (1953).

de exposição, as análises internas, "estruturalistas", só têm sentido no interior de blocos textuais mais amplos, em um tipo de abordagem que poderíamos denominar "estilística", cada um dos quais separado dos demais por uma descontinuidade total e atravessado por vetores históricos e conceituais que os deformam e desestabilizam. A conjunção de elementos distintos mostrará, dessa forma, como o sistema ideal de pensamento contém, em seu interior, linhas de força que impedem sua completude. Trata-se, em suma, de mostrar uma guerra[12], de tomar os escritos de Descartes como seu campo de batalha.

É esse espírito que anima nossa leitura das relações que Descartes estabeleceu, *em seus escritos*, com a publicação de sua filosofia. Nossa análise será uma investigação a respeito da constituição do discurso de Descartes sobre sua própria *obra* – ou seja, sobre a imagem através da qual *seus livros* eram figurados no interior de sua filosofia –, pouco nos importando suas "motivações" psicológicas "reais". Assim, a manifestação corporal de seus pensamentos, ou seja, os livros, objetos particulares circulando no espaço e no tempo, portadores de signos impressos – dentre os quais os de não menor importância eram aqueles que reproduziam, na capa, o nome de seu autor – serão tomados aqui como ao menos tão significativos quanto a "ordem das razões" que conecta seus argumentos ou a coerência interna de sua doutrina. Se, por um lado, essa importância concedida aos elementos contingentes da obra – ou: da obra considerada enquanto contingência histórica – indica uma espécie de "contaminação" do pensamento, pretensamente situado no âmbito do eterno e do necessário, por elementos corporais corruptíveis e contingentes – reencenando assim, no nível dos objetos sociais, a "união" obscura e confusa entre alma e corpo –, por outro lado, ela envolve a elaboração teórica da própria contingência – no caso, expressa através da formulação do *conceito de livro*.

O que será, pois, exposto, através da leitura aqui proposta, são certos *momentos cruciais* do texto cartesiano nos quais o autor resiste

12 Sobre a relação da filosofia com a guerra, ver a comparação, formulada pelo próprio Descartes, na Sexta Parte do *Discurso* (AT VI, 67). Essa aproximação dos dois campos semânticos ecoa as memórias narradas na Segunda e Terceira Partes, nas quais Descartes conta como resolveu se "retirar" para um país em guerra (a Alemanha), cujas tropas estavam de tal modo dispostas que lhe permitiam gozar os "frutos da paz" com segurança – dentre os quais a solidão não era o menos importante (AT VI, 11, 31). Também na Sexta Parte, a guerra é vista como uma espécie de solidão.

ao ato de expor suas ideias, de comunicá-las ou de apresentá-las por escrito. O zelo do comentador, acompanhado de um certo pudor, nos levará a respeitar esses limites e, sem ultrapassá-los, nos deter neles e neles permanecer. Tais encruzilhadas textuais são particularmente presentes quando Descartes é instado por seus interlocutores a falar sobre temas teológicos – seria possível reconhecê-las também, é verdade, nos escritos políticos e morais, mas, veremos, será a teologia que nos permitirá entender de forma especialmente clara as relações tensas entre a escrita e o pensamento[13]. Entretanto, essa delimitação inicial ao campo teológico como o principal objeto da resistência cartesiana às publicações será algumas vezes estendida à totalidade de seus pensamentos, todos eles vistos como devendo, talvez, permanecer em seu caráter originalmente *privado*. Já notamos acima, no registro de uma "hermenêutica da suspeita"[14] – tal como a proposta, por exemplo, por Leo Strauss –, seria possível interpretar – isto é, *eliminar* – tais reticências como o estilo de escrita típico dos que publicam obras em tempos de perseguição política e/ou religiosa, procurando desvelar assim, entre as linhas do texto, o que seu autor *quis* dizer. Não será essa via hermenêutica que percorreremos neste livro. Não se trata, tampouco, de tomar como inquestionáveis as declarações que Descartes fez sobre sua própria obra, como se elas contivessem a verdade última de seu significado, o segredo enfim confessado de suas intenções. Tratar-se-á, ao contrário, de aceitar, em sua positividade, essas reservas como formas de um movimento de pensamento que atravessa todos os seus escritos. Nem sempre os sentidos precisam ser decifrados e interpretados: eles podem ser articulados uns aos outros, ou sobre o pano de fundo de significados mais amplos, de tal modo que, por exemplo, as declarações explícitas de um autor sobre o sentido a ser atribuído a seus textos

13 Ao longo deste estudo, usaremos de forma intercambiável as expressões "escrita" e "escritura", escolhendo uma ou outra por razões puramente estilísticas. A palavra "linguagem", por sua vez, será usada no sentido de abarcar tanto a fala quanto sua expressão gráfica. Finalmente, o termo "discurso" deseignará, no mais das vezes, uma prática social impessoal de articulaçao de signos, formando uma estrutura *a priori* de configuração de sentidos locais – as exceções ocorrerão quando a palavra "discurso" for usado no sentido cartesiano (e do século XVII em geral).

14 A expressão é de Paul Ricoeur (1978), *apud* Levene (2000, p. 62). Os labirintos da hermenêutica, em seus apenas aparentemente virtuosos círculos, deverão, veremos, ser maximamente evitados.

tenham o mesmo valor que outras passagens de sua obra nas quais as primeiras são resignificadas, tornadas duvidosas e, eventualmente, abandonadas. O impensado de um texto não é aquilo que ele não disse e precisa ser desvelado, mas antes aquilo que ele *faz* em confronto com o que ele *diz* fazer. Se todo texto contém algo que é impensável para seu próprio autor, esse "inconsciente" textual encontra-se em sua *superfície*. A recusa de interpretar os textos em que Descartes discorre sobre sua relutância em dizer o que lhe pedem será, assim, paradoxalmente, a única forma de entendê-los.

Nesse sentido, o livro de Charles Ramond intitulado *Descartes. Promesses et paradoxes* elabora uma leitura que será usada como uma das premissas deste estudo. Ramond tratou de uma tensão interna ao texto de Descartes, resolvida, segundo ele, em um gesto ambíguo e indecidível de afirmação e negação. O viés derridiano de sua análise[15] procura mostrar que há, em Descartes, uma valorização e uma desvalorização *simultâneas* do ato de prometer, gesto esse que, uma vez aplicado a sua relação com a palavra escrita e publicada, nos permite entender alguns aspectos decisivos do modo como se constitui a noção mesma de autor. Mais do que mera simultaneidade, o modo como Descartes se relaciona com as promessas exprimiria, na verdade, uma relação de dupla implicação: o cumprimento das promessas seria condição de seu descumprimento, e vice-versa. Como mostra Ramond, essa atitude ambígua – ou melhor, paradoxal – em relação a seus próprios escritos, entre a rejeição e a defesa obstinada, é apenas um caso do paradoxo mais fundamental, o de prometer não mais prometer, ou seja, prometer não se engajar em promessas ou compromissos indissolúveis[16]. Logo no início de sua

15 Seguindo, assim, a leitura que Jacques Derrida propõe, por exemplo, de Rousseau, em sua *Gramatologia*: trata-se, nessa última obra, de mostrar como a linguagem é, ao mesmo tempo, a causa da decadência civilizatória e a condição para sua superação, lendo, nesse impasse, o conjunto da filosofia de Rousseau.

16 Sobre a posição de Descartes diante da palavra escrita, ver, especialmente, o capítulo IV da referida obra de Ramond, intitulado "Abjurer, désavouer, ou persister et signer?", no qual duas atitudes distintas diante de seus próprios textos – recusa e afirmação – são analisadas. Segundo Ramond, reconhecemos, em trechos como esse, uma "posição social e moral aristocrática" em relação aos "ofícios" – tal como o de "escrever" e "publicar livros" –, indignos de um homem livre (Ramond, 2011, 94). Embora adotemos a leitura de Ramond nesse ponto, uma ressalva poderia ser feita quanto a sua tese de que a atitude de "prometer não prometer" teria a forma de um "paradoxo",

análise, Ramond cita a primeira máxima da "moral provisória" do *Discurso*, na qual Descartes "declarava ter tomado por regra não se engajar em 'promessas', *porque ele 'se prometia'* [*então*] *'aperfeiçoar cada vez mais seus juízos'*. Em um nó inextricável, a recusa das promessas derivava assim de uma primeira promessa"[17]. A irresolução e a obstinação são dois perigos que se deve evitar ao preço de sucumbir a ambos, e mais: de tornar um a condição do outro. Essa duplicidade desconcertante, segundo Ramond, decorre das – ou, ao contrário, implica as – duas características definitórias da liberdade para Descartes: a possibilidade dos contrários, nomeada algumas vezes de "indiferença positiva", e a espontaneidade ou "facilidade" de determinação inevitável da vontade diante das ideias claras e distintas[18].

Aceitando, em linhas gerais, essa análise proposta por Ramond, nossa investigação partirá, pois, da admissão da atitude ambígua de Descartes em relação a seus próprios textos para encontrar sua raiz na formulação de seu programa filosófico[19] de traçar os limites do que pode ser afirmado ou negado. Uma explicação mais detida desse ponto será fornecida mais adiante nesta Introdução. Desde já é importante reconhecer, porém, que a posição cartesiana sobre a escrita está longe de ser uma raridade no longo percurso da história da filosofia. Ao contrário, pelo menos desde o *Fedro* de Platão a filosofia sempre se contrapôs à linguagem escrita como sendo simultaneamente sua condição de possibilidade e seu limite restritivo. Assim, por exemplo, e para nos restringirmos apenas ao século XVII, um outro pensador importante do período, o Padre António Vieira, no seu *Sermão da Sexta Sexta-Feira da Quaresma*, elogia a justiça romana que condenou o Cristo em apenas

uma vez que não parece haver nada nesse ato linguístico que seria essencialmente autorrefutativo. Para os propósitos de nosso estudo, no entanto, será suficiente adotar a ideia de que há, por parte de Descartes, um desconforto em relação ao registro escrito e à publicação de seus pensamentos.

17 Ramond (2011), p. 12; grifo do autor. O trecho da primeira máxima da moral provisória encontra-se em AT VI, 24.

18 Ramond (2011), p. 76.

19 Não adotaremos, neste estudo, uma abordagem genética da filosofia cartesiana, não por julgar que não se pode identificar fases, mudanças e evoluções em sua formulação, e mais porque nos concentraremos no esforço de identificar um traço comum que as perpassa todas. Uma abordagem genética posterior poderia modalizar tal traço de acordo com os diversos contextos nos quais ele aparece.

doze horas, justamente porque ela não usava "nem tintas, nem papéis". Se tivesse acontecido no contexto da justiça moderna, diz Vieira, "ainda hoje o género humano não estava remido"; e ele conclui:

> A origem, e o nome do papel foi tomado das cascas das árvores, que em Latim se chamam *Papyrus*, porque aquelas cascas foram o primeiro papel, em que os homens escreviam ao princípio; depois deram em curtir as peles, e se facilitou mais a escritura com o uso dos pergaminhos: ultimamente se inventou a praga do papel, de que hoje usamos. De maneira, que se bem advertimos, foi o papel desde seus princípios matéria de escrever, e invenção de esfolar[20].

Vieira foi, no entanto, um dos maiores esfoladores do século XVII, e sua obra monumental luta, através da escrita, contra o quanto as palavras sobre o papel entram em conflito com a remissão dos homens. O que nos interessará daqui por diante é a configuração peculiar que tal resistência à escrita assume no pensamento de Descartes.

Se a teologia implícita de Descartes o levará a optar pelo silêncio, será preciso levar a sério as repetidas reservas que aparecem em seus textos quando quer que ele tenha sido convocado por seus interlocutores a se manifestar sobre questões religiosas. Não se trata, portanto, nem de situar Descartes em seu contexto social, mostrando como, talvez até mesmo *malgré lui*, a teologia fazia parte de seu horizonte intelectual[21], nem de explicar seu silêncio e sua reserva com relação a temas religiosos através de traços psicológicos (por exemplo, a prudência de quem já vira Galileu ser condenado). Essas duas abordagens, a histórica e a psicológica, supõem um exercício de interpretação que

20 Sermão pregado na Capela Real, ano 1662 (Vieira, 2015, pp. 425-426).

21 Como mostrou Jacques Derrida em seu artigo capital intitulado "Assinatura evento contexto", a ideia mesma de contexto, tão cara à historiografia, pode ser objeto de uma suspeita fundamental, a saber: a de que a iterabilidade constitutiva dos signos nunca pode eliminar inteiramente a indeterminação essencial de sua repetição em um novo caso. Isso ocorre porque "[t]odo signo, linguístico ou não-linguístico, falado ou escrito (no sentido usual dessa oposição), em unidades pequenas ou grandes, pode ser citado, colocado entre aspas; por isso, ele pode romper com todo contexto dado, engendrar ao infinito novos contextos, de maneira absolutamente não-saturável" (Derrida, 1972, p. 381). Em suma, a diferença não se opõe à repetição, mas tem nela, ao contrário, sua condição de possibilidade. É devido a esse fato que podemos dizer que não dispomos de um conceito rigoroso de contexto.

vai retirar, do fundo dos textos, seu significado oculto. A tentação de "contextualizar" historicamente um pensamento é apenas a outra face, igualmente metafísica, da aspiração gueroultiana de um sistema idealmente fechado e autocontido; nos dois casos, a esperança de atingir, ainda que como um ideal regulador, a determinação completa do sentido do texto partilha da mesma inspiração totalitária[22]. *Contra* essa interpretação (e, em certo sentido, como vimos acima, contra toda interpretação), nossa investigação deter-se-á na superfície do texto, recusando-se a articulá-lo a partir de um qualquer sentido hipostasiado para além dele mesmo. Recusa difícil, pois a todo momento a atividade de interpretação parece requerer seus direitos como posição inevitável na leitura *legítima* de um texto. A resistência à interpretação é, pois, uma atitude a ser conquistada, um exercício sobre o qual uma vigilância constante é requerida, e que não será bem-sucedida, como confessamos desde já, sem que um mínimo de interpretação seja empreendido. *O quanto* desse mínimo de interpretação será necessário é, porém, uma questão que não pode ser decidida *a priori*. Na verdade, este livro, como um todo, é a resposta a essa questão. Será precisamente no âmbito dessa resposta que poderemos, enfim, enunciar uma *outra* conclusão alternativa: não é apenas por estar "situado" em uma época teológica (onto-teo-lógica) que Descartes foi levado a se imiscuir, contra sua vontade, em sutis querelas religiosas; não foi tampouco apenas por prudência ou por medo que ele exprimia repetidamente suas reservas no momento mesmo em que se via enredado em tais disputas. Ao contrário, é *porque* seu texto se abre necessariamente, embora não sem reservas, para um domínio de questões sobre as quais ele decidira se calar – e, até mesmo, em alguns casos, para além dos limites da "luz natural da razão", devendo tematizar o que é "obscuro e confuso" – que ele desemboca em questões teológicas. Essas últimas passam, assim, a desempenhar o papel de sintomas, ao invés de ser a base de uma explicação causal qualquer. A palavra "porque" que aparece na frase anterior perdeu toda sua função causal justamente na

22 Para uma crítica à ideia mesma de "contextualizar" um pensamento, ver o artigo de Derrida intitulado "Signature événement contexte" (Derrida, 1990, pp. 367-393). A crítica central de Derrida consiste em mostrar como a propriedade dos signos de serem iteráveis implica a impossibilidade de determinação completa do contexto de sua repetição – em outras palavras, o que se repete é sempre a diferença.

medida mesma em que compartilha da recusa em ir além da superfície do texto. Nesse sentido, tanto o "contexto histórico" quanto as "disposições psicológicas" serão levadas em conta apenas na medida em que ambos são considerados, eles mesmos, como elementos textuais – sejam eles do próprio Descartes ou de seus interlocutores. Se os destinatários de certos textos forem convocados para articular seu sentido, por exemplo, em um registro retórico, eles aparecerão em cena apenas como signos. Só então ficará claro que é por uma necessidade interna de sua teoria, e não apenas pela pressão de demandas externas (principalmente a dos teólogos), que Descartes se viu forçado a ultrapassar os limites da ciência em direção ao terreno pantanoso da teologia. Será preciso, pois, entender por que, antes de qualquer demanda externa, a articulação imanente do texto cartesiano permite, e mesmo *solicita*, essa abertura dos domínios do pensamento claro e distinto para esse momento paradoxal que aproxima as verdades racionais criadas livremente por Deus da luz sobrenatural das verdades reveladas, na medida mesma em que ambas, embora de maneiras distintas, ultrapassam os limites do que pode ser compreendido racionalmente pelos homens. Tal abertura, veremos, é tornada particularmente evidente no momento em que Descartes resiste a ela.

Aparente paradoxo: limitar-nos laboriosamente apenas à positividade do texto, em um esforço constante para nos manter em sua superfície sem submergir, é o que revela, no *comentário*, segundo as palavras de Maurice Blanchot, "o poder prodigioso do negativo, ou ainda a liberdade"[23]. Supondo, assim, que as palavras "dizem o que elas querem dizer", trata-se de examinar os textos nos quais Descartes *resiste expressamente* a tomar um partido nas disputas teológicas, concedendo ao interlocutor, porém, dizer *alguma coisa*, o mínimo possível. Será a extensão desse mínimo, dada pelo próprio texto cartesiano, que servirá de medida para o mínimo de interpretação contido neste estudo e aludido mais acima. Os trechos que enunciam esses atos enunciativos de resistência à expressão escrita serão capazes, mais do que o próprio conteúdo das enunciações teológicas, de tornar claros os elementos da filosofia de Descartes que permitiram – ou antes, exigiram – não apenas que problemas teológicos fossem abordados de maneira reticente,

23 Blanchot (1997), p. 329.

mas também que uma tradição mística quietista como a presente em Port-Royal pudesse, especialmente após sua morte, reivindicar seu pensamento como o fundamento de sua própria posição.

O estudo dessa resistência, que nos aproxima perigosamente da auscultação de um psicanalista em busca de uma "revelação", nos permitirá dar conta de uma outra tendência *interna* do pensamento de Descartes, antagônica a essa primeira, que o conduzia ao silêncio, e na qual reconheceremos, igualmente, uma marca constitutiva de sua filosofia. À abundância dos paratextos nos quais Descartes anuncia sua decisão de não escrever sobre certos temas, especialmente sobre a teologia, contrapõe-se um conjunto significativo de outras passagens nas quais ele ultrapassa, de bom grado, os limites que ele mesmo estabelecera para o que gostaria de registrar por escrito. Esses textos transgressores, por um lado, comprovarão, de forma eloquente, que é por uma dinâmica interna, e não só pelas convocações externas, que sua filosofia teve de abordar questões teológicas, mas, por outro lado, parecem infirmar nossa hipótese de que é sempre com certa resistência que esses limites entre filosofia e teologia são ignorados. Trata-se do conjunto de textos formado pelas declarações explícitas de Descartes de que sua filosofia poderia se mostrar não apenas compatível com as doutrinas reveladas pela fé, mas também oferecer para elas uma explicação inteiramente racional. Assim, por exemplo, logo após ter publicado a primeira edição de suas *Meditações*, em 1641, Descartes viu-se acuado por dois inimigos advindos do campo teológico, o padre católico Pierre Bourdin (professor de matemática em Clermont, o colégio jesuíta de Paris) e o protestante Gisbertus Voetius (Gisbert Voët, professor de teologia da Universidade de Utrecht). Ao preparar a segunda edição do livro, que apareceria em 1642, Descartes incorpora a ele as *Sétimas Objeções* (feitas por Bourdin), mas, a elas, anexa uma carta ao superior hierárquico de Bourdin na Companhia de Jesus, o padre Jacques Dinet, na qual também não se furta a abordar a querela com Voetius[24]. Nessa carta, impressa em caracteres maiores do que os da resposta a Bourdin – um sinal gráfico que ressalta a sua importância

24 Como observa Steven Gaukroger, Descartes, na *Carta a Dinet* (o título completo dessa carta é: *Admodum Reverendum Patri Patri Dinet. Societatis Jesu Præposito provincial per Franciam*), usa como estratégia lançar Bourdin e Voetius um contra o outro. Cf. Gaukroger (1999), p. 437.

–, ele anuncia – talvez justamente por estar acuado – que sua filosofia poderia explicar *todos* os mistérios da fé de maneira mais eficaz do que a filosofia escolástica tradicional. Nesse caso, nosso projeto de estudar a resistência cartesiana de escrever sobre a teologia pareceria estar simplesmente desmentido pela letra de seu texto. Vejamos como essa última se manifesta na *Carta a Dinet*:

> No que concerne à teologia, porque as verdades nunca podem ser contrárias [*adversari*] umas às outras, seria impiedade temer que qualquer verdade descoberta pela filosofia pudesse conflitar com as pertencem à fé. E afirmo até mesmo que não há questão religiosa que não possa ser explicada tão, ou até mais facilmente, por meus princípios, em vez dos que são vulgarmente aceitos. Creio já ter dado um exemplo notável disso no final de minhas respostas às quartas Objeções, que versam sobre uma questão na qual é notoriamente difícil conciliar a filosofia com a teologia. E estarei ainda pronto a fazer a mesma coisa sobre todas as outras questões, *se tal fosse necessário* [*si opus sit*][25].

O "exemplo notável" a que Descartes se refere é sua teoria sobre a eucaristia. Após a leitura de textos como esse, porém, seria talvez ainda possível manter nossa hipótese central, afirmando que eles representam atitudes minoritárias no *corpus* cartesiano, de tal modo que seriam uma exceção que confirma a regra. Embora isso seja verdade, a declaração de guerra contra a escolástica, anunciada aqui, sintomaticamente, em letras impressas em uma tipografia maior do que a do resto do texto, dando a ela a aparência de um panfleto, não pode simplesmente ser ignorada. Não é tampouco plausível amenizar a força dessas declarações através da suspeita de que Descartes estaria sendo insincero, ainda que, pouco antes desse trecho, percebamos que, de fato, ele não tem a intenção de desenvolver, ao menos não na *Carta a Dinet*, suas soluções para esses temas de teologia:

> ... digo ousadamente que jamais se deu a solução de alguma questão segundo os princípios da filosofia peripatética que eu não possa de-

25 AT VII, 581; grifo acrescentado na tradução. Gaukroger (1999), p. 435 afirma que, nessa carta, Descartes "jogou para o espaço sua cautela costumeira". O contraste dessa atitude com aquela outra, de "abjurar" seus próprios escritos, foi analisada por Charles Ramond no capítulo IV de seu livro *Descartes. Promesses et Paradoxes*. Voltaremos a esse texto de Ramond mais abaixo.

> monstrar ser falsa ou ilegítima. Que se faça a prova disso; que se me as proponha, não todas, pois não estimo que elas valham a pena que se empregue nelas muito tempo, mas algumas poucas e selecionadas, e *ouso prometer* [*stabo promissis*] que não haverá ninguém que não fique de acordo sobre a verdade do que proponho[26].

O que trechos que exprimem essa mesma atitude revelam é que não foi por considerar que seu método não seria capaz de resolver problemas teológicos que Descartes muitas vezes se calou diante deles. Como já eliminamos deste estudo explicações psicológicas, segundo as quais a prudência – ou o medo – o teriam calado[27], resta aceitar o que está escrito literalmente: a teologia não mereceria que se empregasse nela muito tempo, mas, quer sob a forma de um "exemplo", quer sob a de uma "prova", seria inteiramente transparente à luz natural da razão. Portanto, se Descartes adiou novamente a abordagem de questões teológicas ("*stabo promissis*"; "*si opus sit*"), no momento mesmo em que afirmava com mais ênfase sua habilidade para resolvê-las *todas e inteiramente*, as razões para isso deveriam ser procuradas em outros lugares que não aqueles habitados pelas incertezas próprias das ideias obscuras e confusas. Se a teologia é uma tarefa inútil, não seria devido a uma sua incerteza ineliminável, nem tampouco devido ao fato de que ela mobilizaria, como em nenhum outro campo da atividade intelectual, as paixões dos homens na defesa das crenças mais fundamentais de

26 AT VII, 580; grifo acrescentado na tradução. A tarefa de expor sua teologia é adiada, pois, para outro momento, mais oportuno.

27 De um ponto de vista psicológico, seria possível traçar a resistência de Descartes em tratar de temas teológicos a uma disposição mais geral de se subtrair do mundo, e de nele permanecer oculto. Ver, sobre isso, a célebre passagem das anotações intituladas *Preâmbulos*, um de seus primeiros escritos de juventude: "Os atores, chamados à cena, para não deixar ver o rubor de suas faces, colocam uma máscara. Como eles, no momento de subir ao teatro do mundo no qual, até agora, fui apenas espectador, avanço mascarado" (AT X, 212) (para a história desse texto, de data incerta, mas provavelmente anterior a 1619, cf. Descartes (1967), pp. 25-29) e, em um eco antecipado de Rousseau, a *Carta a Voetius*: "Quanto a mim, habito no campo; afasto-me tanto quanto possível da sociedade dos homens [*ad hominum turba semoveo*]" (AT VIII, II, 20 e Descartes, 1826, p. 16). O tema do "arrependimento" poderia, também, ser relacionado aqui (ver as regras da moral provisória no *Discurso do método*). Evidentemente, seria necessário, se quiséssemos incorporar esses elementos "psicológicos" a nosso texto, tratá-los como dispositivos textuais – e é o que de fato faremos com a paixão do "ódio".

suas vidas, mas antes porque ela inauguraria um campo essencialmente *aberto*, inesgotável, de diálogo. Note-se que Descartes, nesse trecho, aceita resolver apenas "algumas poucas e selecionadas" questões de teologia – se ele estima que resolver "todas" demandaria um tempo que não compensaria o esforço nelas dispendido, é porque, veremos, tal totalidade nunca poderia ser completamente percorrida. É preciso, pois, articular conceitualmente a origem dessa inesgotabilidade.

Entretanto, as coisas não são tão simples quanto o último parágrafo sugere: a essa atitude otimista em relação à conciliação entre filosofia e teologia, muitos outros textos, escritos em épocas diversas, contrapõem a impossibilidade conceitual de se tratar, de forma rigorosa, dos temas teológicos. Assim, em uma carta a Mersenne de 15 de abril de 1630 – na qual, pela primeira vez, comunica a seu amigo algumas de suas opiniões sobre a metafísica, dentre as quais se destaca a famosa tese sobre a livre criação das verdades eternas –, Descartes cuida de distinguir nitidamente as duas disciplinas, reservando à filosofia o tratamento da parte racional das questões teológicas:

> No que diz respeito a vossa questão de Teologia, ainda que ultrapasse a capacidade de meu espírito, ela não me parece, entretanto, fora de minha profissão, porque ela não toca ao que depende da revelação, o que denomino propriamente Teologia, mas é, antes, metafísica e se deve examinar pela razão humana[28].

Esse trecho antecipa a famosa passagem da Primeira Parte do *Discurso* onde, passando em revista as atividades intelectuais a que se poderia dedicar com proveito, Descartes caracteriza a teologia nos seguintes termos:

> Eu reverenciava nossa teologia e pretendia, tanto quanto qualquer outro, ganhar o céu; mas, tendo aprendido, como coisa muito certa, que o caminho não é menos aberto aos mais ignorantes do que aos mais doutos, e que as verdades reveladas que a ele conduzem estão acima de nossa inteligência, não ousaria submetê-las à fraqueza de meus raciocínios e pensava que, para empreender examiná-las e lograr êxito, era necessário ter alguma extraordinária assistência do céu e ser mais do que homem[29].

28 AT I, 143-144.

29 AT VI, 8. Nas *Respostas às Sextas Objeções*, diante da demanda para se pronun-

Nessa passagem, o nome "teologia" designa um domínio de ideias inapreensíveis pela razão humana, embora, em outras, as verdades de uma espécie de "teologia natural" sejam parte de uma disciplina que não só é compatível com o que Descartes chama de "filosofia", mas é, em grande medida, redutível a ela – pelo menos naquilo que não depende da iluminação sobrenatural de Deus. Já que a teologia racional é preservada como um campo legítimo de estudo, o que explicaria, então, as reservas de Descartes em relação às demandas para discorrer sobre temas teológicos? Tratar-se-ia de um limite epistêmico, visto que a teologia racional depende, em última instância, da teologia revelada, a qual se situa fora do que é clara e distintamente representável pela razão? Ou seria, antes, um limite relacionado aos objetivos expressos do autor, que consideraria uma perda de tempo discorrer sobre um tema que deve permanecer – por algum motivo ainda não inteiramente claro – como um campo aberto a renovadas disputas? E, além disso, o que explicaria a oscilação de Descartes entre esses dois motivos aparentemente excludentes?

Veremos que o programa filosófico de estabelecer os limites epistemológicos do que pode ser afirmado ou negado racionalmente é o elemento central da formulação, por escrito, das resistências de Descartes frente à escrita de certos temas – e, em uma generalização vertiginosa, de toda a escrita. No entanto, ao contrário do que poderia parecer à primeira vista, tais limites não se referem, no caso específico da fronteira que separa a filosofia primeira da teologia, à separação entre as ideias claras e distintas da filosofia[30], por um lado, e as verdades manifestadas pela fé, bases da teologia revelada, por outro. A "regra geral" estabelecida na Terceira Meditação, segundo a qual "o

ciar sobre vários dogmas do cristianismo, Descartes repete essa mesma advertência: "porque nunca me imiscuí no estudo da teologia, e nem me apliquei a ela senão o que era necessário para minha própria instrução, e, enfim, porque não sinto em mim graça divina, que me faça julgar capaz de a ensinar. Daí por que faço aqui minha declaração de que, *de agora em diante, não responderei mais a objeções similares*" (AT VII, 429; IX, 230; grifo acrescentado na tradução). Deve-se notar que, em um movimento de radicalização do silêncio, o desejo de não mais escrever e se dedicar apenas a sua "própria instrução" levará Descartes a estender essa restrição para todos os domínios da ciência.

30 A palavra "filosofia" englobava, para Descartes, a totalidade do que, hoje, designamos pelas palavras "filosofia" (designada por ele como "filosofia primeira") e "ciência".

que percebo mui clara e distintamente é inteiramente verdadeiro"[31], certamente visava essa repartição entre o claro e distinto e o obscuro e confuso (principalmente quando esse último domínio se referia às sensações advindas do corpo); no entanto, o limite assinalado por Descartes quando se depara com a teologia racional não é esse, e sim o que separa dois campos de conhecimento que, a princípio, parecem ser igualmente compostos por evidências racionais. Ou seja, é no interior mesmo da "filosofia", composta por uma antropologia e por uma teologia racionais, que Descartes traça *uma segunda* linha divisória, não mais responsável pela separação entre a ciência certa e as meras opiniões, mas pela disjunção entre a filosofia primeira e aquilo que pareceria ser sua sequência natural, uma ciência de Deus. Sendo assim, ao limitar a ideia clara e distinta de Deus ao papel restrito de enunciar o fundamento da ciência segura da Natureza, expulsando de sua obra a tarefa de determinar de forma mais aprofundada a essência divina para além desses limites, Descartes desenha um recorte no interior mesmo da racionalidade[32]. Por ser uma fronteira interna, ela é menos nítida do que a primeira demarcação, encarregada de isolar as informações vindas "dos sentidos ou pelos sentidos"[33] das ideias inatas da razão. À primeira vista, pareceria que Descartes poderia não ter traçado essa segunda divisão, que seu caráter suplementar seria arbitrário, advindo de motivações puramente pessoais e psicológicas. A tarefa deste estudo é mostrar que o arbitrário e o necessário, nesse caso, não são nitidamente separáveis.

É através da distinção entre ideias que são "compreensíveis" e outras que são "incompreensíveis", mas "inteligíveis" que esse novo limite será formulado. Na Terceira Meditação, a prova da existência de Deus é seguida de respostas a várias objeções antecipadas pelo próprio autor; uma delas institui precisamente a distinção entre dois verbos, "compreender" ("*compehendere*") e "inteligir" ("*intelligere*"). Nem sempre esses verbos serão usados rigorosamente nos sentidos aí estabelecidos ao longo das *Meditações*, mas, no contexto da prova da existência de Deus, eles designam duas atividades cognitivas distintas. Posso, diz aí

31 AT VII, 35-IX, 27.

32 De certa maneira, a principal crítica de Spinoza contra o método filosófico cartesiano se dirige a essa segunda fronteira traçada no interior da racionalidade.

33 AT VII, 18; IX, 14.

Descartes, como ser finito, compreender apenas o que é comensurável comigo, ou seja, o que é também finito; não é de se surpreender, pois, que, tendo provado que Deus, um ser infinito em ato, existe, não possa, no entanto, compreender sua natureza – basta-me inteligi-lo[34]. Para ilustrar essa distinção entre os dois verbos, Descartes algumas vezes usará uma metáfora (mas uma metáfora nunca é inocente), aproximando "compreender" da visão completa de um objeto e "inteligir" da sensação tátil de uma sua parcela. Mãos e olhos fornecerão, pois, os modelos para esses dois tipos de conhecimento claro e distinto. Ora, a "intelecção" relaciona-se com a "compreensão" assim como um gênero relaciona-se a uma de suas espécies; de fato, o verbo "intelecção" e suas variantes são usados, nas *Meditações*, para designar o conhecimento advindo da razão pura, ou seja, das ideias que a mente forma por si mesma, de forma inata. Em particular, o verbo "inteligir" será muitas vezes usado em contraste com o verbo "imaginar"[35], esse último significando as percepções que a mente forma devido à causalidade que seu corpo próprio exerce sobre ela. A intelecção pode, então, ser ou bem "compreensível" ou bem "incompreensível"; logo, o modelo visual é apenas um dos casos do modelo tátil.

Muito já se insistiu sobre o caráter exemplar que a visão desempenha na concepção cartesiana do conhecimento, a começar pelos adjetivos metafóricos que qualificam as ideias "claras" e "distintas" do intelecto. Seria ainda preciso, porém, dar a devida atenção ao modelo tátil, examinando, entre outros textos, a *Dióptrica* e o *Tratado do Homem*, nos quais Descartes explica a visão a partir da sensação das mãos segurando bastões – e, de forma ainda mais radical, reduzindo a visão a um caso particular do tato. Assim, nas *Respostas às Quartas Objeções*, no contexto de sua explicação da eucaristia, ele evoca a autoridade de Aristóteles para esclarecer a função que a ideia de

34 Esse tema reemergirá com força na Quarta Meditação, quando, em sua teodiceia, Descartes advogar em favor da inocência de Deus diante da existência do erro e do mal no mundo por Ele criado. A natureza de Deus é "imensa, incompreensível e infinita", o que se apresenta, a seus olhos, como uma razão suficiente para inocentá-lo. A estratégia de defesa de Descartes consiste, pois, em mostrar que, no caso específico de Deus, a incapacidade do júri para compreender as razões do suposto crime do réu é, ela mesma, a prova de sua inocência.

35 Ver, por exemplo, AT VII, 53; IX, 42.

"superfície" desempenha em sua teoria "mecânica" sobre a transubstanciação da hóstia consagrada:

> Pois, como já foi dito, o contato [*dos olhos com a superfície do pão*] se faz apenas nessa superfície; e Aristóteles mesmo confessa que não apenas esse sentido que, por privilégio especial, se nomeia o toque [*attouchement*], mas também todos os outros, só sentem por meio do toque. É no livro 3 *Da alma*, cap. 13, onde estão estas palavras: αἰσθητήρια ἀφῇ αἰσθάνεται [*os outros órgãos sensoriais percebem também por contato*][36].

Essa submissão do modelo visual ao tátil não deixa de introduzir alguma ambiguidade na leitura, pois toda "compreensão" é também uma "intelecção", de tal modo que é preciso, nos trechos em que os dois termos forem opostos (especialmente no caso da ideia de infinito), entender que "intelecção" é usado aí no sentido de uma intelecção que não é compreensível.

A distinção entre essas duas espécies de intelecção introduz uma outra, entre seus respectivos objetos: enquanto os objetos inteligíveis e compreensíveis são ou bem intuições de naturezas simples ou bem apreensões de séries finitas[37], o objeto inteligível e incompreensível é o ente infinito em ato – Deus. Teremos de investigar, mais adiante, a qual desses dois tipos de objeto pertence a vontade humana[38], ou seja, aquilo que, propriamente, nos faz "imagem e semelhança" de Deus[39], pois a relação entre o original (Deus) e a cópia (a vontade humana) introduzirá, como veremos, uma ambiguidade na (pretensamente)

36 AT VII, 251; IX, 194. Como se sabe, a relação do tato com a visão ocupará uma parte considerável dos debates epistemológicos do final do século XVII até quase o fim do XVIII, de Locke a Diderot.

37 Os objetos "obscuros e confusos" das sensações são um caso à parte: embora finitos, seu conteúdo é "materialmente falso", de tal modo que eles não discriminam, propriamente falando, nenhum objeto. Cf. AT VII, 43; IX, 34.

38 Voltaremos abaixo à tese da infinitude da vontade; a rigor, Descartes afirma, na Quarta Meditação, não sua infinitude, mas sua amplidão irrestrita. Nesse passo das *Meditações*, Descartes recorre à experiência da ilimitação para caracterizar a extensão da faculdade da vontade ("*nam sane nullis illam limitibus circumscribi experior*" (AT VII, 56; IX, 45)).

39 "*adeo ut illa præcipue sit, ratione cujus imaginem quandam & similitudinem Dei me referre intelligo*" (AT VII, 57; IX, 45).

nítida distinção exclusiva entre dois tipos de objeto, os finitos e os infinitos. Mas é da noção de séries finitas que essa investigação deve começar. As *Regras para a direção do espírito* tratam das séries finitas, descritas, na Regra VI, como o "principal segredo do método"[40] – um segredo que, ao contrário do que acontecia com os escritos dos "Antigos", que o preservavam ciumentamente escondidos dos leitores, Descartes pretende divulgar abertamente[41]. Na Regra VI, Descartes adverte o leitor de que o método não contém, à primeira vista, nada de novo, mas de que é precisamente em sua simplicidade que, visível, o segredo se escondia até então:

> Todas as coisas podem se dispor em certas séries, não enquanto se as relaciona a qualquer gênero de ser, como o fizeram os filósofos que as dividiram em suas categorias, mas enquanto elas podem se conhecer umas a partir das outras, de modo que, a cada vez que ocorre uma dificuldade, podemos imediatamente nos dar conta se será útil esclarecer outras previamente, quais, e em qual ordem[42].

Veremos, ao tratar dos limites entre a "filosofia primeira" e a teologia natural ao longo deste estudo, por que tais limites são explicados pela distinção entre "compreensão" e "intelecção", bem como pela construção de séries finitas e pelos obstáculos que as impedem. No caso da "filosofia primeira", a presença de um termo absolutamente infinito como princípio (mas não começo) da série dedutiva não impedirá sua finitude e sua completude; da mesma forma, a tematização da vontade livre tampouco introduzirá a incompletude nas meditações cartesianas. É só no caso da teologia racional que, como mostraremos, um problema insuperável se apresenta. Além disso, é importante notar que a teologia será, ela mesma, dividida, em seu interior, por uma outra separação, distinta da que é designada pelo uso dos verbos "compreender" e "inteligir": enquanto a "teologia natural" será considerada como incompreensível e inteligível, a "teologia revelada" será ininteligível pela luz natural da razão. No interior da teologia, tomada em geral,

40 Regra VI (AT X, 381).

41 Embora tenham permanecido incompletas e, durante a vida do autor, inéditas, as *Regras* se materializaram resumidamente nas famosas "prescrições" da Segunda Parte do *Discurso*.

42 AT VI, 8.

essa diferença acarretará novos problemas para a relação de Descartes com a escrita e a publicação. Finalmente, a série finita das meditações metafísicas, que tem seu começo na proposição "eu penso, eu existo", será, paradoxalmente, a ocasião de se formular um outro problema, inverso ao primeiro, mas igualmente danoso para a desejabilidade de fixar os pensamentos em sinais gráficos. Examinemos cada um desses elementos separadamente, ao longo deste livro, começando pela relação de Descartes com a teologia. Veremos, então, que, no fundo do que constitui o caráter intrinsecamente aporético da teologia racional no contexto da filosofia cartesiana, encontra-se a famosa tese sobre a livre criação das verdades eternas por Deus, formulada por Descartes pela primeira vez nas cartas a Mersenne de 1630 e retomada em diversos momentos de sua obra, ainda que nem sempre de forma explícita[43]. Segundo essa tese, devido à simplicidade de Deus, não podemos diferenciar, Nele, intelecto, vontade e ação; não havendo prioridade do intelecto sobre a vontade, a ação de Deus não se limita à criação de um dentre muitos mundos logicamente possíveis, mas cria as próprias possibilidades ou essências e suas leis (inclusive – ao menos aparentemente – as leis lógicas). À primeira vista, tal tese parece implicar que o que é necessário para nós é contingente para Deus – ou ainda, que o necessário é apenas contingentemente necessário; voltaremos a examinar a validade dessa implicação mais adiante. Embora o alcance dessa tese não se limite à teologia, abrangendo, ao contrário, o campo filosófico como um todo[44], será na primeira, veremos adiante, que o caráter arbitrário do fundamento implicará diretamente o destino aporético de suas teorias. De fato, mostraremos que há um procedimento, disponível na filosofia, mas vedado à teologia, que permite a construção de séries finitas de ideias, o qual, no caso da filosofia, não é afetado pela arbitrariedade do fundamento. Porque a teologia, ao contrário, tem de construir suas séries de raciocínios a partir de tal fundo arbitrário – isto é, porque ela tem de introduzir, simultaneamente *no ponto de partida* e *no centro* de seu campo de investigação, as verdades criadas por Deus –, ela deve deixar em aberto a possibilidade de seus esclarecimentos

43 Para um quadro geral contendo todas as ocorrências da tese ao longo da obra cartesiana, cf. Jean-Luc Marion (2009, pp. 270-271).

44 O livro de Marion, mencionado na nota anterior, estabelece de modo definitivo a presença dessa doutrina na filosofia cartesiana.

prosseguirem indefinidamente, uma vez que eles seriam objetos de uma expectativa de compreensão da incompreensibilidade. Veremos que o próprio *tema* da teologia cartesiana – sua concepção acerca da natureza de Deus e de suas ações, com sua abertura para a arbitrariedade radical de todas as coisas, exceto de Deus ele mesmo – contamina sua própria *estrutura discursiva*, tornando impossível, assim, restringi-la exclusivamente a uma série finita de verdades necessárias[45]. Se isso for verdade, então os limites epistêmicos negativos da teologia (o que nela depende da revelação) não são os únicos motivos para a resistência de Descartes a escrever sobre seus temas, mas sim, surpreendentemente, o que, nela, há de claro e distinto, conhecível pela luz natural. Em outras palavras: se a teologia, tomada agora em seu aspecto racional, deve ser evitada, isso se explica por um processo que está mais

45 Segundo Marion, Descartes não levou até o fim seu pensamento sobre os fundamentos, embora tenha aberto a possibilidade de dar "ao silêncio um estatuto teórico à medida de sua profundidade" (Marion, 2009, p. 401). Faltou a Descartes, sugere Marion, o ultrapassamento de um certo modelo de racionalidade: "Que a racionalidade sem fundamento chegue a se aprofundar até o fundamento exigiria mais do que a redução do fundamento ao arbitrário de uma pura instituição. [....] Falta a elaboração, ao menos em esboço, de um modo da racionalidade – portanto, do discurso – que ultrapasse positivamente – e não somente por negação – a ciência do código" (*idem*, 400). Ou seja, de um pensamento que "despoje o ego do domínio [*maîtrise*] que ele exerce, pela *cogitatio*, sobre o pensável" (*idem*, 401). Para designar esse fracasso de Descartes, Marion hesita entre os nomes "esquecimento" [*oubli*], "falta" [*manquement*] e "desconhecimento" [*méconnaissance*] (*idem*, 402). Qualquer que seja a forma de nomeá-lo, ele não deixa de indicar, mesmo que incompletamente, a natureza do fundamento que, "atingido pela incompreensibilidade, define-se por ela: ele só aparece na sua ideia infinita para, imediatamente, desaparecer do olhar da razão" (*idem, ibidem*). A tarefa de pensar o fundamento, segundo Marion, será parte do legado que Descartes deixará a Leibniz, mas, obviamente, o horizonte final de seu estudo aponta para Heidegger e para a fenomenologia. De nosso ponto de vista, embora assumindo como premissa alguns pontos essenciais das análises de Marion sobre o tema da livre criação das verdades eternas por Deus, evitaremos adotar um de seus principais elementos, a saber: a ideia de que a filosofia de Descartes seria afetada por uma espécie qualquer de "incompletude". Ou seja, não admitiremos que a incompletude da "série teológica" seja reflexivamente atribuída ao próprio pensamento de Descartes; ao contrário, veremos, em sua recusa de discorrer sobre temas teológicos, não o sintoma de uma falta, mas a articulação positiva de uma atitude geral diante da escrita e de seus limites. Essa atitude metodológica, por sua vez, não implica tomar o pensamento de Descartes como um "sistema fechado", à maneira de Gueroult. Uma *outra* forma de incompletude, tomada não como uma "imperfeição" (como o faz Marion), mas antes como condição de possibilidade mesma do "sistema", será mobilizada por nós neste estudo.

relacionado à ordenação do pensamento e de sua expressão escrita – na medida em que a impossibilidade de séries fechadas abre as portas para um problema ligado à *comunicação* dos pensamentos – do que à cognoscibilidade de seu objeto. Finalmente, mostraremos como tal resistência está inscrita em uma disposição mais fundamental, cuja expressão passional é o ódio. Nesse nível mais geral, será a existência mesma de séries finitas que colocará um problema relativamente à linguagem e à escrita. Na base dessa generalização, encontra-se a ideia clara e distinta do "eu". Veremos, mais adiante, em que sentido esse novo movimento ocorre, para além daquele que leva Descartes a se chocar com as fronteiras da teologia racional.

Antes disso, entretanto, é preciso responder a uma ambiguidade ainda não abordada: trata-se, para Descartes, de um ódio à escrita ou *ao livro*[46]? Essa é uma questão que deve ser esclarecida nesta introdução ao nosso estudo. Poderia parecer não só que ambas não se recobrem inteiramente, mas que até mesmo se distinguem nitidamente: de fato, enquanto a escrita é um "auxiliar da memória" necessário para a fixação dos conteúdos pensados por uma mente finita – como o atesta a linguagem perspícua empregada na *Geometria* –, o livro é um meio de circulação social do pensamento e dos signos que o preservam. Há, no entanto, uma zona cinzenta em que o ódio ao livro se estende – ou, talvez, é derivado do – ódio à escrita. No trecho citado acima[47], que abre a Sexta Parte do *Discurso*, não deve passar despercebido, como se fosse de menor importância, o fato de que o verbo "escrever" [écrire] se introduz, quase insensivelmente, como sinônimo do verbo "publicar" [*publier*] e do nome "impressor" [*imprimeur*]. Mais do que uma metonímia, esse deslocamento semântico é um *sintoma*: a exteriorização corporal do pensamento herdará algumas das dificuldades da noção cartesiana de união da mente ao corpo, de tal modo que o

46 Sobre essa oposição, cf. Derrida (1967, pp. 15-41), capítulo 1 (intitulado "La fin du livre et le commencement de l'écriture").

47 "Pois, embora as razões, pelas quais eu a adotara anteriormente [*a saber, a resolução de publicar seu escrito*], fossem muito fortes, *minha inclinação, que me fez sempre odiar o ofício de fazer livros*, me levou incontinenti a achar muitas outras para me escusar dela" (AT VI, 60). A alternância dos verbos relativos à escrita e à publicação é, na sequência desse trecho, a seguinte: "pô-lo entre as mãos de um impressor"; "publicada pouco antes"; "que me impedisse de escrevê-la"; "não escrever nenhuma"; "mudar a resolução que eu tomara de as publicar".

"livro" é apenas a manifestação mais visível de uma tensão constitutiva entre o pensamento e a linguagem que o comunica. É a escrita em geral, veremos, que traz a marca de um problema ausente dos *pensamentos* ordenados pelo método. A resistência em relação à linguagem é a outra face, obscura, da manifestação luminosa das ideias claras e distintas e da tarefa que visa assegurar-se de sua continuidade na memória. À memória assegurada pelos signos escritos, Descartes vai sistematicamente opor uma *outra* memória, a "memória intelectual", que garantiria a *presença* dos raciocínios passados na mente dos que descobrem a verdade – e será essa última memória, veremos, o objeto da garantia do "Deus veraz" nas *Meditações*. Neste ponto, chegaremos às antípodas da atitude de hesitação diante de limites que *não deveriam* ser cruzados: o "eu penso" das *Meditações* e do *Discurso* não só é inteiramente compreensível, mas se constitui no princípio (ou, ao menos, no começo) da compreensibilidade, elemento inicial da série finita de razões metafísicas que constituem os preâmbulos de todas as ciências. Portanto, se ele introduz uma restrição aos atos de escrever e de publicar, isso teria de acontecer por razões inversas às que são dadas pela tese da livre criação divina das verdades eternas. Como bem sabemos, qualquer inversão nos conduz ao ponto de partida, uma vez que afirmação e negação partilham, fundamentalmente, do mesmo solo de pressupostos; no caso em questão, tanto a incompreensibilidade divina quanto a compreensibilidade total do "eu penso" conduzirão à mesma atitude reticente com relação à escrita. Isso torna-se patente quando notamos que a proposição mais simples, a verdade primeira do edifício metafísico, "eu penso, eu existo", "eu penso, logo existo", deve, no momento mesmo de sua enunciação, remeter o leitor para um ponto sem extensão temporal para além do discurso. Nessa pura intuição[48] do "eu", a linguagem falhará não porque não consegue *compreender* uma realidade infinita, como é o caso da realidade de Deus, mas, ao contrário, justamente porque o consegue. Apesar dessa diferença notável,

48 Como é bem sabido, o uso do termo "intuição" é relativamente raro nas *Meditações* – ao contrário de seu papel central nas *Regras* –, mas não é de todo ausente. Há, de fato, duas ocorrências em que o termo "intuição" se refere ao ato intelectual: AT VII, 36 e VII, 52. Veremos que essa quase ausência pode confirmar, ao invés de enfraquecer, a importância do conceito nessa obra, na medida em que ele funciona como a condição não dita das séries, seu pressuposto oculto.

também no caso da ideia do "eu", assim como no caso da criação divina das verdades eternas, o problema constitutivo da linguagem está ligado a sua capacidade de comunicar *fielmente* os pensamentos, abrindo as séries completas àquilo que, condicionando-as, escapa delas, bem como, em uma espécie de efeito cumulativo duplamente desastroso, a uma outra infinitude, a da contingência dos debates intermináveis, expondo o autor como um objeto do mundo. O fracasso da linguagem, em outras palavras, deriva do notável sucesso em alcançar os objetivos para os quais foi feita.

Veremos, então, que mesmo os textos transgressores, como o da *Carta a Dinet* citado acima, não representam, de fato, uma exceção à atitude constante de Descartes em relação à palavra escrita. Eles não são uma exceção porque o ultrapassamento dos limites do que fora anteriormente interditado é também mais um sintoma do "ódio à escrita" que marca os textos reticentes, aqueles que se recusam a dar um passo além das referidas fronteiras. Também no caso da transgressão, a relação com a palavra escrita é expressa por paratextos que, em um tom por vezes exaltado, comunicam a intenção de encerrar o debate – todos os debates – com um discurso que pretende dar a última palavra, a definitiva. Deve-se notar, nesse sentido, que os textos transgressores sempre vêm precedidos dos mesmos protestos encontrados nos textos reticentes, além de serem eivados de expressões que, no curso mesmo de sua composição, o rejeitam internamente, quer por meio dos seus inúmeros adiamentos ("*stabo promissis*"; "*si opus sit*"), quer por meio da desqualificação de seus interlocutores – e, portanto, do sucesso comunicacional do próprio texto.

Como quer que seja, insinua-se aqui, não da parte de Descartes, mas de nossa parte, seus leitores, uma suspeita – a qual pode transformar-se em protocolo de leitura –, semelhante àquela que, um século antes, Étienne de la Boétie formulara em seu *Discurso sobre a servidão voluntária*: e se os súditos quisessem a servidão, a demandassem e a sustentassem? *Mutatis mutandis*, e se os repetidos protestos de Descartes contra as demandas externas para manifestar-se sobre temas teológicos não fossem apenas uma expressão de sua "inclinação natural" para odiar o ofício de escrever livros, mas convivessem harmoniosamente com os próprios textos transgressores? Em outras palavras, e se o "ódio aos livros" tiver alimentado não apenas sua reticência a tratar de certos assuntos por escrito, mas o tiver levado, simultaneamente, a escrever a respeito desses temas sobre os quais ele mesmo se impusera o silêncio? Ou ainda: e se, em última análise, Descartes *quisesse* escrever sobre tais temas?

O tema central de nosso estudo – as manifestações paratextuais de Descartes a propósito de sua intenção de não escrever sobre certos assuntos polêmicos da teologia (ou ainda de simplesmente não mais escrever sobre o que quer que seja) – está conectado, pois, com um outro, a ele aparentado, mas, no entanto, a ser nitidamente distinguido dele, a saber: a caracterização do erro como o fato de a vontade ultrapassar os limites do que é clara e distintamente conhecido. São tão frequentes, na obra de Descartes, as passagens nas quais ele anuncia a intenção de não escrever sobre temas que ultrapassam os rígidos limites da "luz natural da razão" que elas parecem indicar, por sua quantidade mesma, a importância desse tópico. É verdade que algumas vezes a teologia aparece como essa *terra ignota* que circunda o estreito campo das verdades cognoscíveis (para usar a imagem de Kant na "Anfibolia dos conceitos puros de reflexão"); assim, no *Discurso*, ela é colocada, logo de início, no rol das ciências incertas que Descartes aprendera em La Flèche, uma vez que seus objetos, as verdades reveladas, estão "acima de nossa inteligência"[49]. Mas, nas *Meditações*, onde o tema dos limites constitui o centro das investigações metafísicas, a teologia é, ao menos em parte, um objeto claro e distinto. Na Quarta Meditação, dedicada à indagação sobre a causa do erro[50], Descartes observa que nem o entendimento nem a vontade podem ser considerados imperfeitos em seus respectivos gêneros: embora o primeiro seja limitado, daí não decorre que a ele falte algo que lhe é devido; já a vontade, sendo infinita e não "circunscrita por quaisquer limites"[51], é, evidentemente, sumamente perfeita. A origem do erro deve, porém, ser derivada de algum modo do entendimento ou da vontade, pois essas são as duas únicas faculdades envolvidas no conhecimento, e já foi provado que Deus não é enganador[52]. A solução de Descartes consiste em propor

49 AT VI, 8.

50 E é sintomático que seja na Quarta Meditação, como veremos adiante, que o fenômeno do erro levará Descartes a questões teológicas, de tal maneira que a investigação sobre as causas da falsidade se confundirá com a teodiceia aí exposta.

51 AT VII, 56; IX, 45.

52 A rigor, a origem última do erro é o corpo, pois é ele a causa das ideias obscuras e

que sua origem está na operação conjunta de ambas as faculdades: os erros nascem do fato de que "a vontade, sendo muito mais ampla e extensa do que o entendimento, eu não a contenho nos mesmos limites [*illam non intra eosdem limites contineo*], mas que eu a estendo também às coisas que não entendo [*ad illa quæ non intelligo extendo*]"[53]. Ora, ao contrário do *Discurso*, a teologia não é tratada, nas *Meditações*, como aquilo que ultrapassa os limites do pensável distintamente: a Quarta Meditação – mas também outras passagens das meditações seguintes – toca em problemas teológicos sem discerni-los, por seu grau de clareza e distinção, de outros tópicos, como a metafísica e a matemática.

Como já vimos acima, isso ocorre, em grande medida, porque a teologia referida na Primeira Parte do *Discurso* era a revelada, ao passo que, nas *Meditações*, trata-se da teologia racional ou natural. É preciso repetir ainda uma vez que os limites do *pensável* e os do *dizível* não coincidem nem se sobrepõem; enquanto os primeiros traçam as fronteiras que excluem as ideias obscuras e confusas do domínio dos pensamentos claros e distintos, os segundos podem repartir, e muitas vezes de fato repartem, o interior desse último. Nem sempre o indizível (o que não deve ser escrito e/ou publicado) tem na obscuridade e na confusão as razões de sua interdição. Nos dois casos, porém, é a extensão da vontade para além de certos limites que estará em questão, de duas maneiras diferentes. Se os motivos prudenciais que poderiam ter motivado Descartes, ligados a causas externas, não serão, como notamos acima já mais de uma vez, considerados ao longo deste estudo, isso não significa que as razões internas para o silenciamento voluntário esgotem-se na clareza e na distinção das ideias requeridas pela ciência e ausentes de certos domínios para além dos quais não deveríamos nos aventurar. O dizível e o pensável coincidem perfeitamente no *Tractatus logico-philosophicus* de Wittgenstein[54], um pensador romântico que não

confusas da mente. Mas Descartes não pode se contentar com essa causa longínqua: é preciso encontrar, no interior da própria mente, a presença dessa causa próxima, na medida em que ela se exprime como uma realidade mental. Assim, os limites que distinguem a mente do corpo são internalizados como os limites que separam as ideias claras e distintas das ideias obscuras e confusas.

53 AT VII, 58; IX, 46.

54 Cf. os aforismas 4 ("O pensamento é a proposição com sentido") e 4.001 ("A totalidade das proposições é a linguagem").

recua diante do paradoxo envolvido na tarefa de pensar – ou seja, de *figurar* – os limites do que pode ser pensado, como o atesta o famoso último aforisma de seu livro. Descartes, como bom filho da cultura clássica do Seiscentos, não chega nem mesmo a entrever tais aporias; assim, seu projeto de determinar, *de dentro*, os limites das ideias claras e distintas pode contar com uma ideia privilegiada no interior da série das ideias, a saber, a ideia de Deus, a qual, formada pelo intelecto puro, sem nenhuma influência externa, garante, todavia, a exterioridade – ou seja, o caráter absoluto – do fundamento. Ainda que não conduza o pensamento dos limites a um paradoxo, Descartes não deixa, no entanto – e por razões intrínsecas a sua filosofia –, de forçar seus limites continuamente. Além disso, ele muitas vezes muda de opinião sobre se um certo tema se situa dentro ou fora dos limites do pensável, ou apenas do dizível. Será preciso, pois, na sequência deste estudo, determinar quais temas, teológicos ou não, são opacos à razão clara e distinta, quais são interditados apenas à comunicação e à escrita – bem como a instabilidade de alguns temas, que ora caem sob uma, ora sob outra forma de recusa.

A repetição de um gesto de exclusão, relacionado sobretudo às inúmeras advertências feitas por Descartes de que certos temas teológicos serão abordados apenas a contragosto, traçam, assim, as fronteiras fixas de seus *discursos* e de suas *meditações*. Mas essa mesma abundância é a causa de um problema para aqueles que porventura se interessarem por esse tópico, a saber: o de determinar, de maneira operacional e não-arbitrária, um *corpus* para a pesquisa. Em todos esses trechos reticentes, o que está em jogo é a enunciação metalinguística de atos enunciativos que contribuem, em sua totalidade, para a (auto) constituição da figura do *autor* dos textos; deve haver, entretanto, uma maneira de selecionar um número relativamente pequeno de passagens, de tal modo a poder traçar, a partir delas, a face de seu autor, ou pelo menos seu esboço. Procedamos, pois, em direção a essa circunscrição.

A delimitação do *corpus* de nosso estudo deve enfrentar, inicialmente, um duplo problema: primeiramente, o de selecionar, em meio a uma profusão de textos que traçam decididamente os limites do que pode ser pensado e/ou escrito, aqueles que são os mais significativos para elucidar em que consiste precisamente tal ato de circunscrição; em segundo lugar, explicar como eles convivem com esse outro grupo de textos, os transgressores, nos quais Descartes desobedece, muitas vezes de modo exaltado, a proibição que ele mesmo estabelecera. Entre a recusa modesta de discorrer sobre temas delicados e o voluntarismo orgulhoso com que anunciava soluções "evidentes" para problemas teológicos até então relegados à zona dos mistérios incompreensíveis, veremos que, aos olhos de Descartes, era preciso, sobretudo, que a justa medida entre o silêncio e o discurso franco sobre a teologia evitasse a *calúnia* dos que, querendo parecer mais sábios do que os outros, não admitem opiniões diferentes das deles. Ora, isso significa que é o mesmo impulso que anima as duas atitudes opostas, na medida em que ambas eram tentativas de encontrar esse ponto intermediário distante dos perigos da *materialização* de seus pensamentos. Um princípio metodológico para a delimitação de nosso objeto de estudo torna-se claro neste momento: como a investigação gira em torno das atitudes, algumas vezes opostas, que Descartes adotou em relação à *publicação* de seus textos, os textos *publicados em vida* serão particularmente úteis para a elucidação desse tema, na medida mesma em que os fatos que cercaram a edição de seus livros dão uma ocasião privilegiada para observar tais atitudes[55]. Um segundo princípio metodológico tem a ver

55 Durante sua vida, foram publicadas as seguintes obras de Descartes: 1- *Discours de la méthode... plus la Dioptrique, les Météores et la Géometrie* (1637) (AT VI, 1-516); 2- tradução latina dessa mesma obra, por Ét. De Courcelles, revista por Descartes (*Renati Descartes Specimina philosophiæ, seu Dissertatio de methodo... Dioptrice et Meteora*) (AT VI, 517-720); 3- *Renati Descartes Meditationes de prima philosophia*, seguidas de seis séries de *Objeções e Respostas* (1641); 4- segunda edição da mesma obra, revista por Descartes e com o acréscimo das *Sétimas Objeções e Respostas* e da *Carta ao P. Dinet* (1642) (AT VII); 5- tradução francesa das *Meditationes de prima philosophia*, pelo duc de Luynes, e das *Primeiras, Segundas, Terceiras, Quartas e Sextas Respostas*, por Clerselier, além de uma *Carta de Descartes a Clerselier* em resposta às *Instâncias* de Gassendi, autor das *Quintas Objeções* (Descartes substituiu essas últimas, nessa tradução, por um curto resumo), todas elas revistas pelo autor, em 1647 (*Méditations métaphysiques de René Descartes*) (AT IX); 6- *Renati Descartes Principia philosophiæ*, em 1644 (AT VIII, 1ª Parte); 7- tradução francesa da mesma obra, pelo abade Picot, revista pelo autor, em 1647 (*Les principes de la philosophie*) (AT IX); 8- *Les passions de l'âme*, em 1649 (AT XI, 301-488); 9- *Epistola Renati Descartes ad celeberrimum virum D. Gisbertum Voetium*, em 1643; 10- tradução holandesa da mesma obra, também de 1643; 11- *Notæ in Programma*, em 1648; 12- cartas diversas em obras publicadas por outros autores (i- Plempius, *De fundamentis medicinæ* (1638; segunda edição em 1644); ii- Beverovicius, *Epistolicæ questiones*, 1644; iii- John Pell, *Controversiæ de vera circuli mensura*, em 1647) (AT I a V). Para os locais e os editores originais dessas obras, cf. a Introdução de Alquié às

com a cronologia das publicações de Descartes: seus primeiros textos publicados (*Discurso* e *Meditações*) são justamente os que o apresentam como autor à "República das Letras", derivando daí seu estatuto privilegiado para nosso objetivo.

Enunciemos, pois, a circunscrição dos trechos que formarão o núcleo do presente estudo: eles relacionam-se a momentos em que Descartes expressa sua inclinação para não mais escrever sobre temas teológicos disputados pelas diversas tradições cristãs, bem como a outros nos quais relata e explica as razões que o levaram, no passado, a não escrever a respeito deles. Mas examinaremos também aquele outro conjunto de trechos, nos quais a atitude de denegação é substituída pela firme intenção de escrever e publicar suas opiniões teológicas. Assim como, instado pela princesa Elizabeth, Descartes viu-se paulatinamente conduzido, após a publicação dos *Princípios da filosofia*, a pensar a união entre mente e corpo e seu produto, as "paixões da alma"[56] – ou seja, viu-se levado a pensar clara e distintamente sobre o obscuro e o confuso –, também no caso do transpassamento das fronteiras do que gostaria de publicar e do que pretendia deixar em silêncio será preciso discernir a ação peculiar de confrontar-se abertamente com o que ele mesmo excluíra de seu campo de preocupações. Como já anunciamos acima, para essas duas ações – traçar limites; ultrapassá-los –, identificaremos uma mesma fonte, a paixão do ódio à escrita.

Nosso esforço será o de mostrar que essa paixão condensa em si uma atitude geral, característica da relação de Descartes com vários de seus textos. Repetimos: pela palavra "atitude" não devemos entender, neste estudo, uma inclinação psicológica do homem "concreto" que respondia pelo nome "René Descartes". Trata-se, ao invés disso, de tomá-la como a expressão de um esquema afetivo de subjetivação, ou seja, de um *signo.* É preciso, além disso, dar um passo além, reconhecendo essa mesma paixão fundante do ódio não só nas reservas com que Descartes tentava se subtrair à escrita, ou nos relatos de eventos em que se decidiu pelo

Œuvres philosophiques de Descartes (Descartes (1967), pp. 3-4).

56 Deve-se notar que Descartes se refere ao sujeito da "união íntima" entre corpo e mente pelo nome de "alma" [âme] (*Les passions de l'âme* é o título de seu último livro) e não pelo termo francês usualmente usado por ele para traduzir o latino "*mens*" – isto é, "*esprit*". À diferença de nomes corresponde, presumivelmente, uma diferença de objetos.

silêncio, mas até mesmo ali no próprio *impulso* que o animou, ainda que mais raramente, a escrever e divulgar algumas linhas contendo suas "soluções definitivas" para os problemas teológicos herdados da tradição escolástica. O tom auto-laudatório desses textos deixa claro que a escrita, para ele, era o campo de batalha de sua guerra particular contra a teologia tradicional, procurando desmoralizar seus oponentes em seu próprio território. Como veremos mais adiante, quando analisarmos a Sexta Parte do *Discurso* e o final das *Quartas Respostas*, essas diferentes dimensões da escrita cartesiana serão integradas em torno de suas disposições afetivas – entendendo essas últimas, como já advertimos acima, como outros tantos signos textuais. Podemos notar, porém, que o que está em jogo nesses trechos é o zelo dispensado a sua própria voz como filósofo, a qual deve ser preservada das distorções promovidas por seus *inimigos*. Nessa, como em todas as guerras, o ódio desempenha um papel relevante; o que é mais raro, porém, é que ele se volte contra si mesmo, e dirija-se contra o manejo de suas armas, as palavras que emprega para expor sua nova teologia. Veremos, mais adiante, como devemos entender essa reviravolta até certo ponto surpreendente, e de que modo ela se manifesta não apenas quando Descartes publica suas considerações teológicas, mas também quando publica qualquer um de seus textos de "filosofia natural".

Desde já, porém, devemos nos perguntar em que sentido esse zelo com sua obra revela algo de peculiar a Descartes. Não é com igual zelo que qualquer autor, em qualquer época, vela por seus escritos, corrigindo as distorções de que é eventualmente vítima? Contra essa suspeita, veremos adiante que a imagem de autor que Descartes construiu para si mesmo em seus textos expressa, por um lado, formas de pensamento típicas do século XVII e, por outro lado, contém certos elementos particulares que fazem do cuidado com sua reputação um elemento conceitual característico de seus escritos. Por ora, devemos nos perguntar, ainda no intuito de delimitar o *corpus* de nossa análise, qual lugar sistemático deveríamos reservar para os documentos da assim chamada "querela de Utrecht" – a saber, a *Carta a Voetius*, de 1643, e a *Carta aos magistrados de Utrecht*, de 1648. Somados, esses dois textos totalizam quase trezentas páginas impressas, o que as torna duas das mais extensas obras Descartes[57]. O valor filosófico desses documentos só recentemente tem recebido mais atenção dos comentadores[58]; no contexto de nosso estudo, sua importância é evidente: assim como na *Carta a Dinet* (a qual, de certa forma, foi o estopim dos outros dois textos), Descartes se coloca na ofensiva, e adota explicitamente o vocabulário da "guerra" e da "paz". Aqui, pois, mais do que nunca, o que está em jogo é uma disputa sobre a autoridade e a legitimidade de suas obras.

Entre esses documentos, há, é certo, uma diferença notável: enquanto a *Carta a Voetius* e a *Carta a Dinet* foram publicadas durante a vida de Descartes e sob sua supervisão (ambas foram incorporadas às edições póstumas da obra de Descartes a partir de 1650), a *Carta aos magistrados de Utrecht* é um documento destinado exclusivamente aos membros desse conselho municipal. Além disso, essa última só chegou até nós sob a forma de uma tradução para o flamengo[59], revista, no entanto, pelo próprio Descartes. Conforme os princípios adotados neste estudo, pois, as duas primeiras cartas têm uma importância maior do que a terceira. As cartas a Henricus Regius (Hendrik de Roy, professor de medicina na Universidade de Utrecht), a partir de 1641 até seu rompimento nas

57 Na Introdução (ou "Argumento") de sua *Carta a Voetius*, Descartes diz que "foi assim que, crendo escrever uma carta, a abundância do assunto produziu um livro" ["*atque ita quod tantùm epistolam fore putabam, paulatim ob copiam materiæ in librum excrevit*"] (AT VIII, II, 11).

58 Erik Jan-Bos indica, até 1999, os seguintes textos: Marion's preface to *La Querelle d 'Utrecht*; Th. Verbeek, *Descartes and the Dutch*; J. A. van Ruler, *The Crisis of Causality. Voetius and Descartes on God, Nature and Change* (Leiden: Brill, 1995); Th. Verbeek, «Le contexte néerlandais de la politique cartésienne,» *Archives de la philosophie* 53 (1990): pp. 357-70; V. Carrand, «Descartes: Le droit de la charité,» in G. Canziani, Y. Zarka, eds., *L'interpretazzone nei secoli XVI e XVII* (Milan: Francoangeli, 1993), 5 x pp. 5-36; D. Des Chene, «Cartesiomania: Early Receptions of Descartes,» in *Perspectives on Science* 3 (1995): pp. 534 -81. Cf. Jan-Bos (1999). No Volume 11 de sua edição das Œuvres de Descartes (Paris: F. G. Levrault, 1826), destinado às obras cartesiana que até então não haviam sido traduzidas para o francês, Victor Cousin despacha com um gesto rápido a relevância filosófica da *Carta a Voetius*: "Não há nada aí de muito importante para nós" (*Avant-propos*, p. J).

59 O título original da carta é: *Antwoordt van den wel-Eedelen Heer René des Cartes, Heere du Perron, op het ghepubliceerde vande Vroedschap der Stadt Wtrecht den 13/23 Junij des Iaers* 1643, trazendo, como complemento, o subtítulo: *Verantwoordingh van Renatus Descartes aen d'achtbare overigheit van Uitrecht, in de welcke de lasteringen en valsche beschuldigen van eenigen sijner tegenstrevers tegens hem klaerlijck ontdeckt worden.*

Notae in Programma, também são relevantes, já que, nelas, Descartes formula conselhos a seu discípulo na preparação das *disputationes* das quais um aluno desse último deveria fazer parte na Universidade de Utrecht – ou seja, embora elas não tenham a forma de um documento publicado em vida, as cartas a Regius contêm, em grande medida, um material que era destinado à publicidade das ideias de seu autor (como, de resto, era o caso de boa parte das correspondências científicas e filosóficas do século XVII, muitas vezes recopiadas e distribuídas entre os cientistas, filósofos e literatos).

Este livro não abordará em profundidade, porém, as inúmeras querelas que ocuparam os últimos anos da vida de Descartes. Um estudo mais detalhado desse período e de suas obras epistolares, ainda a ser feito, deveria levar em conta as complexas relações de Descartes com a prática da advocacia, desde a defesa de sua tese de licenciatura em Direito em Poitiers até os recursos jurídico-filosóficos mobilizados na longa querela de Utrecht. Na Conclusão deste estudo, mencionaremos apenas brevemente alguns pontos relevantes desses escritos para a compreensão das relações de Descartes com a escrita, mas uma investigação mais acurada de sua prática advocatícia terá de ser adiada para outra ocasião. Tal lacuna não se deve à tese, defendida por alguns intérpretes – em uma posição que se torna cada vez mais minoritária –, de que os textos agrupados sob essa rubrica "jurídica" sejam "quase sem interesse filosófico", como ainda sustenta, por exemplo, uma das biógrafas de Descartes, Geneviève Rodis Lewis, ainda na década de 1990[60]. Ao contrário, a riqueza filosófica de tais documentos é o que nos fez adiar seu exame para uma outra ocasião; no presente estudo, devemos nos concentrar apenas na elaboração dos pressupostos filosóficos em jogo na relação de Descartes com a palavra escrita. A "guerra" travada com os magistrados de Utrecht será uma das manifestações mais claras de tal postura; na lida com as calúnias de seus inimigos e com a traição de Regius – a quem Descartes, como foi dito acima, havia orientado pacientemente sobre a maneira mais adequada de tornar *públicas* suas palavras –, encontraremos, assim ao menos acreditamos,

60 Rodis-Lewis (1995), p. 224. Como indicamos acima, essa opinião tem cada vez menos adeptos entre os estudiosos da obra de Descartes; a própria Rodis-Lewis lista, na nota 13 do Capítulo 6 de seu livro (p. 323), algumas teses de interesse propriamente filosófico contidas nos textos cartesianos produzidos durante a querela de Utrecht.

em um estudo minucioso a ser realizado posteriormente a este, ao mesmo tempo a confirmação e o desenvolvimento dos pressupostos aqui enunciados.

O ponto de partida de nossa investigação será o conjunto de textos de Descartes que aborda, ainda que indiretamente, a questão da graça divina[61]; outras disputas teológicas serão examinadas apenas na medida em que ajudem a esclarecer o silêncio ou as lacunas em seu discurso sobre aquela questão. O problema da graça é um tópico privilegiado, em primeiro lugar, porque ele articula justamente a questão dos limites cognitivos do homem diante da iluminação sobrenatural de Deus (ademais, ele é, como veremos, o único tópico teológico que, de fato, levou Descartes a modificar o texto canônico de seu estilo de escrita, as *Meditações*). Mas sua importância, em segundo lugar, reside no fato de que o problema da graça remete o leitor a uma linha de força que perpassa *todas* as demais questões teológicas (do problema da eucaristia ao mistério da trindade; da glória de Deus à teodiceia), na medida em que elas são inseridas no interior do pensamento de Descartes. Esse "fundo" é a indiferença da vontade, tanto do homem quanto de Deus. A questão da graça, relacionando as vontades humana e divina, abrirá o caminho para esse elemento de fundo – de um fundo situado na superfície dos textos, conforme já foi notado por nós – que explica as reticências cartesianas em relação à teologia como um todo, a saber, a tese da livre criação das verdades eternas por Deus. Nessa tese, deveremos levar em conta como o fato de o homem ser definido como "imagem e semelhança de Deus"[62] lhe dá um arbítrio (quase)[63] igualmente infinito. Finalmente, poderemos derivar daí uma caracterização mais geral da atitude de Descartes frente à escrita, agora não mais restrita às fronteiras litigiosas que separam a filosofia da teologia. O resultado dessas análises será a compreensão dos dispositivos textuais, restritos, ao menos inicialmente, em cada nova etapa deste estudo, aos publicados em vida pelo próprio Descartes, que procuraram constituir a figura do autor de uma determinada maneira bem precisa. Entenda-se bem: não

61 E o fato de que a abordagem dessa questão neles seja indireta não deixa de ser significativo.

62 AT VII, 57.

63 Sabemos, pela Terceira Meditação, que uma *imagem* nunca é tão perfeita quanto a realidade que ela representa.

se trata apenas de propor um estudo estilístico dos textos de Descartes, mas antes de investigar, de um ponto de vista filosófico, a imagem que ele quis construir para si mesmo, através de seus escritos, como autor de textos de filosofia. Mais do que uma análise estilística, trata-se de examinar as *condições* que permitem a elaboração de um estilo[64]. Ou seja, trata-se de abordar a questão da autoria como um problema filosófico, entendendo as estratégias textuais que Descartes usou para se legitimar a si mesmo como autor de textos que mereceriam ser levados a sério enquanto expressões de um discurso válido no campo filosófico. Sabemos que os "Modernos" – autodesignação dos próprios autores que procuravam substituir a antiga filosofia escolástica por uma forma de conhecimento mais adequada ao novo panorama intelectual – tiveram, todos, alguns em maior e outros e menor grau, de legitimar seus próprios discursos frente a uma tradição que lhes resistia. A modernidade, em certo sentido, reduz-se a essa consciência histórica de uma ruptura. O caso de Descartes foi, assim, *exemplar*: desde sua primeira obra publicada (ainda que anonimamente), o *Discurso do método*, ele teve de enfrentar um tipo particular de objeção ou de resistência, que não lhe reconhecia o *direito* de falar desde a sua perspectiva. Na verdade, como vimos acima, as peripécias de Descartes, considerado como autor, começam antes mesmo dessa primeira publicação, com o trauma da edição abortada de *O Mundo*, trauma esse que o *Discurso* viria tentar remediar.

O presente estudo, mesmo reconhecendo, nas resistências que frequentemente antecedem as declarações de Descartes sobre temas teológicos, a condição mesma de inteligibilidade de sua "Filosofia", tratará, porém, de reconduzir essa ambiguidade ou paradoxo a *um regime de signos puramente positivo*. Trata-se aqui de articular dois elementos em confronto – o "ódio à escrita" e a produção de textos escritos – em um sistema de positividades sígnicas que formam um agenciamento produtor de novos signos – a "teologia" cartesiana e seus "prólogos"[65], e entre ambos e a paixão que move sua escrita –, na medida apenas,

64 Para uma análise estritamente estilística, cf. Kambouchner (2013).

65 A partir dessa segunda perspectiva, a atitude ambígua de Descartes com relação às promessas, tal como examinada por Ramond (2011), teria de ser lida como um caso particular dessa relação produtiva mais fundamental, que conecta o ódio à escrita – entendendo esse último como um signo – à criação de textos e à sua publicação.

porém, em que essa paixão é ela mesma um conteúdo expresso dos textos, ou seja, em que ela é *declarada ou confessada*. Veremos, então, em que consiste a necessidade da representação, proposta ela mesma no interior dos discursos cartesianos, de uma oposição fundamental entre um "fora" do texto – o autor e seus pensamentos – e sua dimensão interna – a materialidade das palavras, modificações da "*res extensa*". Em outros termos, a sincronicidade sistemática das duas dimensões do texto – sua derrogação hesitante e sua afirmação inflamada – nos remeterá ao estudo da própria noção de um "tempo da escrita"[66] e, com isso, do tempo em geral, e de como ele determina a *natureza* mesma do escritor. Será nessa semiologia das relações temporais, dos cortes na duração, do instante que lhe escapa e da sua extensão pela memória que uma certa imagem do texto figurará como o conjunto de decisões positivas que cria, simultaneamente, o autor e sua obra[67]. Mais do que a exposição de um paradoxo que impediria a constituição do "sistema" filosófico de Descartes, buscaremos, na articulação de dois de seus *signos* – o ódio e a escrita –, o mecanismo que permite a emergência de algo como a imagem de um sistema (os quais, no entanto, ao mesmo tempo impedem sua completude final).

Os textos "teológicos" de Descartes, precedidos pelas ressalvas do próprio autor sobre eles, serão, pois, um tópico privilegiado para nossa análise da emergência da figura de Descartes como autor – ainda que se trate, devido à limitação do material a ser estudado, como assinalamos acima, apenas de um *esboço* de imagem. De fato, uma figuração completa requereria um trabalho muito mais extenso, que levasse em

66 Essa expressão remete, como veremos no devido momento, a uma série de outras expressões – "tempo da intuição", "tempo da dedução", "tempo da enumeração", etc. –, introduzidas como instrumentos analíticos por Jean-Marie Beyssade em seu livro *La philosophie première de Descartes*.

67 Nas *Notae in Programma*, Descartes, comentando a frase de Regius segundo a qual "os atributos [*pensamento e extensão*] não são opostos, mas simplesmente diversos", afirma que, no caso em questão (i.e., quando se trata de "atributos que constituem a essências de algumas substâncias), "não poderia haver entres eles maior oposição do que ser diversos" (AT VIII, 249). Podemos usar o raciocínio de Descartes sobre esse ponto para elucidar a presente discussão metodológica: a "diferença" constitutiva de um texto (ou melhor, *da leitura* de um texto), para usar um termo de Derrida, deve ser entendida *positivamente* e, ainda assim, produzir uma oposição – tal como é o caso, neste estudo, da oposição entre o "ódio à escrita" e o ato de escrever.

conta todos os escritos de Descartes nos quais, em suas disputas teóricas, a autoconstituição da autoria dos textos estivesse em questão. Ela requereria, além disso, o exame do modo como os objetores foram partes necessárias da constituição de tal imagem, mapeando-os todos no complexo território teológico-político do século XVII. O presente estudo propõe apenas o objetivo mais modesto de dar um primeiro passo em direção a essa análise e de colocar em funcionamento um certo aparato metodológico.

Tal restrição do escopo deste estudo às obras publicados em vida pelo próprio Descartes indica a necessidade de fazer uma outra delimitação do campo de disciplinas abrangido por este livro, além daquele, enunciado acima, que compreendia a psicologia e a história. Trata-se agora de distinguir a investigação literária do estilo envolvido na formação da auto-imagem de Descartes como autor de obras filosóficas do campo de estudos que poderíamos denominar "sociologia do conhecimento". Em um estudo desse último tipo, seria preciso levar em conta as relações de poder e as representações conflitantes (o que, afinal, são a mesma coisa) que estavam em jogo na época de Descartes, bem como a recepção mais imediata de sua obra póstuma. Ou seja, seria necessário realizar justamente um movimento para "fora" da análise imanente dos textos de Descartes, considerando-os agora na teia de *relações* sociais e políticas que lhes dá sentido. Ora, por mais interessante que seja tal estudo, ele não substitui este outro, sobre as conexões conceituais que articulam a sua perspectiva como autor – o que não exclui, como notamos acima, no caso do exame da estrutura retórica do texto de Descartes, a consideração de seus destinatários diversos. Entretanto, isso será feito apenas *na medida em que* essas relações com os destinatários de seus escritos aparecem como elementos textuais, os quais mobilizam certas articulações conceituais que, elas mesmas, não terão seu significado determinado por uma noção qualquer de *sistema* (quer se trate de um sistema ideal tal como postulado por Gueroult, quer se trate de um sistema histórico que "contextualize" o pensamento de Descartes em sua época). É essa razão, aliás, que explica o privilégio que damos à análise das obras publicadas em vida por Descartes, na medida mesma em que a intenção de divulgar publicamente um texto deve se refletir no modo particular como a resistência em tratar de temas teológicos era expressada – resistência essa que era mais ou menos ausente em cartas privadas e em esboços de obras que permaneceram inéditas até sua morte[68]. Isso não significa, porém, que a correspondência e as obras não publicadas em vida nunca sejam o objeto indireto de nosso interesse; ao contrário, ambas serão usadas algumas vezes para confirmar hipóteses e ilustrar posições[69]: quando as teses metafísicas sobre o "eu" e Deus forem incorporadas a nossa investigação sobre as condições do estilo cartesiano de escrita, serão sobretudo os textos *não* publicados que desempenharão a função de evidenciar tal articulação – assim como a metafísica será o pano de fundo das investigações sobre a constituição do autor "Descartes", os textos não divulgados iluminarão, desde sua região sombria, as obras publicadas em vida.

Mais acima, enunciamos a necessidade de traçar uma delimitação de nosso campo de estudo que fosse operacional e não-arbitrária; ao que parece, chegamos a esse *corpus*, na medida em que ele foi deduzido da questão inicial que dirigimos ao que, de modo ainda vago e muito geral, era visado como o conjunto de "textos cartesianos". Mesmo, porém, que admitamos a necessidade de partir de um conjunto vagamente determinado para que possamos chegar, dedutivamente, a uma delimitação precisa, é essa última que pode gerar dificuldades, mesmo que – e, talvez, sobretudo se – ela for deduzida rigorosamente dos

68 Nesse sentido, nossa estratégia será, nesse momento, diametralmente oposta à de Hallyn (2006), que privilegia as obras não-publicadas e as cartas mais íntimas, de modo a desvelar as estratégias retóricas de "dissimulação e ironia" praticadas por Descartes. Essa oposição na determinação do *corpus* a ser analisado opõe, de modo mais geral, as premissas deste estudo ao de Hallyn, que se dedica a examinar o texto cartesiano a partir de uma "hermenêutica da suspeita" no estilo da de Strauss (embora com resultados bastante diferentes desse último, na medida em que Hallyn se dedica a analisar os dispositivos textuais que exprimem a dissimulação e a ironia). Se é verdade, como ele sugere (Hallyn, 2006, p. 10), que, devido à desconfiança com que a eloquência retórica passou a ser tomada no Seiscentos (a saber, como índice de culpa, típica dos libertinos e ateus, desejosos de esconder seus verdadeiros pensamentos), paradoxalmente "a expressão de si não pode mais ser direta", porque a retórica que expressa com sinceridade seus verdadeiros sentimentos não saberia se diferenciar o bastante, nesses tempos de decadência, da retórica dos ateus, é nos momentos em que Descartes, ao resistir a exprimir seus pensamentos, no entanto os enuncia claramente, que pretendemos capturar, na superfície literal de seu texto, o modo como ele articulou explicitamente sua "prudência".

69 Como já notamos acima, as cartas desempenhavam muitas vezes, no século XVII, o papel de divulgação de ideias para um público muito mais amplo do que apenas seu destinatário singular.

termos da questão proposta. O problema gerado por tal estratégia de delimitação pode ser enunciado da seguinte maneira: a necessidade da dedução poderia nos induzir a pensar que existe algo como "a" obra de Descartes (ou, se aceitarmos a delimitação proposta, "a" obra publicada de Descartes), uma entidade que teria uma unidade intrínseca que a dedução tratou de *descobrir*. Assim, a análise imanente "do" texto de Descartes pareceria supor uma "metafísica do texto", que o trataria como um ente dotado de existência própria e unidade interna. Contra tais pressupostos, é preciso advertir o leitor de que não tomaremos partido, neste estudo, de tal metafísica; nossa pretensão de elucidar os mecanismos textuais a partir dos quais a figura do autor denominado "Descartes" foi constituída por certos elementos textuais elimina, por si só, a possibilidade de garantir a unidade dos textos "de" Descartes a partir dos fundamentos supostamente fornecidos pela sua autoria – a não ser que cometêssemos a petição de princípio de pressupor que há "um" autor dado que atuaria como princípio unificador de "seu" texto. Portanto, se pudermos legitimamente falar de "um" *corpus* a ser examinado, e se nossa pretensão for a de determiná-lo nesta Introdução, então será preciso não confundir a necessidade de sua dedução a partir de nossa questão inicial com a – ilusória – necessidade de sua existência e unidade. Dito de outra forma: não existe algo como "o" texto de Descartes; sua "existência" é o produto de um certo número de postulados tão arbitrários quanto os que nos permitiram circunscrever, em "seus" textos, a emergência da figuração de sua autoria[70]. Como Hobbes já mostrou, só o que é absolutamente arbitrário pode ser absolutamente necessário – é apenas quando postulamos, com total artificialidade, um certo número de axiomas, que podemos construir uma dedução cogente entre premissas e conclusões. Sendo assim, a constituição de nosso *corpus* de pesquisa é, de certa forma apenas, e ao contrário do que havíamos suposto inicalmente, não-arbitrária: ela repousa, no fundo, sobre a mais total arbitrariedade.

A teologia será tomada, portanto, nas páginas que se seguem, não apenas como o domínio auto-interditado pelo próprio Descartes, explorado a contragosto por ele, embora tal aversão, conforme já

70 Esta advertência repete o cuidado de Descartes em evitar, na fundamentação racional da razão, um procedimento circular – ou, pelo menos, de evitar uma circularidade viciosa.

notamos, tenha sido motivada por características intrínsecas de seu pensamento. Longe de se reduzir a esse bloco heterogêneo diante do qual a filosofia cartesiana se detém e trata de evitar, o território teológico também será tomado, vimos acima, como fornecendo as *razões* pelas quais a escrita se apresenta como um problema em certa medida insuperável. Tais razões não se limitam à controversa tese da livre criação das verdades eternas, mas incluem outros temas igualmente sensíveis. De fato, a posição teológica de Descartes, de alguma forma oscilando permanentemente entre o jansenismo e o molinismo, dois extremos excludentes do panorama religioso do Seiscentos, revela, em sua conciliação impossível, o ponto cego em que o impensável explica o indizível: se a experiência interna da liberdade não pode ser negada, posto que é evidente, nem compatibilizada com o determinismo implicado pela presciência divina, isso deriva da incompreensibilidade radical das ações humanas e divinas e mostra, portanto, o limite de comunicabilidade da verdadeira teologia (já anunciamos, acima, que esse tipo de incomunicabilidade não afeta igualmente a filosofia, embora possa contaminá-la de tal forma que, em alguns momentos, Descartes tenha se visto tentado a nada mais publicar, não mais escrever, sobre qualquer tema que fosse, só persistindo nessa via[71], de certa forma, devido a uma decisão cega[72], fruto da incompreensibilidade mesma da vontade que parecia impedi-la). Que a vontade tenha a ver, ao menos no domínio teológico, com o inefável é um dos temas mais recorrentes do pensamento teológico de Descartes, expresso, na mesma época de composição de *O Mundo* – e lembremos que o mundo, nessa obra, é identificado com os objetos luminosos que o habitam, e com a luz que o percorre, em contraste com a obscuridade última do ente absolutamente transcendente que o criou –, através da célebre doutrina da livre criação das verdades eternas por Deus, nas cartas a Mersenne de 1630.

71 Sobre a permanência em um caminho em que já se está, cf a "quarta máxima da "moral provisória" do *Discurso* (AT VI, 27).

72 De fato, a quarta máxima da moral provisória reforça a decisão expressa pela segunda máxima, que era a de "ser o mais firme e o mais resoluto em minhas ações quanto pudesse, e de não seguir menos constantemente minhas opiniões as mais duvidosas, quando me tivesse uma vez me determinado, como se elas fossem mui certas": assim como a melhor maneira de sair de uma floresta na qual se está perdido, compara Descartes, é seguir determinadamente por um caminho reto, ao invés de, de maneira indecisa, errar em círculos. (AT VI, 24).

No início deste estudo, o leitor encontrará, pois, o trecho das *Respostas às Segundas Objeções* dedicado à questão da graça divina, pelas razões anunciadas acima, a saber: ele ao mesmo tempo formula uma *resistência* e enuncia *positivamente* uma tese relativa à natureza do conhecimento das verdades reveladas, a partir das quais identificaremos uma tensão conceitual entre a luz natural do entendimento e a indiferença positiva da vontade humana que atravessará toda a obra cartesiana. Será a esse trecho, portanto, que dirigiremos nossa atenção a partir de agora, e em torno dele gravitarão os comentários das outras obras publicadas em vida por Descartes. Os capítulos restantes terão por finalidade delimitar (ou seja, construir) seu objeto – a saber, os contornos afetivos e cognitivos dos prólogos e comentários do autor (seus paratextos) a seus próprios escritos teológicos, bem como a derivação das principais propriedades do objeto assim discriminado[73]. Além disso, eles também tratarão de mostrar as bases mais gerais – não mais restritas ao âmbito da teologia – do ódio que Descartes diz ter devotado ao ofício de fazer livros. Veremos que a incompreensibilidade da extensão infinita da vontade humana se duplica na incompreensibilidade da vontade divina e que, enquanto a primeira aponta para os aspectos molinistas da doutrina cartesiana, a segunda indica, ao contrário, uma via jansenista igualmente presente em seu interior. Com esse novo passo na investigação, poderemos não apenas mapear algumas das ocorrências da resistência de Descartes em discorrer sobre temas teológicos, mas também entender por que ela é potencialmente transmissível para uma atitude em relação à escrita de textos em geral, sejam eles ou não teológicos. Para tanto, será importante chamar a atenção para o aspecto cognitivo e antropológico dessa resistência à escrita na compreensão da função que o "eu" ocupa no fluxo temporal dos pensamentos – especialmente em relação à memória –, bem como para as repercussões desse aspecto cognitivo na escrita. Veremos, então, que, paradoxalmente, são os *mesmos* elementos antropológicos e afetivos que explicão

73 Kevin Dunn, em seu interessante livro *Pretexts of Authority: The Rhetoric of Authorship in the Renaissance Preface*, dedicado aos prefácios renascentistas como local de constituição da figura autoral, dedica um capítulo a Descartes ("'A great city is a great solitude': Descartes' Urban Pastoral" (Dunn, 1994, pp. 83-101). Embora também esteja interessado nos impasses relacionados à constituição da figura do autor, Dunn utiliza outros parâmetros distintos dos nossos para desenvolver sua análise. Voltaremos mais adiante a considerar suas ideias.

tanto a resistência de Descartes em escrever sobre a teologia e sobre a filosofia em geral quanto sua decisão resoluta de escrever e de publicar. Esse último ponto ficará mais claro quando examinarmos aqueles textos que parecem infirmar nossa tese segundo a qual era sempre com reservas que ele se dirigia ao campo teológico – a saber, os textos nos quais manifesta sua disposição aguerrida em oposição aos teólogos e a algumas de suas doutrinas. Na encruzilhada dos vários limites traçados por Descartes – os que separam a "filosofia primeira" da teologia natural, mas também os que dividem a teologia (tomada agora em seu sentido o mais geral) entre uma parte "natural" e outra "revelada", bem como os que separam o "eu" intuído por uma apreensão simples e o "eu" que se mascara na escrita –, será sua atitude em relação à publicação de seus livros que poderá ser circunscrita. Habitando na intersecção de todos esses limites, de natureza e de importância variadas, Descartes, o escritor e o meditador, poderão, enfim, se tornar visíveis. Finalmente, será possível traçar a gênese afetiva da resistência à escrita em geral – e não apenas à teologia em particular – em certas "disposições" da alma, especialmente o ódio, que ocorre quando uma coisa "é representada como má ou nociva"[74]. Ao invés de se manifestar como a vontade de *destruir* a coisa odiada, essa paixão, ao menos para o Descartes das *Paixões da alma*[75], é a vontade de *ser separado* dos objetos que lhe aparecem como maus – ou seja, é uma "aversão" que visa, em última análise, a conquistar para si uma posição de *independência* em relação a eles. Assim como a concepção da liberdade da vontade como "indiferença positiva" aponta para a ideia de autonomia absoluta – isto é, de autoria absoluta –, no nível das paixões o ideal de independência confunde-se também com a separabilidade, isto é, com a solidão. Ao final desse percurso, veremos como essas duas ações aparentemente excludentes, a de traçar fronteiras e a de rasurá-las, têm origem em uma mesma inclinação afetiva, o ódio – paixão da disjunção por excelência, mas que está na origem da construção da *obra*.

74 *Paixões da alma*, Art. 56 (AT XI, 374).

75 Deveremos, no momento devido, tematizar a aplicação de categorias conceituais formuladas em 1649 para entender um texto publicado em 1636.

CAPÍTULO I

A letra e a graça

"... não me parecendo que a mente humana seja capaz de conceber bem distintamente, e ao mesmo tempo, a distinção entre a alma e o corpo e sua união, porque é preciso, para tal, concebê-los como uma só coisa e, conjuntamente, concebê-los como dois, o que se contraria".
Descartes, Carta a Élisabeth, 28 de junho de 1643.

"Deus, portanto, ordena a continência; e ele dá a continência. Ele ordena através da lei; e ele dá através da graça; ele ordena através da letra; ele dá através do espírito. Pois, fora da graça, a lei faz o pecado prosperar, e, sem o espírito, a letra mata".
Santo Agostinho, carta a Hilário, 2:9[76].

Como vimos na Introdução, será através da exposição da resistência de Descartes em publicar seus próprios escritos, especialmente – mas não apenas – aqueles que tocam em questões teológicas, que será possível descobrir a constituição de sua noção peculiar de autoria. Para tanto, há um conjunto privilegiado de textos cartesianos que pode funcionar como ponto de partida das análises: trata-se das *Respostas* às *Objeções* a suas *Meditações metafísicas*, as quais Descartes acrescentou

76 *Augustin* évêque, *serviteur du Christ et de son église, a son bien-aimé fils Hilaire, salut dans le seigneur*, carta CLVII, ano 414. In: Agostinho (1864). Agostinho reverbera Paulo: "Tomai cuidado para que ninguém vos escravize por vãs e enganosas especulações da filosofia, segundo a tradição dos homens, segundo os elementos do mundo, e não segundo Cristo" (*Epístola aos Colossenses* 2:8); "Rompestes com Cristo, vós que buscais a justiça na Lei; caístes fora da graça" (*Epístola aos Gálatas* 5:4). Ver também 2 *Coríntios* 3:6.

ao livro desde de sua primeira edição. Esse peculiar projeto de perfilar uma série de objeções, seguidas das respostas do autor, tinha justamente por objetivo construir uma *série* finita de razões, que não permitisse que o livro fosse abandonado à contingência das polêmicas. Nesse sentido, as *Respostas* eram, na visão de Descartes, uma forma de controlar a recepção do texto: espelhando a obra em um espaço dialógico organizado por ele, o próprio autor poderia reunificar esse campo disperso em um único discurso homogêneo. As *Respostas* serão, pois, o lugar privilegiado no qual se poderá encontrar uma compreensão prévia do modo como Descartes entendia sua relação com as demandas externas que o forçavam a discorrer sobre certos temas ausentes nas *Meditações*, especialmente os que diziam respeito à relação entre ciência, fé, filosofia e teologia, o que é o tema deste capítulo – ou, seria melhor dizer, o assunto que nos conduzirá indiretamente, como um *pretexto*, a seu tema central. Mas as *Respostas* também terão a virtude de mostrar que a resistência que Descartes sempre manifestou ao escrever sobre temas teológicos – e, como vimos, de modo apenas aparentemente paradoxal, também o ato de escrever "ousadamente" suas opiniões sobre eles – deriva de uma tendência interna do cartesianismo, ligada a sua concepção particular da própria teologia.

No final de suas *Objeções* às *Meditações* de Descartes, Antoine Arnauld formula, ainda no começo do ano de 1641, críticas a algumas passagens do texto cartesiano que, em suas palavras, "poderiam deter os teólogos", dentre as quais se destacam as que tratam da questão da eucaristia. Será precisamente sobre esse último tema que Arnauld se verá envolvido, a partir da década de 1650, em grandes polêmicas, tanto com os jesuítas quanto no interior do próprio movimento jansenista (como, por exemplo, na disputa que o opôs a Robert Desgabets[77]). Entretanto, apesar de o mistério da eucaristia ocupar uma posição de destaque nas polêmicas em torno do suposto jansenismo cartesiano de Port-Royal, há um outro problema teológico[78] formulado por Arnauld nas mesmas *Quartas Objeções* que, ao contrário do primeiro, não obteve uma resposta extensa do autor das *Meditações*.

77 Cf. Tad Schmaltz (1999) e Steven M. Nadler (1988).

78 Na ordem do texto das *Objeções*, esse outro problema antecede o da eucaristia; a ordem de exposição parece refletir a importância que os temas abordados tinham aos olhos de Arnauld.

No que se refere ao primeiro problema, Descartes, como sabemos, tratará de sua interpretação do fenômeno da eucaristia não só nas *Quartas Respostas*, mas também na correspondência com Denis Mesland, em 1645, e com o próprio Arnauld, em 1648; Claude Clerselier, editor das obras póstumas de Descartes, evitará publicar as cartas a Mesland por supô-las heréticas, o que não foi suficiente, porém, para evitar que elas circulassem livremente entre os homens letrados na França e fossem, em parte, o estopim das disputas já mencionadas[79]. O outro problema formulado por Arnauld, aquele que Descartes responde de maneira um tanto rápida e descuidada, esconde, porém, um maior foco de disputas teológicas do que a interpretação da eucaristia[80]. Trata-se, na verdade, menos de uma objeção do que de uma sugestão: Arnauld aconselha Descartes a introduzir uma advertência ao leitor em algum lugar no texto das *Meditações* (no seu Resumo, ou talvez na própria Quarta Meditação) a respeito da necessidade de ser eliminada das investigações sobre a causa do erro, na distinção entre o verdadeiro e o falso,

79 Cf. Schmaltz (1999), p. 47: "[....] o cartesianismo posterior a Descartes foi envolvido em controvérsias teológicas relacionadas à eucaristia, como indicado pela colocação dos escritos de Descartes no *Index librorum prohibitorum* em 1663. Essa condenação foi precedida por um relato sobre Descartes feita pelo teólogo da Sagrada Penitenciária em Roma (que era a responsável por indulgências, não por prisioneiros), o jesuíta Honore Fabri. O relato foca na implicação das opiniões de Descartes em filosofia natural segundo o qual o material do pão eucarístico está unido à alma de Cristo. Tal implicação é encontrada, não nos escritos publicados de Descartes, mas em sua correspondência sobre a eucaristia com o Jesuíta Mesland. Embora Clerselier tivesse prudentemente decidido não publicar essa correspondência em suas edições de Descartes pós-1650, ele, de modo talvez imprudente, enviou uma cópia para um jesuíta que lhe tinha prometido usá-la de boa fé para trazer apoio para Descartes em sua ordem. Evidentemente, o Jesuíta passou adiante, para Fabri, a correspondência, que a tomou, por sua vez, para indicar que a física de Descartes entra em conflito com a determinação, pelo Concílio de Trento, de que o corpo de Cristo está 'realmente e substancialmente' presente na eucaristia. Portanto, foram inicialmente as implicações do cartesianismo para a doutrina da eucaristia que fizeram seu sistema parecer tão perigoso para seus críticos".

80 Embora tenha desenvolvido longamente sua teoria do fenômeno eucarístico nas respostas a Arnauld, Descartes estava ciente de seu potencial subversivo. Assim, na carta a Mesland de 9 de fevereiro de 1645, ao se propor a explicar, "em confiança", detalhes da teoria, ele adverte o correspondente de que o fará "sob a condição que, se vós a comuniqueis a outros, isso será feito sem me atribuir a invenção dela; e mesmo, que vós não a comunicareis a ninguém, se julgueis que ela não seja inteiramente conforme àquela que foi determinada pela Igreja" (AT IV, 165).

qualquer referência à busca do bem e do mal. Eis como Arnauld formula sua sugestão referente a esse ponto:

> Na Quarta Meditação, que trata do verdadeiro e do falso, gostaria, *por muitas razões que seria demorado recensear aqui*, que em seu resumo ou no tecido mesmo dessa Meditação, se advertisse duas coisas. A primeira, quando explica a causa do erro, é que ele pretende falar principalmente do que se comete no discernimento do verdadeiro e do falso, e não do que ocorre na busca do bem e do mal. Pois, porque isso basta para o propósito e o objetivo do Autor, e porque as coisas que ele diz referentes à causa do erro sofreriam mui grandes objeções [*gravissimas objectiones*] se fossem estendidas depois a esse assunto [*isto é, à busca do bem e do mal*], parece-me ser prudente, e que a ordem mesma, da qual nosso Autor é tão orgulhoso [*amantissimus est*], exige que todas as coisas que não servem ao tema e que podem dar lugar a muitas controvérsias [*altercationibus*], sejam retiradas, sob pena de que, enquanto o leitor se diverte inutilmente a disputar [*jurgatur*] coisas que são inúteis, ele não seja subtraído da percepção das necessárias[81].

Notemos uma expressão de Arnauld no começo do trecho citado: "gostaria – diz ele –, *por muitas razões que seria demorado comunicar aqui*, que o Senhor Descartes [....] advertisse o leitor de duas coisas"; quais seriam essas razões, e por que elas requereriam tanto tempo para ser expostas? Arnauld parece pressentir um perigo potencial entre as linhas dessa simples advertência, sugerida em um tom casual; de fato, veremos adiante, esse perigo está ligado à questão da predestinação da graça divina, a qual se encontra no centro do pensamento jansenista. É verdade que a predestinação da graça não é explicitamente mencionada por Arnauld em suas *Objeções*, mas a resposta elusiva de Descartes bem poderia ser tomada como o sintoma de que ele pressentira suas implicações. Se essa leitura for correta, tal advertência, longe de ser supérflua, o é apenas no que diz respeito à busca da verdade; do ponto de vista teológico, porém, ela indica veladamente uma disputa crucial para o século XVII. É curioso, entretanto, notar que o silêncio de Descartes, na resposta elusiva e imprecisa que dá a essa objeção, esconde não uma posição potencialmente herética, mas antes uma

81 AT VI, 215-216; IX, 167-168; grifo acrescentado na tradução.

visão ortodoxa, que seria aprovada pela Igreja, de modo que tal silêncio deveria ser interpretado ou bem como a tentativa de não se misturar a polêmicas teológicas, mesmo estando do lado da ortodoxia, ou bem como um modo de não se indispor com Arnauld quanto a esse ponto delicado da doutrina jansenista (essa última hipótese é menos provável, dado que, primeiramente, a essa altura, o jovem Arnauld, então com 28 anos, ainda não se notabilizara como o defensor de Port-Royal e que, em segundo lugar, Descartes não tinha muitas informações sobre seu objetor). Veremos a seguir qual é exatamente a posição de Descartes sobre esse tema, supondo que mostremos que se trata realmente nesse trecho de uma alusão à natureza da graça divina. Não deixa de ser irônico observar desde já, porém, que a condenação do cartesianismo, anos mais tarde, acontecerá muito mais devido à resposta que Descartes não negou a Arnauld (a saber, a questão da eucaristia) do que à que ele relegou ao silêncio.

Leiamos, pois, sua breve réplica a Arnauld; diz Descartes nas *Quartas Repostas*: "que eu tenha sempre feito exceção das coisas que se relacionam à fé e às ações de nossa vida quando disse que não devemos dar nossa crença a não ser às coisas que conhecemos evidentemente, todo o conteúdo de minhas *Meditações* o testemunha [*totius scripti mei contextus ostendit*]"[82]. Essa resposta, porém, não é totalmente exata, pois, como nota Ferdinand Alquié[83], Descartes de fato escreveu, na Quarta Meditação, que a vontade tende facilmente "ao verdadeiro *e ao bom*", razão pela qual, diz ele, "erro *e peco*"[84]. Talvez tenha sido justamente por reconhecer que sua resposta não era inteiramente fiel ao texto das *Meditações*, mesmo levando em conta que a Primeira Meditação já continha realmente uma restrição da questão do erro à esfera da "filosofia natural"[85], que Descartes tenha solicitado a Mersenne, à época ocupado com a segunda edição das *Meditações*, em carta de 18 de março de 1641[86], que acrescentasse, na Sinopse do livro, um aviso explícito ao

82 AT VII, 248; IX, 191.

83 Em uma nota a sua edição das Œuvres philosophiques de Descartes (1967), vol. II, pp. 692-693.

84 AT VII, 58; grifo acrescentado na tradução.

85 AT VII, 22.

86 AT III, 334-335.

leitor formulado a partir das objeções de Arnauld; o texto acrescentado entre parênteses foi o seguinte:

> Deve-se notar, porém, que não trato absolutamente nessa passagem [*a saber, na Quarta Meditação*] do pecado, ou seja, do erro que se comete na busca do bem e do mal, mas somente do que ocorre no juízo que discrimina o verdadeiro do falso. Nem se deve esperar que eu trate das coisas que pertencem à fé...[87]

Cabe assinalar que a mudança no texto das *Meditações* a partir de uma das *Objeções* é um fato raro, e talvez único, cuja explicação remete, provavelmente, ao desejo de Descartes de deixar inteiramente clara sua intenção de não se engajar em disputas teológicas. Levando em conta, porém, que Descartes escolheu (ou teria sido um lapso?) não retirar da Quarta Meditação a referência ao pecado, limitando-se a introduzir a mencionada advertência na Sinopse, deixemos, por ora, em suspenso, no que diz respeito a sua relação com Arnauld, o quanto suas posições sobre a escolha livre do bem e do mal são confluentes ou incompatíveis.

Desde já é possível estabelecer, entretanto, que o problema aludido, e aparentemente subentendido por Descartes e Arnauld, sem que eles tivessem tido a necessidade de nomeá-lo, estava de alguma maneira relacionado à conciliação entre a noção de predestinação da graça divina com a liberdade da vontade, uma vez que esse último aponta justamente para as condições necessárias e suficientes da escolha do bem no campo da moral e da religião. Isso ficará claro quando examinarmos as variadas e, à primeira vista, incompatíveis formulações que Descartes apresenta de sua teoria da liberdade humana, principalmente aquela que caracteriza a mudança de posição que aparentemente ocorre entre a publicação do texto latino das *Meditações*, em 1641 (especialmente na Quarta Meditação), e as cartas a Mesland de

87 AT VII, 15. Sobre a inclusão dessa advertência na Sinopse, cf. Schmaltz (2008), pp. 192-193. A correspondência com Mersenne em torno da edição das *Meditações* contém várias menções aos possíveis problemas teológicos do texto. Assim, para o ponto que nos interessa aqui, na carta de 21 de abril de 1641, ele afirma: "Do fato de que escrevi que a indiferença é antes um defeito do que uma perfeição da liberdade em nós, não se segue daí que o mesmo ocorra em Deus e, porém, não é, que eu saiba, *de fide* crer que ele é indiferente ...". Voltaremos à questão da indiferença da vontade e de sua relação com a graça divina mais adiante.

1645 (será preciso levar em conta também quais são as repercussões dessa aparente mudança de opinião sobre a tradução francesa das *Meditações*, publicada em 1647[88], e sobre os *Princípios da filosofia*, também publicado em 1647). Entretanto, mesmo que consigamos tornar claro, a partir da tematização do conceito cartesiano de liberdade, em que sentido a advertência de Arnauld e a resposta elusiva de Descartes estavam relacionadas às intermináveis querelas sobre a graça divina que se desenvolveram ao longo dos séculos XVI e XVII[89], isso não significa que Descartes visava, no cerne de suas preocupações teóricas, o debate teológico. Ao invés disso, deveremos reconhecer que esse último é apenas como que um ambiente em que seu pensamento se move – mas, ainda assim, isso poderia ser suficiente para mostrar que, se a teologia é, de certa maneira, incontornável para os filósofos da época, então será possível identificar a posição de Descartes nesse debate[90]. Que essa sua posição permaneça, no mais das vezes, implícita não a tornaria por isso menos uma tomada de partido – mesmo que tenha de se expressar como uma recusa de participar na discussão de querelas teológicas.

Retomemos o texto introduzido por Descartes na Sinopse das *Meditações*, tendo em vista a objeção de Arnauld. Na carta a Mersenne já transcrita parcialmente acima, Descartes solicita a introdução, na segunda edição em preparação, do adendo entre colchetes, que agora é citado integralmente, em francês e em latim:

> La première correction est *in Synopsi ad 4am Med*; après ces mots: *quam ad reliqua intelligenda*, où je vous prie d'ajouter ceux-ci: [*Sed ibi interim est advertendum nullo modo agi de peccato vel errore qui committitur in persecutione boni et mali, sed de eo tantum qui contigit in dijucatione veri et falsi. Nec ea spectari qua ad fidem pertinent vel ad vitam*

88 Como se sabe, a tradução das *Meditações* para o francês foi feita pelo Duc de Luynes, mas foi revista e aprovada pelo próprio Descartes, de modo que devemos considerá-la, *quase* sem restrições, como um texto autenticamente cartesiano. De fato, como é impossível discriminar exatamente quais, dentre as alterações introduzidas pela tradução, são acréscimos do tradutor e quais são da pena do próprio Descartes, todas elas serão lidas aqui como tendo sido da autoria desse último, embora tal indiscernibilidade também desempenhe um papel na leitura do texto.

89 Sabemos que, desde o início do século XVII, a Igreja proibira disputas públicas sobre a graça divina, temendo provocar mais dissensões na instituição.

90 Sobre a teologia de Descartes, abordada a partir de um ponto de vista fenomenológico, cf. Jean-Luc Marion (2009).

> *agendam, sed speculativas tantum et solius luminis naturalis ope cognitas veritates*], et de les enfermer entre ces signes [ ], afin qu'on voie qu'ils ont été ajoutés[91].

A tradução desse trecho da carta é a seguinte:

> A primeira correção é *no Resumo relativo à quarta Meditação*, depois destas palavras: *quanto para compreender as coisas que se seguem*, onde vos peço que acrescenteis estas: [*Deve-se observar, porém, que não trato absolutamente nessa passagem do pecado, ou seja, do erro que se comete na busca do bem e do mal, mas somente do que ocorre no juízo que discrimina o verdadeiro do falso. Nem se deve esperar que eu trate das coisas que pertencem à fé, isto é, à conduta da vida, mas somente daquelas que dizem respeito às verdades especulativas e conhecidas através somente da luz natural*], e de as colocar entre estes signos [ ], afim de que se veja que elas foram acrescentadas.

Ao chamar a atenção, por meio do uso dos colchetes, para o fato de que essa passagem fora acrescentada ao texto original, Descartes permite que o leitor introduza um movimento temporal no texto, *vendo* o trecho inserido como uma reconsideração feita pelo autor diante da gravidade do tema em questão. O que a citação completa do acréscimo mostra é que a restrição das meditações metafísicas à luz natural da razão não deixa claro se as "coisas que pertencem à fé" só podem ser conhecidas através da luz sobrenatural da graça divina, ou se elas podem ser conhecidas através da razão iluminada pela fé (evidentemente, o que é excluído, sem precisar ser dito, é que o conhecimento racional seja condição da graça). Ora, as *Respostas às Segundas Objeções* tratam explicitamente dessa questão. A quinta "explicação" demandada por Mersenne, o autor das *Segundas Objeções*, refere-se à tese cartesiana de que a vontade livre não pode nunca falhar quando ela segue as luzes claras e distintas do espírito; mas, pergunta Mersenne, isso não teria como consequência que "os Turcos e outros infiéis [*Turcæ aliive infideles*]" não pecam quando não adotam a religião cristã, visto que eles não a conhecem clara e distintamente? E mais: não se seguiria, também, que eles pecariam se a adotassem, uma vez que a percebem apenas de forma obscura e confusa? Daí a advertência final de Mersenne, que

91 Descartes (1967) vol. II, p. 319; AT III, 334.

sem dúvida ultrapassa o mero pedido de um "esclarecimento": "Tomai, pois, cuidado, que, querendo fortalecer o partido da verdade [*i.e., a religião cristã*], não proveis mais do que se deve e que, ao invés de apoiá-la, não a renverseis"[92].

A advertência de Mersenne tem uma direção certa: a ignorância não pode ser uma desculpa para o "infiel", pois, se aceitássemos que o fosse, faríamos do conhecimento claro e distinto uma *condição* para a adesão à verdade do cristianismo, ao passo que a graça deve ser considerada suficiente para a salvação – o próprio conhecimento racional de Deus, proporcionado pela teologia, é um seu efeito, quando muito. Diante dessa objeção, Descartes é forçado a fazer uma distinção entre o *conteúdo* de uma crença e a *razão* que nos leva a aderir a ela – distinção essa, sem dúvida, que gera dificuldades para ser integrada em seu sistema filosófico, uma vez que a razão para aceitarmos uma crença é dada, a princípio, *apenas* por seu conteúdo. De fato, o exame introspectivo de um conteúdo mental é tudo o que é requerido – na verdade, é tudo o que é disponível, pelo menos da perspectiva da luz natural – para fundar um juízo correto sobre as coisas. Ora, como seria possível, a partir dessa doutrina "internalista", aderir a uma verdade da fé – por exemplo, ao mistério da Santíssima Trindade – sem antes compreender claramente seu conteúdo? Ou ainda: como a compreensão poderia ser identificada à consequência de uma adesão? Em sua resposta, no entanto, Descartes afirma que a dificuldade apontada por Mersenne não só não é uma objeção para sua filosofia, como, além disso, não é tampouco uma objeção a nenhum filósofo nem a nenhum teólogo que, usando a razão, deve conceder que a única forma de erro ou de pecado é a obscuridade e a confusão de suas ideias. Ou seja, Descartes não faz qualquer distinção entre sua posição e a dos demais teólogos; nesse sentido, ele parece corroborar a afirmação feita na *Carta a Dinet*, segundo a qual sua teoria poderia resolver tão bem (ou até melhor) os problemas teológicos quanto as doutrinas escolásticas. Não haveria, aparentemente, segundo Descartes, qualquer diferença significativa entre as verdades da fé, a serem esclarecidas racionalmente pela teologia, e as verdades descobertas pela matemática e pela metafísica.

92 AT VI, 148; IX, 100.

Em seu argumento[93], Descartes usa uma analogia para ilustrar sua posição: do mesmo modo, diz ele, que, diante de uma ideia obscura e confusa, e usando apenas a luz natural da razão, compreendemos clara e distintamente que devemos *rejeitá-la,* diante de uma ideia obscura e confusa da fé, percebemos clara e distintamente que devemos *aceitá-la.* Alquié[94] criticou a suposta equivalência entre essas duas situações. Segundo ele, a primeira delas supõe que tenhamos ao menos duas ideias: uma ideia clara e distinta sobre a obscuridade e a confusão de *uma outra* ideia; seria, segundo ele, a clareza e distinção da primeira ideia que determinaria nosso juízo sobre a segunda (lembremos que, para Descartes, um juízo não é nada além do que o resultado da operação de duas faculdades distintas dos seres racionais, a saber: uma percepção do entendimento e um ato da vontade). Já a segunda situação, propõe Alquié, envolve apenas uma ideia – a ideia obscura e confusa da fé –, que seria o objeto de uma afirmação da vontade. Na sequência imediata do texto, diz Alquié[95], Descartes oferece um *outro* argumento – este sim, segundo o comentador, convincente – para explicar nossa adesão às verdades da fé. Esse novo argumento, ainda segundo Alquié, estaria baseado na distinção entre "razão formal" (a graça divina) e "matéria" (uma ideia obscura e confusa) das crenças. Ou seja, conclui Alquié, enquanto a luz natural da razão é interna ao juízo sobre um certo objeto, iluminando, portanto, a sua "matéria" (a saber, a ideia clara e distinta *sobre* a ideia obscura e confusa), a luz sobrenatural da fé é externa a ele e, logo, pode deixar na obscuridade a "matéria" desse tipo de juízo.

É preciso constatar, porém, que nada no texto de Descartes indica que ele pretendia introduzir um argumento "novo"; ao contrário, o que Alquié identifica como tal é apresentado, no texto de Descartes, como a *conclusão* das considerações precedentes. Ao propor a analogia exposta acima, Descartes afirma que "uma certa luz interior" [*lumine quodam interno*], seja ela natural ou sobrenatural, nos coloca diante de uma alternativa: podemos *eliminar* ou *aceitar* um certo conteúdo como "matéria" para nosso juízo ou crença. A alternativa entre eliminar ou

93 AT VII, 147.

94 Cf. Descartes (1967), vol. II, p. 573, nota 1.

95 Descartes (1967), vol. II, p. 574, nota 1.

aceitar não deve ser confundida com a alternativa entre *afirmar* ou *negar* um dado conteúdo; ela exprime, antes, a alternativa entre, por um lado, a suspensão do juízo e, por outro lado, a afirmação ou a negação, em um juízo, de um certo conteúdo.

Diante de uma ideia, a faculdade da vontade pode sempre, por ser livre, afirmá-la, negá-la[96] ou suspender o juízo. Em outras palavras: a razão, na medida em que é uma faculdade estritamente humana, não é *nada além* do que a faculdade de discriminar o verdadeiro do falso – e, por isso, a luz natural que ela fornece consiste apenas em visar os conteúdos mentais como passíveis de afirmação, de negação ou de suspensão do juízo. Ao sermos iluminados pela luz natural da razão, formulamos como regra geral que nossas ideias obscuras e confusas – por exemplo, as ideias sensíveis – sejam eliminadas ["*obscuritatem ex nostris conceptibus esse tollendam*"], não as tomando nunca como objetos de afirmações ou negações por parte dos juízos, justamente devido a sua obscuridade e confusão. É isso precisamente o que Descartes chama de "suspensão do juízo": nesse caso, a *eliminação* das ideias obscuras e confusas não implica sua *negação*[97]. Já na primeira alternativa, aquela que está em questão na explicação da graça divina, aparentemente não se trata mais de uma decisão livre: na iluminação sobrenatural, *aceitamos* livre, mas necessariamente, as ideias obscuras e confusas da fé – isto é, as *afirmamos*[98]. Ou seja, nesse caso, a *aceitação* da ideia obscura e confusa implica sua *afirmação*. As duas situações, portanto, ao contrário do que sugere Alquié, são análogos, na medida em que, em ambos, a "matéria" do juízo é uma ideia obscura e confusa, e na medida em que, também em ambos, o que determina a vontade é a clareza e distinção (de uma ideia, em um caso; de uma iluminação proveniente de Deus, no outro). A solução geral para o problema do erro enunciada na Quarta Meditação, segundo a qual só devemos afirmar ou negar algo se tivermos

96 Isto é, pode sempre asserir, de uma certa representação, que ela é ou que não é o caso, que ela corresponde ou que ela não corresponde à realidade.

97 A não ser no momento da enunciação da "dúvida hiperbólica" da Primeira Meditação.

98 Veremos, mais abaixo, que algumas passagens da teoria cartesiana da liberdade sugerem que, diante de uma ideia clara e distinta da razão, necessariamente a afirmamos como verdadeira, o que aproximaria esse último caso do da graça.

dele uma ideia clara e distinta[99], vale apenas para os domínios da luz natural – dentro dos quais a "teologia natural" se encontra[100].

De qualquer maneira, desde já podemos perceber a insuficiência da observação crítica de Alquié: quando afirma que a "solução" de Descartes para a objeção teológica de Mersenne vai contra sua "doutrina habitual", segundo a qual "não se deve afirmar a não ser quando a ideia é clara"[101], ele desliza insensivelmente entre dois conceitos distintos, o de afirmação e o de aceitação. O que Descartes recomenda com sua solução para o problema do erro, formulada explicitamente na Quarta Meditação, é que, do ponto de vista da luz natural da razão, só devemos julgar (i.e., afirmar ou negar ideias) movidos pela clareza e distinção advindas dessa luz; a regra não exclui, entretanto, que possamos aceitar (e, nesse caso específico, apenas afirmar) ideias obscuras e confusas, desde que essa aceitação seja motivada pela clareza e distinção sobrenaturais da graça divina. Deve-se notar, aliás, que *o que* aparece clara e distintamente para os homens iluminados pela luz divina é um conjunto de *ideias*, dotadas do que poderíamos chamar, um tanto anacronicamente, de "conteúdo proposicional" (a saber: "que as coisas que nos foram propostas como objetos de crença nos foram reveladas por ele [Deus]", "que é inteiramente impossível que ele seja mentiroso"[102]). Há, como veremos, para Descartes, todo um domínio de verdades que, sendo representadas por ideias obscuras e confusas (e até mesmo contraditórias), são, no entanto, aceitas *e afirmadas*. Esse é o caso da "noção primitiva" da união substancial entre corpo e mente e da sua

99 AT VII, 60-61; IX, 47-48. Sobre a "resolução" ou o "hábito", ver AT IX, 49; VII, 61-62.

100 A opção de não afirmar nem negar uma ideia parece fazer parte, segundo Descartes, da definição mesma da liberdade característica dos seres racionais e, por ser uma sua propriedade definitória, deveria poder ser exercida mesmo diante da opção de *aceitar* um conteúdo como objeto da verdade revelada. Se isso for assim, então as verdades da fé não seriam necessariamente afirmadas, como havíamos sugerido mais acima. Ou seja, aceitar a fé ainda deixaria em aberto, para a liberdade, a possibilidade de negar sua "matéria". O que está em jogo nessa possibilidade, como veremos abaixo, não é apenas a "indiferença positiva" da vontade livre, mas duas formas diferentes de discriminar clara e distintamente conteúdos mentais.

101 Descartes (1967), vol. II, p. 573, nota 1.

102 AT VII, 148.

conciliação com a distinção real existente entre esses mesmos elementos, e também o caso da conciliação entre liberdade e determinismo.

Por ora, no entanto, detenhamo-nos nas relações entre fé e razão tal como elas são figuradas no caso exemplar da graça divina; na sequência do texto das *Segundas Respostas*, ao exemplificar sua solução do problema formulado por Mersenne para o que ocorre com "os Turcos e outros infiéis", Descartes afirma que, se os não-convertidos fossem convencidos a aceitar as verdades reveladas aos cristãos por Deus devido a falsos raciocínios (supondo-se, é claro, que, na qualidade de infiéis, eles não foram contemplados por nenhuma revelação sobrenatural), então eles *pecariam*, uma vez que seriam movidos apenas por ideias obscuras e confusas. Em que consistiria, exatamente, seu pecado? A resposta de Descartes é direta: o infiel pecaria nesse caso, escreve ele, "porque não usaria corretamente sua razão"[103]. Como nos adverte Alquié, Descartes concorda com todos os teólogos quanto à tese de que as verdades da fé só podem ser conhecidas pela luz sobrenatural da graça[104], ainda que a luz natural possa esclarecer a fé por meio de argumentos racionais – o que não significa que ela transformará as ideias confusas da fé em ideias claras e distintas da razão, mas apenas que pressuporá que as verdades da fé não contradizem a razão.

A resistência que Descartes expressou quase sempre que foi instado a discorrer sobre as implicações de sua filosofia no campo teológico mostra-se claramente no final de sua resposta a Mersenne[105], quando relembra a seu objetor a advertência de sua Primeira Meditação, a qual separa as questões sobre o "*usum vitæ*" das que dizem respeito à contemplação da verdade. Ao pretender se eximir de tratar da primeira, Descartes parece não levar em conta que acabara de realizar justamente aquilo mesmo que dizia lá se recusar a fazer. A palavra "resistência" pode ser trazida para o domínio semântico da hesitação e da dúvida – e esses últimos conceitos pertencem também, inegavelmente, ao contexto religioso. Nos *Atos dos Apóstolos* (11:12), por exemplo, é dito que Pedro recebeu do Espírito Santo a ordem para que seguisse seu caminho "sem hesitar". A hesitação, própria aos

103 AT VII, 148.

104 Descartes (1967), vol. II, 574, nota 2.

105 AT VII, 149.

espíritos que duvidam, é, assim, o signo externo da natureza decaída do homem depois do pecado original, indicando a necessidade da graça divina. Ora, foi sobre a dúvida radical formulada nas *Meditações* que Descartes recebeu boa parte das críticas vindas do partido teológico (foi o caso, justamente, de Voetius). Pouco adiantaram seus protestos de que a dúvida, circunscrita à Primeira Meditação, fora sistematicamente refutada no restante do livro; tampouco foram suficientes suas explicações segundo as quais a dúvida se restringe à "contemplação da verdade", não sendo estendida, pois, ao domínio da vida prática. Querendo combater o ceticismo, Descartes foi, involuntariamente, um de seus maiores propagadores no século XVII[106], até o ponto em que, ainda em vida, era confundido com um cético, ou, ainda pior, suspeito de ser um cético dissumulado. Não era à toa que as luzes da razão foram tomadas como rivais da iluminação divina e que Descartes, lutando contra seus inimigos teólogos, esforçava-se, talvez em vão, para preservar a dimensão mística de sua doutrina.

Mais acima, foi deixada em suspenso a determinação exata das relações entre as posições de Descartes e de Arnauld no que diz respeito à graça divina. Por um lado, o acréscimo feito por Descartes à segunda edição das *Meditações* parece indicar uma concessão à advertência de Arnauld quanto a um possível confronto com a ortodoxia religiosa; por outro lado, a manutenção, nessa mesma segunda edição, da passagem da Quarta Meditação sobre o bem e o erro morais seria um signo de que tal acréscimo pretendia antes desviar a atenção dos leitores desse tópico do que o corrigir[107]. É mais profícuo, no entanto, tomar literalmente a declaração de Descartes e sua sinceridade ao enunciar a restrição da Sinopse – menos por fé em sua honestidade intelectual do que pelo princípio metodológico que nos leva a examinar as implicações que uma leitura literal do texto nos permitiria derivar. Assim, se a Sinopse é um dos trechos privilegiados de sua obra na qual se manifesta *visivelmente* – pela introdução de uma frase entre colchetes – a atitude ambígua de Descartes em relação à abordagem de temas teológicos, então é preciso admitir que tal atitude diz respeito às relações ambíguas

106 Cf. Popkin (1979).

107 De fato, seria uma opção editorial de Descartes, no momento da segunda edição da obra, corrigir a Quarta Meditação, assinalando a origem da correção nas críticas de Arnauld.

não só entre o intelecto e a vontade humanos relativamente às verdades reveladas por Deus, mas também a sua resistência em abordar temas da teologia racional para os quais, no entanto, ele dispunha de respostas claras e distintas – como a que dera nas *Respostas às Segundas Objeções*. Concedendo ao jansenismo de Arnauld a prevalência da graça na determinação de nossa vontade, Descartes não deixará, porém, de reintroduzir, em sua obra posterior, fortes elementos molinistas que desmentem ou pelo menos enfraquecem sua declaração na Sinopse. Ao invés de explicar essa tensão por uma mudança na trajetória intelectual de Descartes, propomos aqui tomar a aparente contradição entre a Sinopse e a Quarta Meditação como o signo de uma tensão que atravessa a totalidade de sua obra, e que explica, em parte, sua resistência a tratar de temas teológicos. Para alguns comentadores recentes, de fato, a distância entre Arnauld e Descartes é total e pode ser medida pela aproximação do primeiro e pelo afastamento do segundo das doutrinas de Santo Agostinho. Assim, Emmanuel Faye afirma que

> ... a proximidade das datas entre a publicação do *Augustinus* de Jansenius (1640) e as *Meditationes* de Descartes (1641) inaugura uma longa história na qual defesas e condenações das duas doutrinas vão se misturar e tocar frequentemente as mesmas pessoas, principalmente no Oratório e em Port Royal, enquanto que tudo opõe o espírito desses dois autores [*viz. Agostinho e Descartes*], um [*Agostinho*] enfatizando a corrupção do homem pecador e a crítica do "pelegianismo", o outro [*Descartes*] afirmando sua confiança nas capacidades do homem, naturalmente capaz de fazer bom uso de suas faculdades e de seu livre-arbítrio na procura da verdade e no exercício da virtude[108].

Apesar de os elementos contrastados nessa passagem serem incontestáveis, uma dúvida pode ainda ser mantida quanto à clivagem radical que eles supostamente instauram: afinal, seria a "longa história na qual defesas e condenações das duas doutrinas vão se misturar e tocar frequentemente as mesmas pessoas" compreendida apenas pela tentativa dos defensores do cartesianismo, contra a censura religiosa crescente, de "agostinianizar" Descartes? Não haveria, no interior da

108 Faye (2000), p. 9. Faye é um dos que criticam a excessiva aproximação entre o agostinianismo do século XVII e a filosofia cartesiana promovida por alguns comentadores, como Henri Gouhier.

doutrina desse último, elementos que solicitaram tal "confusão"? Dito de outra maneira: não seria preciso compreender, desde o ponto de vista de uma leitura dos textos de Descartes, como e por que sua teoria foi representada, em sua própria época, como uma variação do jansenismo? E essa representação não seria, em certo sentido, tão importante quanto o que Descartes "realmente" disse? Ou ainda: não teria ele dito algo a mais e algo de diferente do que ele "realmente" (intencionalmente?) disse? Finalmente: a própria oposição entre molinismo e jansenismo é inteiramente clara? Ou as duas doutrinas podem, algumas vezes, se confundir?[109] Mantenhamos, por ora, a suspensão do juízo sobre esse ponto, contra as advertências desses comentadores, até examinarmos com mais detalhe as tensões presentes no interior dos textos do próprio Descartes, e de quanto eles contêm uma forma de "agostinianismo" implícito.

Para bem compreender esse ponto, devemos revisitar um fato histórico importante e bem conhecido, mas que se refere ao período posterior à morte de Descartes: a partir da segunda metade do século XVII, há uma forte conexão entre o jansenismo e o cartesianismo, dois movimentos intelectuais que tiveram em Arnauld uma de suas figuras centrais. Avaliar criticamente essas relações pode indicar em que medida elas derivam do pensamento do próprio Descartes e em que medida elas foram acréscimos dos "cartesianos" que lhe sucederam. As histórias entrecruzadas do cartesianismo e do jansenismo, com todos os seus desdobramentos até o século XVIII, é muito complexa para ser recontada aqui em poucas linhas, mas é importante relembrar ao menos algumas características desse último, de modo a contrapô-lo, em seguida, ao pensamento de Descartes.

Em uma conferência na qual apresenta uma visão geral do movimento jansenista na França[110], Vincent Carraud assinala que o livro *Augustinus*, de Jansenius, a principal referência teórica do movimento,

109 Particularmente, as relações complexas do molinismo com a ordem dos jesuítas teria de ser ela mesma melhor investigada. Longe de constituir um bloco perfeitamente unificado, o "jesuitismo" é um conjunto nem sempre coerente de práticas e de doutrinas. No que diz respeito, em especial, a sua oposição ao jansenismo, deve-se notar que, na ordem jesuíta, a "salvação pelas obras" se exprime muitas vezes pelos exercícios espirituais de interiorização e de entrega à vontade de Deus.

110 Cf. Carraud (2007).

publicado postumamente em 1640 e condenado pela Igreja em 1642, tem em seu cerne a discussão sobre a natureza da graça divina e sua conciliação com a liberdade humana. De fato, o livro evoca um cristianismo antigo, o de Santo Agostinho, para contrapô-lo ao cristianismo contemporâneo do autor, tendo em vista uma reforma desse último. Em nosso estado atual de natureza decaída, afirma Jansenius, ecoando a voz de Agostinho, a salvação depende exclusivamente de Deus, de tal modo que o papel destinado à liberdade humana em sua busca é reduzido quase a nada: trata-se de uma pura liberdade de recepção, sem que nenhuma de nossas ações possa, sem a graça, nos levar um milímetro a mais para perto dela[111]. Pelas preces, podemos suplicar que Deus nos conceda a salvação, mas essa última é um dom gratuito, não justificado por nada além da bondade divina e da justiça perfeita do Cristo, que se sacrificou por nós e que é o único caminho para ascendermos à salvação – em particular, não somos justificados por nenhuma de nossas ações, por mais meritórias que sejam. A oração é um sintoma da graça, e não sua causa, mesmo que remota. Ou seja, após a Queda do primeiro homem decretada por Deus, nada a não ser outro ato divino pode nos salvar. "Essa é a heresia jansenista", nos diz Carraud: "o estado de pura natureza só pode dar ao homem uma felicidade puramente terrestre; mas a salvação, de

111 Certos aspectos do jansenismo são, assim, de certa forma, variações do luteranismo (e, mais propriamente, do calvinismo). Cf. Lutero (1993), p. 48: "... quando tiver sido provado que nossa salvação depende unicamente da obra de Deus, sem nossas forças e desígnios [....], não se segue claramente que, quando Deus não está em nós com sua obra, todas as coisas que fazemos são más e nós necessariamente obramos coisas sem valor para a salvação? [....] Digo 'necessariamente', não 'por coação', mas, como dizem eles, 'por necessidade de imutabilidade, não de coação'. Isso é: quando o ser humano está sem o Espírito de Deus, não faz o mal por violência, contra a vontade [....], mas o faz espontaneamente com vontade e prazer. Ora, por suas próprias forças ele não pode abandonar, reprimir ou mudar esse prazer ou vontade de fazer, mas continua tendo vontade e prazer [....] Por outra parte, se Deus opera em nós a vontade, por sua vez, mudada e blandiciosamente tocada pelo Espírito de Deus, quer e faz por puro prazer, propensão e espontaneidade, não por coação, de modo que não pode ser mudada para outra coisa por nada que lhe seja contrário, nem ser vencida ou coagida pelas portas do inferno; antes, continua querendo e amando o bem e tendo prazer nele, assim como anteriormente quis e amou o mal e teve prazer nele. [....] Assim sendo, também aqui não há qualquer liberdade ou livre-arbítrio para voltar-se para outro lugar ou querer outra coisa enquanto perdurarem o Espírito e a graça de Deus no ser humano".

ordem sobrenatural, vem de Deus"[112]. Entre o natural e o sobrenatural, há um fosso intransponível, se confiarmos apenas em nossas faculdades naturais. Daí se segue, tal como ocorre no luteranismo e no calvinismo, a predestinação da graça: nem todos os homens serão contemplados por ela[113]. Os argumentos a favor da predestinação que circulam entre o jansenismo, o luteranismo e o calvinismo repousam, geralmente, sobre a onisciência de Deus: dado que Ele tudo sabe, também já Lhe é conhecido, desde toda a eternidade, quem será e quem não será salvo. Além disso, por outro lado, dados o abismo entre natureza e sobrenatureza criado pela Queda e pela impotência do homem em estado decaído de pecado, nada além do que a gratuidade da salvação pode explicar por que uns e não outros serão salvos: por princípio, nenhuma razão puramente humana poderia explicar esse fenômeno.

Carraud nos lembra também de que os principais alvos de Jansenius eram os jesuítas, em particular Luis de Molina, autor do *Concordia gratiae cum libero arbitro*, de 1588, obra na qual é proposta, como o título indica, uma forma de compatibilização entre a liberdade humana e a graça, inaceitável para Jansenius. Segundo esse último, o livro de Molina é herético, pois defende uma tese semi-pelagiana. O pelagianismo, como se sabe, é uma heresia do início da era cristã[114], que não aceitava a doutrina do pecado original, pois seria contra a justiça divina criar homens culpados desde seu nascimento sem que os delitos tivessem sido cometidos por nenhum deles individualmente. Daí se segue que, sem pecado original, tampouco a salvação por Jesus Cristo seria mais necessária. É curioso notar que Santo Agostinho, inspirador do movimento jansenista, já havia escrito contra o pelagianismo, afirmando que "todos os homens pecaram em Adão, nascem com o pecado original e estão enfraquecidos por ele, mas conservam o livre-arbítrio. Portanto, é necessário o batismo para reaver a graça"[115]. Note-se bem: o que Agostinho

112 Cf. Carraud (2007).

113 Não é casual que uma das principais acusações contra os jansenistas no século XVII era a de que eles adotavam uma espécie de calvinismo.

114 Seu nome deriva de seu principal proponente, Pelágio nascido provavelmente em 354 d.C.. Para os semi-pelagianos, a graça divina é dada em recompensa ao mérito de cada indivíduo.

115 *Apud* João Ribeiro Jr (1989), p. 33, onde se encontra também uma análise sobre o pelagianismo.

condena não é a existência do livre-arbítrio, mas sua suficiência para alcançar a graça. O conflito posto em marcha pelo jansenismo opunha, pois, a pureza do cristianismo primitivo, representado por Agostinho e renascido em Lutero, às tentativas modernas de igualar, em alguma medida ínfima que fosse, a vontade divina à humana, retomando para isso, segundo Jansenius, as teses heréticas do pelagianismo.

Foi, entretanto, o jansenismo que veio a ser considerado oficialmente herético pela Igreja. A bula *Cum occasione*, de 1653, publicada sob o pontificado de Inocêncio X, retirou cinco teses do livro *Augustinus*, considerando as quatro primeiras como heréticas e a última apenas como "falsa, escandalosa e temerária"; essas teses eram as seguintes:

> 1- *Alguns mandamentos de Deus são inexequíveis para os homens justos segundo as forças de que dispõem, mesmo se querem e se empenham; também lhes falta a graça pela qual [os mandamentos] se tornam exequíveis.*
> 2- *No estado de natureza decaída, não se resiste nunca à graça interior.*
> 3- *Para merecer ou não, no estado de natureza decaída, não se requer no homem a liberdade de necessidade (libertas a necessitate); bastando a liberdade de coação (libertas a coactione).*
> 4- *Os semipelagianos admitiam a necessidade da graça interior preveniente para cada ato, também para o início da fé; e eram hereges pelo fato de afirmar que aquela graça era tal que a vontade humana pudesse ou resistir ou obedecer a ela.*
> 5- *É semipelagiano afirmar que Cristo morreu e derramou seu sangue por todos os homens irrestritamente*[116].

Arnauld responde a bula papal pouco tempo depois, em 1655, em sua *Segunda carta a um duque e par*[117]. Sua resposta consiste basica-

116 Cf. Denzinger (2007), pp. 487-488. A última das cinco teses implica diretamente que Cristo só morreu pelos eleitos.

117 O título completo dessa obra, publicada em 10 de julho de 1655, é *Seconde Lettre à un Duc et Pair de France pour servir de réponse à plusieurs écrits qui ont été publiés contre sa première Lettre*. Os "escritos" em questão referem-se aos vários ataques que vinha sofrendo por parte dos jesuítas. A carta de Arnauld foi dirigida ao segundo Duque de Luynes, Louis-Charles d'Albert de Luynes, protetor de Port-Royal e tradutor das *Meditações* de Descartes para o francês. A posição privilegiada de Louis-Charles – deve-se notar que o título nobiliárquico "Duque e Par" designava uma pessoa que tinha relações favorecidas com o rei, só sendo superadas pelos "pares inatos", parentes de sangue da realeza – fazia dele um destinatário ideal para as respostas de Arnauld.

mente em distinguir uma questão de fato de uma questão de direito: as proposições assinaladas pela Igreja são, de direito, heréticas, escreve Arnauld, mas elas não se encontram, de fato, no *Augustinus*[118]. Não é possível exagerar o impacto dos desdobramentos dessa polêmica no meio intelectual francês da época: primeiramente, a condenação do jansenismo, sua proibição nas escolas e universidades, a imposição de uma fórmula[119], em 1665, a ser firmada no prazo de três meses, na qual as cinco proposições de Jansenius deveriam ser negadas, e, diante da recusa de alguns, o crescente recrudescimento das autoridades governamentais e eclesiásticas, culminando com o exílio de Arnauld e Pierre Nicole na Holanda e em Bruxelas, onde o primeiro haveria de morrer mais tarde. As *Cartas Provençais* de Pascal, de 1656, dão a dimensão exata não só dos problemas teóricos que movimentaram intensamente os eruditos e teólogos, mas também da agitação política que os refletia. A fórmula imposta aos membros da igreja, que as freiras de Port-Royal, dentre as quais a irmã de Arnauld, a madre Angélique Arnauld, se recusaram a assinar, dizia respeito justamente à inadimissibilidade da distinção entre questões de fato e de direito proposta na *Segunda carta*. O fato de Arnauld defender ao mesmo tempo o jansenismo e o cartesianismo o envolveu, já o notamos, em inúmeras polêmicas e contribuiu, em grande medida, para a percepção geral dos envolvidos em disputas filosóficas e teológicas

118 Cf. sobre a resposta de Arnauld, Carraud (2007). Carraud chama a atenção para o fato de que a réplica de Arnauld, embora engenhosa retoricamente, não era inteiramente adequada à realidade, uma vez que a primeira proposição – a mais importante de todas –, classificada pela bula como sendo "temerária, ímpia, blasfematória, condenada por anátema e herética", encontra-se expressamente no *Augustinus*, enquanto as quatro restantes são fiéis ao espírito do livro. Segundo Carraud, "O terreno da polêmica estava preparado desde muito tempo. Já dez anos antes, uma das teses de teologia de Antoine Arnauld incidira sobre a queda de São Pedro: São Pedro é o protótipo do justo que não quer mal agir e esforça-se para tanto e que, porém, caiu. A graça lhe foi insuficiente. E preciso, pois, em adição, uma graça eficaz".

119 "Eu N.N., me submeto à constituição apostólica de Inocêncio X datada do dia 31 de maio de 1653 e à constituição de Alexandre VII datada do dia 16 de outubro de 1656, Sumos Pontífices, e com ânimo sincero rejeito e condeno as cinco proposições tiradas do livro de Cornélio Jansen intitulado *Augustinus*, no sentido entendido pelo autor, como as condenou a Sé Apostólica por meio das ditas constituições, e deste modo juro: Assim me ajude Deus e estes santos evangelhos de Deus" (Denzinger, 2007, p. 491).

no século XVII de que havia uma estreita afinidade entre ambos os movimentos[120]. O que nos importa, por ora, é tentar entender em que medida as posições de Descartes sobre a liberdade humana, expressas efetivamente em seus textos, prefiguram o jansenismo.

É importante observar que as simpatias de Descartes poderiam distribuir-se entre os dois partidos, o jansenista e o molinista-jesuíta[121]. Mais do que isso: elas *de fato* se distribuíram entre ambos, principalmente em sua correspondência privada, dependendo se seu interlocutor era adepto de um ou do outro partido. Por um lado, a grandeza infinita e a consequente incompreensibilidade divina, enfatizadas em vários de seus escritos, poderiam torná-lo receptivo à radicalidade da concepção jansenista da Queda, na qual há um abismo entre as faculdades naturais do homem e a graça sobrenatural. Se juntarmos a isso a tese cartesiana segundo a qual a vontade livre não precisa ser indiferente ao bem e ao verdadeiro quando a mente se encontra em um estado de clareza (natural ou sobrenatural), então podemos concluir que a graça divina pode gerar uma adesão inevitável, mas livre, à salvação. Por outro lado, porém, essa mesma grandeza infinita de Deus, manifestada de forma incompreensível para o intelecto finito do homem, poderia fazer com que Descartes pendesse em direção à tese molinista segundo a qual a vontade humana desempenha um papel eficiente na salvação, particularmente quando a grandeza infinita de Deus, instanciada em Sua vontade e manifestada em Sua livre criação das verdades eternas, é relacionada à vontade dos homens, sendo essa

120 Não narrarei aqui os inúmeros episódios que marcam essa história, limitando-me a remeter os leitores ao artigo de Tad M. Schmaltz, intitulado "What Has Cartesianism to Do with Jansenism?" (1999).

121 Como vimos acima, nem sempre essa oposição ocorre sem zonas obscuras de contato. Carta a Mersenne de março de 1642: "Eu procurei em Santo Agostinho os erros de Pelagius para saber no que se podem fundar aqueles que dizem que eu sou de sua opinião, a qual havia até então ignorado [....] Pelagius disse que se pode fazer boas obras e merecer a vida eterna sem a graça, o que foi condenado pela igreja, e eu digo que se pode conhecer pela razão natural que Deus existe, mas eu não digo que este conhecimento natural merece por si, sem a graça, a glória sobrenatural que nós esperamos no céu. Pois ao contrário, é evidente que, sendo esta glória sobrenatural, faz-se necessário forças mais que naturais para a merecer. E eu nada disse sobre o conhecimento de Deus que todos os teólogos não dizem também" (AT III, 544). *Apud* Maia Neto (1997). Segundo esse último, a posição de Descartes não era, ao contrário do que ele sugeria, teologicamente "neutra", pendendo em direção ao molinismo.

última também caracterizada ela mesma como uma faculdade absoluta e infinita – como é dito na Quarta Meditação, ela é aquilo que nos faz portar, propriamente falando, a "imagem e semelhança de Deus"[122], isto é, que nos faz *infinitos* como Ele. Os elementos de que dispomos até agora ainda não nos permitem determinar se a balança pende mais para um lado do que para o outro; continuemos, pois, o exame do conceito cartesiano de vontade, tentando identificar nele elementos adversos a ou comuns com o jansenismo.

Será preciso, particularmente, levar em conta, ainda que para eliminá-la, uma possível evolução do pensamento de Descartes entre a publicação do texto latino das *Meditações*, em 1641, e as famosas cartas ao padre Mesland, entre 1644 e 1646. De um modo simplificado, o problema dessa evolução coloca-se nos seguintes termos: em 1641, Descartes aparentemente defende, na Quarta Meditação, que o mais alto grau de liberdade não supõe a indiferença da vontade na escolha entre partidos opostos, consistindo, antes, na autodeterminação que nos leva infalível, mas livremente, a escolher o bem e o verdadeiro, percebidos por ideias claras e distintas. Ou seja, em um estado de clareza, não poderíamos deixar de afirmar mentalmente o conteúdo percebido (poderíamos, quando muito, negá-lo verbalmente). Já em 1645, questionado pelo padre Mesland, Descartes afirma que o mais alto grau de liberdade envolve uma faculdade de indiferença positiva, pela qual, "absolutamente falando" (i.e., metafisicamente falando), podemos negar o evidente (i.e., o verdadeiro e o bom clara e distintamente apreendidos como tais), embora "moralmente falando" não o possamos (note-se que a distinção entre um modo de falar absoluto e um modo de falar moral não opõe um domínio teórico a um prático, mas antes um domínio metafísico a um relativo à probabilidade: embora conservemos, metafisicamente falando, o poder de escolha entre contrários, é muito certo ou extremamente provável que escolheremos o bem e o verdadeiro). A indiferença meramente negativa, que ocorre quando estamos diante de ideias obscuras e confusas, continua a ser caracterizada, em 1645, tal como já ocorria nas *Meditações*, como sendo o mais baixo grau de liberdade (ou seja, diante de ideias obscuras e confusas, podemos indiferentemente escolher qualquer uma, sem que nossa

122 AT VII, 57.

vontade penda para nenhuma delas de forma espontânea e fácil), mas a mera autodeterminação não é mais caracterizada como uma condição suficiente da liberdade, sendo então vista apenas como uma sua condição necessária – na medida mesma em que o poder de escolha supõe a autonomia da vontade.

Que tenha havido uma modificação do pensamento de Descartes entre 1641 e 1645 é motivo de debates intermináveis entre os comentadores – assim, por exemplo, temos, defendendo a tese da ruptura, Jean Laporte e Alquié e, afirmando a tese da continuidade, de certa forma Jean-Marie Beyssade e certamente Anthony Kenny[123]. Voltaremos a esse debate mais adiante. Antes disso, porém, é preciso admitir que, ao menos superficialmente, à primeira vista, as teses cartesianas sobre a liberdade, enunciadas no original latino das *Meditações*, em 1641, são mais compatíveis com o jansenismo de Arnauld do que as teses de 1645. De um modo geral, as teses da predestinação e da eficácia necessária da graça divina parecem se adequar mais a uma concepção da liberdade como afirmação autônoma, mas necessária, daquilo que é percebido em estado de clareza do que como livre escolha entre contrários. Essa impressão é reforçada se enfatizarmos o fato de que, na já referida correspondência com Mesland, na qual Descartes afirma que a indiferença positiva é uma condição necessária da liberdade em seu mais alto grau, seu destinatário era um padre jesuíta. Ora, como vimos, a Companhia de Jesus era constituída justamente pelo núcleo dos "molinistas" visados pelo *Augustinus* de Jansenius e, de forma especialmente virulenta, pelas *Cartas Provençais* de Pascal (lembremos, mais uma vez, das estreitas relações desse último com Port Royal) – além de serem alguns de seus membros os principais adversários de Arnauld e os autores das injunções políticas em Paris e em Roma contra o jansenismo. Teria Descartes desejado contentar seu amigo jesuíta e, ao mesmo tempo, manter-se afastado de controvérsias teológicas, aparecendo como um molinista para os jesuítas? Ou teria ele percebido, a partir das questões de Mesland, o quanto sua doutrina poderia ser confundida com o jansenismo[124], procurando então afastá-la dessa dis-

123 A própria tese da continuidade poderia ser qualificada em dois sentidos diferentes: no primeiro, a liberdade entendida como indiferença positiva estaria presente nas duas fases, enquanto que, no segundo, ela estaria ausente em ambas.

124 Sobre o uso pejorativo do termo "jansenismo" no século XVII, cf. Emmanuel

puta teológica reforçando a tese da indiferença positiva da vontade? (lembremos que a discussão teológica sobre a graça era, já na época em que Descartes escrevia, condenada pela Igreja[125]) É curioso notar que, nas *Respostas às Segundas Objeções*, advertido de que algumas de suas teses se aproximavam das de Agostinho, Descartes manifesta surpresa, desconhecimento e curiosidade, o que mostra que ele estava aparentemente alheio às controvérsias que agitavam a França em seu exílio holandês. Assim, se pensarmos que há algo como a "posição final" de Descartes sobre a essência da liberdade, enunciada nas cartas a Mesland, aparentemente seria mais plausível dizer que ela é incompatível com o jansenismo.

Mas até que ponto um exame mais atento dos textos confirmaria essa incompatibilidade? Para explorar a validade dessa primeira leitura, retornemos a 1641 e voltemos a examinar o trecho onde Descartes expõe formalmente sua teoria da graça divina, a *Resposta* à quinta questão das *Segundas Objeções*[126], pois, dessa forma, poderemos entender o sentido de sua tese posterior. O objetor (Mersenne) visava justamente a relação entre vontade livre e graça divina ao negar que, em todos os casos, a vontade corra o perigo de falhar quando abraça conhecimentos obscuros e confusos, uma vez que o objeto da fé é um exemplo desse tipo de conhecimento. Em sua resposta, como já vimos acima, Descartes afirma que sua tese central, ao restringir o assentimento da vontade às ideias conhecidas clara e distintamente, não pode ser negada nem pelos filósofos nem pelos teólogos – em ambos os casos, porque só a clareza e a distinção podem ser o fundamento da certeza, inclusive no que se refere à salvação e ao pecado. Seu argumento, como também já vimos acima, tem duas partes: em primeiro lugar, ele não nega que o objeto da fé seja obscuro e confuso, mas, em seguida, afirma que

Faye (2000), p. 11.

125 Cf. Carraud (2007): "Mas o fato mesmo de publicar o *Augustinus* constituia uma contravenção às decisões pontificais, que interditavam justamente discutir sobre tais temas (em particular a natureza e a graça) depois do fechamento das congregações '*de auxiliis*'. De fato, para colocar um termo às disputas das quais ninguém conseguia sair, o papa Paulo V havia dado fim, em 1607, às ditas congregações, que existiam desde 1598; e dois decretos sucessivos (1611 e 1625) interditaram, em seguida, continuar a discutir a questão da graça".

126 AT VII, 147-149; IX, 115-116.

aquilo pelo qual cremos nele é claro – na verdade, "é mais claro do que qualquer luz natural"[127]. Relembremos, finalmente, que, para conjugar essas duas afirmações aparentemente contraditórias, ele propõe uma distinção entre "a matéria, ou a coisa à qual concedemos nossa crença, e a razão formal que move nossa vontade a concedê-la" – é possível que a primeira seja obscura, enquanto a segunda seja clara e evidente. A razão formal que nos leva a afirmar uma verdade subdivide-se, por sua vez, em duas espécies exclusivas entre si: ou bem se trata da luz natural da razão, ou bem da graça divina. Sendo assim, é possível, nessas duas espécies de razão formal, que o objeto afirmado seja obscuro e confuso e que a clareza e a evidência incitem nossa vontade a se determinar. Seria de se esperar, dado o projeto cartesiano de fundamentação da ciência, que apenas uma ideia clara e distinta pudesse ser a matéria do juízo no caso em que a razão formal que move a vontade fosse a luz natural da razão, mas Descartes oferece um contra-exemplo que mostra o contrário: uma ideia obscura, e na verdade "a própria obscuridade", pode ser a matéria desses juízos, quando julgo, por exemplo, "que a obscuridade deve ser subtraída de nossos pensamentos para poder dar-lhes nosso consentimento sem nenhum perigo de falhar"[128].

A distinção entre dois tipos de "luz interior", uma natural e outra sobrenatural, soluciona, na visão de Descartes, o problema formulado por Mersenne. A determinação de nossa crença nas verdades racionais seria dada por uma clareza interna à ideia, enquanto que nossa adesão às verdades da fé seria dada por uma luz sobrenatural que constituiria uma "razão, externa à ideia, que conduziria nossa vontade a julgar"[129], de tal forma que, no segundo caso, poderíamos afirmar, em um estado de clareza, algo que é intrinsecamente obscuro[130]. Nos dois

127 Descartes não afirma que o objeto da fé é percebido clara e distintamente, mas apenas claramente; ora, sabemos que algumas ideias podem ser claras sem ser distintas – é o caso de algumas sensações (ver *Princípios da filosofia* I, Art. 46 (AT VIII, 22; IX, II, 44). No entanto, o contexto mostra que o objeto da fé é caracterizado como sendo claro e distinto, tal como as ideias da razão.

128 *Idem, ibidem.*

129 Segundo as palavras de Alquié (Descartes (1967), p. 573, nota 1).

130 Ainda segundo Alquié: "No caso das verdades racionais, é certamente a clareza da ideia que deve determinar nossa crença (e não uma razão externa). No caso das verdades da fé, a luz pode ser de uma ordem diferente, e nos conduzir a aderir, na clareza, ao que é obscuro" (*Idem, ibidem*). Cf. a carta, provavelmente destinada ao

casos, a "matéria" do juízo não se confunde com a clareza que o determina, sendo antes identificada ao tema último sobre o qual ele discorre. Poderíamos exprimir essa diferença afirmando que, para além das condições de verdade da matéria do juízo, haveria condições de verdade relativas ao *modo* como acessamos essa matéria – seria possível chamar essas últimas de condições de verdade reflexivas[131]. Essa solução retoma, ao que parece, a teoria da graça exposta na década de 1620, nas *Regras*, Regra III, onde Descartes afirma que Deus determina diretamente a vontade dos eleitos em direção às ideias obscuras da fé.

Mas essa solução não nos permite ainda esclarecer se o conceito de liberdade descrito em 1641 é o mesmo de 1645. Por um lado, ao opor a determinação intrínseca das ideias claras e distintas dadas pela luz natural da razão a outro tipo de determinação, extrínseca às ideias, dada pela intervenção direta da vontade de Deus sobre nossa mente, Descartes quer preservar, também (e talvez sobretudo), nesse último caso, ao mesmo tempo, o dom divino e a liberdade de nossa vontade, como ele mesmo afirma nas *Segundas Respostas*:

> E penso que jamais qualquer teólogo ortodoxo alimentou outros sentimentos a esse respeito; e também aqueles que lerem minhas *Meditações* não terão motivo de crer que eu não haja conhecido esta luz sobrenatural, porquanto, na Quarta, em que busquei cuidadosamente a causa do erro ou falsidade, declarei, em palavras expressas, *que ela dispõe o interior de nosso pensamento a querer, e que, no entanto, não diminui de modo algum a liberdade.*

Por outro lado, porém, a resposta de Descartes não parece totalmente isenta de ambiguidades. De fato, ao afirmar, em 1641, que a

Marquês de Newcastle, de março ou abril de 1648: "O conhecimento intuitivo é uma ilustração do espírito, pela qual ele vê, na luz de Deus, as coisas que lhe apraz descobrir por uma impressão direta da clareza divina sobre nosso entendimento, o qual, nisso, não é considerado como agente, mas somente como recebendo os raios da divindade" (AT V, 136).

131 Adapto aqui uma sugestão de John Perry (2002), p. 232. Perry chama de condições de verdade reflexivas aquelas que dizem respeito às *palavras* pelas quais expressamos nossos juízos, ou seja, as condições para o uso da linguagem e, no caso particular examinado por ele, do pronome "eu". Em minha adaptação, as condições reflexivas diriam respeito à determinação dos *atos da vontade* pelos quais afirmamos a verdade das ideias da razão natural e da fé.

vontade é livre até mesmo no momento da recepção da graça divina, Descartes não se compromete inteiramente com a determinação de qual dos dois sentidos de liberdade (como espontaneidade ou como indiferença positiva) seria uma condição necessária e suficiente desse ato – e, muito menos, se a liberdade, em qualquer um desses dois sentidos, deveria ser entendida como uma pura liberdade de recepção ou como um elemento eficaz na conquista da graça. Na continuação da formulação de sua teoria da graça nas *Segundas Respostas*, ele também é um tanto ambíguo acerca das conclusões que deveríamos tirar dela: quando discute o caso dos "Turcos e outros infiéis", Descartes afirma que eles pecam "ou porque resistem à graça divina que os adverte interiormente, ou porque, pecando em outras coisas, tornam-se indignos dessa graça". Aparentemente, a segunda opção pode ser reduzida à primeira: afinal, se os infiéis pecam em um momento anterior ao da recepção da graça, isso ocorre justamente porque essa última lhes faltou. Tal redução, porém, tornaria a explicação circular: os "Turcos" recusaram a graça porque de antemão a recusaram. Como quer que seja, a salvação parece requerer um ato livre de aceitação ou recusa da graça concedida por Deus, aproximando-o dos molinistas[132]. O mais natural, *talvez*, seria imaginar que as *Segundas Respostas*, que aparecem na edição latina das *Meditações*, de 1641, seguiram a tese central da Quarta Meditação, optando, assim, pela concepção jansenista da liberdade esclarecida (e, consequentemente, pela infalibilidade da graça divina[133]). A gratuidade da graça eliminaria, assim, a circularidade da explicação: ela é negada aos infiéis porque desde o início ela lhes fora negada. Entretanto, antes de tomar como estabelecido o fato de que há uma modificação entre as edições latina (de 1641) e francesa (de 1645) das *Meditações* no que diz respeito ao conceito de liberdade, devemos dar um passo atrás e investigar se a Quarta Meditação já contém, ela mesma, pelo menos os germes dessa diferença, sob a forma de algum tipo de ambiguidade textual.

132 Essa consequência, porém, deve ser relativizada, pois os jansenistas reconheciam um sentido mínimo em que a liberdade humana é requerida para a salvação, a saber, a liberdade de recepção – que parece ser justamente o caso da primeira opção mencionada acima para explicar a situação dos "Turcos".

133 Comentando uma carta de Descartes em seus *Ensaios de Teodicéia*, § 164, Leibniz o parafraseia da seguinte forma: "... não entra o menor pensamento no espírito de um homem que Deus não queira e não tenha querido de toda a eternidade que aí entrasse". Conclui Leibniz, contra Descartes: "Calvino nunca disse nada de mais duro".

Para levar a cabo essa investigação, e para chamar a atenção para outra ambiguidade presente no desenvolvimento desse tema ao longo do século XVII, notemos que Arnauld parece adotar, em um período posterior de sua obra, uma explicação para a relação entre a graça divina e a liberdade humana que é, pelo menos à primeira vista, mais próxima da que Descartes formula na carta a Mesland em 1645 – e Arnauld não pode, certamente, ser caracterizado como um molinista[134].

Para Arnauld, assim como para Jansenius, a graça divina é, pelo menos em alguns casos, intrinsecamente eficaz – isto é, ela prevalece de forma irresistível sobre nossa vontade[135]. Mas Arnauld discordava de Jansenius quanto à natureza da graça: segundo esse último, a graça divina seria eficaz porque se identificaria com um amor irresistível, um "*delectatio victrix*"[136]; para Arnauld, ao invés de supor a mediação de um sentimento, a graça operaria diretamente na vontade humana, dada a vontade divina de concedê-la. Em sua obra de 1656, a *Dissertatio theologica quadripartita*, ele aproxima sua posição da de "Bradwardine, Estius, Tiphanius e muitos outros [*tomistas*]"[137]. A ausência de

134 Essa posição teórica de Arnauld é visível, entre outros textos, na famosa e longa troca de cartas com Leibniz em torno do Artigo 13 do *Discurso de metafísica*, a partir de 1686. É curioso notar que Arnauld aparentemente está pensando no Artigo 41 dos *Princípios* de Descartes quando fornece uma explicação "cartesiana" para a graça divina, no mesmo sentido em que ele dera uma explicação "cartesiana" (contra os cartesianos da época) para a eucaristia.

135 Ver Elmar Kremer (2007; 2008), item 6.2. Na nota 25 desse texto, Kremer chama a atenção para o fato de que "Arnauld e Jansenius afirmavam que toda graça atual da vontade que resulta dos méritos do Cristo, em contraste com qualquer graça tal recebida por Adão e Eva antes da Queda, é intrinsecamente eficaz com relação ao que Deus proximamente pretende". Nesse sentido, em nosso estado atual de natureza decaída, a graça divina é uma condição necessária e suficiente para a produção de seus efeitos.

136 Kremer, *idem, ibidem.*

137 *Apud* Kremer (*idem, ibidem*). Kremer remete à edição do século XVIII da obra de Arnauld (1775-1783), vol. 20, p. 237. A percepção de que havia uma proximidade entre o jansenismo e o tomismo era comum no século XVII; assim, em seu *Dicionário histórico e crítico*, artigo *Jansenius*, letra G, Pierre Bayle afirma que "Sobre a matéria da liberdade há apenas dois partidos a tomar: um é o de dizer que todas as causas distintas da alma que concorrem com ela lhe deixam a força de agir ou de não agir; o outro é o de dizer que elas a determinam de tal forma a agir que não poderia se impedir disso. O primeiro partido é o dos molinistas, o outro é o dos tomistas e dos jansenistas, e dos protestantes da confissão de Genebra".

uma mediação afetiva entre a vontade de Deus e a adesão do homem é a explicação mais apta, aos olhos de Arnauld, para preservar a liberdade humana mesmo diante da eficácia necessária da graça, uma vez que essa última agiria através do consentimento dos agraciados sem que sua vontade fosse determinada por um elemento heterônomo tal como um sentimento. Acrescenta-se aqui mais uma dobra ao já emaranhado panorama teológico: assim como o "molinismo jesuíta" inclui elementos quietistas, o jansenismo vai em direção ao reconhecimento de um papel positivo para a vontade humana. Bem mais tarde, em 1693, um ano antes de sua morte, Arnauld refere-se novamente ao tomista Estius para explicar a conciliação entre liberdade e graça, relacionando-a também a Agostinho:

> A opinião verdadeira de Santo Agostinho, São Bernardo e São Tomás relativamente à graça real é a mesma de Estius, que não coloca nada de criado por Deus na vontade entre a vontade de Deus, que ele denomina graça incriada, e o movimento da vontade humana que a graça incriada produz na vontade humana[138].

Segundo essa posição compatibilista, a vontade humana dá seu assentimento livre à graça irresistível, no sentido em que esse ato volitivo não é determinado do exterior, mas deriva apenas da natureza humana considerada em si mesma. Isso não impede, segundo Arnauld, nem que continuemos afirmando a predestinação da graça nem que neguemos a suficiência da vontade livre para alcançá-la. Entretanto, poderíamos duvidar da inteligibilidade da solução arnauldiana: o próprio Arnauld, que tanto combateu o compatibilismo de Leibniz, não acabou ele mesmo unindo, de modo pouco claro, a eficácia irresistível da graça e a ação positiva da vontade?

Tanto em 1644, na edição latina de seus *Princípios da filosofia*, quanto em 1647, na tradução francesa do abade Picot por ele revista, Descartes parece aproximar-se desse Arnauld crítico de Jansenius e defensor da existência de uma liberdade entendida como indiferença positiva. De fato, nesse texto mais tardio, Descartes aparentemente defende, ao mesmo tempo, que um ato livre por parte do homem, não determinado por qualquer sentimento anterior, é requerido para a recepção da graça divina e

138 *Apud* Kremer, *idem, ibidem.* Carta a du Vaucel, 8 de maio de 1693, *Œuvres de Messire Antoine Arnauld,* vol. 3, p.636.

que essa última é predestinada aos eleitos e opera com eficácia necessária. Essa parece ser uma implicação dos Artigos 39 a 41 da Primeira Parte dos *Princípios da filosofia*. No Artigo 39, Descartes pretende provar que "a liberdade do arbítrio é conhecida por si"[139]; no Artigo 40, que "também é certo que todas as coisas foram preordenadas por Deus"; finalmente, no Artigo 41, "de que modo são conciliadas simultaneamente a liberdade do nosso arbítrio e a preordenação de Deus". Entretanto, paradoxalmente, o Artigo 40 termina com o enunciado da dificuldade de conciliá-las, à primeira vista afirmando até mesmo que se trata de uma tarefa impossível: "facilmente podemos nos enredar a nós mesmos em grandes dificuldades se tentarmos conciliar essa preordenação de Deus com a liberdade do nosso arbítrio, e compreender simultaneamente uma e outra"[140]. A sugestão, aqui, parece ser a de que estamos certos tanto de nossa liberdade quanto da preordenação divina tomando cada uma delas isoladamente, mas que não seria possível unir, ao mesmo tempo, ambas em um só ato de pensamento – "conciliar", nesse caso, teria no máximo apenas o sentido fraco de admitir a coexistência de teses sem poder explicá-la, como se fosse um *fato* (ainda que seja como um fato *da razão*, uma vez que ambas são fundamentadas por raciocínios indubitáveis[141]). O começo do Artigo 41 promete uma explicação para esse fato, mas, na realidade, limita-se a explorar mais detidamente sua incompreensibilidade; diz o texto: "Delas [*das dificuldades*], contudo, nos desembaraçaremos se recordarmos que...". A sequência do texto mostra que o único modo de nos livrarmos das dificuldades presentes na tentativa de compatibilizar a liberdade humana com a preordenação divina é compreender por que essa união é, ao menos para nós, mentes finitas, necessariamente inexplicável. A impossibilidade de abarcar o infinito por um ato do intelecto finito está na base desse raciocínio: do fato de que o poder de Deus, através do qual foram preordenadas "todas as coisas que são ou podem ser", é infinito, segue-se que ele pode ser "suficientemente alcançado por nós" [*a nobis satis attingi*] de modo a termos disso uma percepção clara e distinta, mas não pode ser "suficientemente

139 AT VIII, 41. Seguimos aqui as traduções de Descartes (2002), pp. 55-59.

140 Lembremo-nos da epígrafe cartesiana do atual capítulo, na qual um raciocínio similar era exposto.

141 Até mesmo a experiência interna de nossa liberdade tem sua evidência ligada a um argumento racional: é porque a afirmação da liberdade resistiu à hipótese do Deus enganador que ela é "patente no mais alto grau" (Art. 39; AT VII, 41).

compreendido" [*non autem satis comprehendi*] para que saibamos a partir daí como a preordenação pode deixar "indeterminadas as ações livres dos homens". Essa ignorância parcial, no entanto, continua argumentando Descartes nesse mesmo Artigo, não pode abalar a convicção de que somos livres, pois "estamos de tal modo cônscios da liberdade e da indiferença que está em nós [*libertatis autem & indifferentiae quae in nobis est*] que nada há que compreendamos [*comprehendamus*] de maneira mais evidente e perfeita". Conforme a Introdução deste estudo, o verbo "compreender" tem um sentido técnico na filosofia de Descartes: ele significa o ato pelo qual o intelecto apreende inteiramente uma certa natureza ou essência, opondo-se ao verbo "inteligir", o qual indica uma apreensão clara e distinta, mas parcial, do objeto[142]. Ora, não deixa de ser curioso notar que, nesse sentido, tanto a essência de Deus quanto a essência da liberdade humana apresentam para a mente realidades infinitas; que a infinitude não possa ser "compreendida" por um intelecto finito teria, portanto, aparentemente, de valer para ambos os casos. No que diz respeito à liberdade humana, sua infinitude não é afirmada explicitamente nesses Artigos dos *Princípios*, mas, aparentemente, é sugerida na Quarta Meditação[143]; entretanto, o Artigo 41 refere-se à "liberdade e indiferença" que está em nós. A indiferença parece ser uma das notas características da vontade livre – mas, como vimos acima, Descartes distingue, a partir de 1645, nas cartas a Mesland, um sentido positivo de outro negativo de "indiferença". Qual deles está presente nos *Princípios* e nas *Meditações*? Seria essa distinção suficiente para explicar o escopo distinto do verbo "compreender" nos dois casos? Para melhor entender esse ponto, será preciso nos desviarmos por uma digressão relativa ao conceito cartesiano de liberdade.

142 O texto original em Latim do Art. 41 dos *Princípios* é mais claro do que a tradução francesa de Picot (revista, entretanto, por Descartes): no Latim, o verbo "comprehendere" é usado sistematicamente em seu sentido técnico. Assim, enquanto a frase original diz "*... ut nihil sit quod evidentius & perfectius comprehendamus*" (AT VIII, 20), no Francês lemos "*... qu'il n'y a rien que nous connaissions plus clairement*" (AT IX, II, 42).

143 Voltaremos mais adiante à tese da infinitude da vontade; a rigor, Descartes afirma, na Quarta Meditação, não sua infinitude, mas sua amplidão irrestrita. Nesse passo das *Meditações*, Descartes recorre à experiência da ilimitação para caracterizar a extensão da faculdade da vontade ("*nam sane nullis illam limitibus circumscribi experior*" (AT VII, 56; IX, 45)).

Como mostrou Michelle Beyssade[144], um leitor atento constatará haver, na Quarta Meditação, algumas diferenças relevantes entre o original latino de 1641 e a tradução francesa do Duque de Luynes, revista e ligeiramente modificada por Descartes[145], de 1647[146]. O resultado da análise que ela empreende chega à conclusão de que o texto mais antigo é compatível com uma concepção da liberdade como pura espontaneidade[147], a indiferença sendo entendida aí apenas em seu sentido negativo, enquanto o texto francês parece supor – ou, pelo menos, não excluir – a indiferença tomada em seu sentido positivo. A tradução de uma expressão adversativa do latim ("*sed contra*") para o francês ("*ou plutôt*"), presente em uma de suas frases, é um dos lugares do texto em que essa ambiguidade se manifesta a uma leitura atenta; de fato, após mostrar que a vontade é infinita em Deus e nos homens, sendo aquilo que propriamente nos faz ser "sua imagem e semelhança", Descartes afirma:

> *quia tantum in eo consistit, quod idem, vel facere vel non facere (hoc est affirmare vel negare, prosequi vel fugere) possimus, vel potius in eo tantum,- quod ad id quod nobis ab intellectu proponitur affirmandum vel negandum, sive prosequendum vel fugiendum, ita feramur, ut a nulla vi externa nos ad id determinari sentiamus. Neque enim opus est me in utramque partem ferri posse, ut sim liber, sed contrà, quo magis in unam propendeo, sive quia rationem veri & boni in eâ ividenter intelligo, sive quia Deus intima cogitationis meæ ita disponit, tanto liberius illam eligo*[148].
>
> *Car elle consiste seulement en ce que nous pouvons faire une chose, ou ne*

144 Michelle Beyssade (2009). Para evitar possíveis confusões entre Michelle e Jean-Marie Beyssade, sempre que me referir a eles, daqui para a frente, utilizarei as abreviações M. Beyssade e J.-M. Beyssade.

145 É muito difícil, se não impossível, determinar quais foram exatamente as contribuições de Descartes e quais modificações foram introduzidas pela tradução do Duque.

146 Respectivamente, AT VII, 57-8, IX, 46.

147 Outros textos da mesma época testemunham a adesão a essa concepção de "liberdade esclarecida"; assim, nas *Sextas Respostas*, logo após tratar de questões teológicas (avisando, simultaneamente, ao leitor que essa será a última vez que fará isso), Descartes estabelece, no item 6, uma diferença de natureza entre a liberdade divina e a humana: apenas à primeira cabe a propriedade da indiferença positiva; a liberdade humana só contém indiferença no sentido negativo; "E assim", conclui Descartes, "a indiferença que convém à liberdade humana é muito diferente daquela que convém à liberdade divina" (AT, VII, 433; IX, 233).

148 Quarta Meditação (AT VII, 57-58).

la faire pas, (c'est-à-dire affirmer ou nier, poursuivre ou fuir) ou plutôt seulement en ce que pour affirmer ou nier, poursuivre ou fuir les choses que l'entendement nous propose, nous agissons en telle sorte que nous ne sentons point qu'aucune force extérieure nous y contraigne. Car, afin que je sois libre, il n'est pas nécessaire que je sois indifférent à choisir l'un ou l'autre des deux contraires; mais plutôt, d'autant plus que je penche vers l'un, soit que je connaisse évidement que le bien et le vrai s'y rencontrent, soit que Dieu dispose ainsi l'intérieur de ma pensée, d'autant plus librement j'en fait le choix et je l'embrasse[149].

As discrepâncias entre os dois textos poderiam ser lidas como os testemunhos de uma evolução no pensamento cartesiano, que exprimiria cada vez mais a adesão à tese segundo a qual o poder de escolha entre contrários é uma condição necessária da liberdade. Mas M. Beyssade não caracteriza essa evolução como uma mera oposição entre teses contrárias: segundo ela, seria antes preciso falar de uma crescente precisão e clarificação de uma doutrina já presente potencialmente na versão latina; de fato, ela conclui seu artigo mostrando que as mudanças introduzidas na tradução francesa, ainda que sejam provavelmente obra de Descartes, e não do tradutor, tornam o texto ambíguo, mas não inconsistente com o texto latino:

> ... a carta a Mesland, que nos apresenta uma explicação muito detalhada do pensamento de Descartes sobre a liberdade, nos leva a considerar essa "evolução" como uma explicação (ou mesmo uma qualificação) cada vez mais acurada de uma doutrina que se torna cada vez mais precisa, mas que não se contradiz. O que permanece não explícito na versão francesa das *Meditações* nos leva a pensar que o texto francês é

149 Quarta Meditação (AT IX, 46). A tradução do texto francês é: "Pois ela consiste somente em que podemos fazer uma coisa ou deixar de fazer (isto é, afirmar ou negar, perseguir ou fugir) ou, antes, somente em que, para afirmar ou negar, perseguir ou fugir às coisas que o entendimento nos propõe, agimos de tal maneira que não sentimos absolutamente que alguma força exterior nos obrigue a tanto. Pois, para que eu seja livre, não é necessário que eu seja indiferente ao escolher um ou outro dentre dois contrários; mas antes [em latim, "*sed contra*"], quanto mais eu penda em direção a um, seja porque conheça evidentemente que o bem e o verdadeiro aí se encontram, seja porque Deus disponha assim o interior de meu pensamento, tanto mais livremente o escolherei e abraçarei". Uma das principais variações assinaladas nessa comparação entre as duas edições, afirma M. Beyssade, é justamente a que ocorre entre as duas acepções do termo "indiferença". Note-se, também, a menção à determinação interna da mente por Deus, tema que remete diretamente à graça divina.

> antes uma reformulação, ou uma reelaboração, feita *depois* de a doutrina ter sido clarificada e explicitada, uma reformulação moderada para permitir que o leitor pense em algo diferente do texto original, sem expor isso explicitamente. [....].Tal é a ambiguidade da frase em francês *ou plutôt* na primeira sentença, que corresponde ao *vel potius* latino. Por um lado, é uma tradução exata de *vel potius*, mas, por outro lado, tem um outro significado que é revelado na linha seguinte: *vel potius*, no texto latino, introduz uma correção e suprime o que precede; *ou plutôt*, no texto francês, introduz uma explicação mais precisa que completa o que precede sem suprimi-lo. O caráter elusivo dessas sutis mudanças e diferenças não é acidental. A versão francesa de 1647 é ao mesmo tempo uma tradução e um novo texto[150].

Enquanto M. Beyssade explica a ambiguidade como parte de um esforço de precisão crescente de uma doutrina já implicitamente contida no primeiro texto, também seria possível identificar uma forma mais profunda de ambiguidade, referente ao próprio conceito de liberdade presente nos dois textos. De fato, uma passagem imediatamente anterior à que foi analisada por M. Beyssade mostra que o texto latino das *Meditações* já continha a tese que será afirmada mais claramente em francês; trata-se justamente da passagem referente à extensão da vontade – cuja infinitude, como notamos mais acima, embora não seja afirmada explicitamente nos *Princípios*, parece se insinuar na Quarta Meditação:

> Não posso tampouco me lastimar de que Deus não me tenha dado um livre-arbítrio ou uma vontade bastante ampla e perfeita, visto que, com efeito, eu a experimento tão vaga e tão extensa que ela não está encerrada em quaisquer limites[151].

Se a vontade "não está encerrada em quaisquer limites", isso significa, aparentemente, que ela é *em si mesma* infinita – ou seja, que sua indiferença não significa uma *hesitação* diante da ignorância, mas antes um poder absoluto de autodeterminação. Todo poder que encontro em mim (o entendimento, a imaginação, a memória) é "muito pequeno e limitado", enquanto que, em Deus, ele "é imenso e infinito". A exceção

150 M. Beyssade (2009), pp. 240-241.

151 AT IX, 45. Deve-se notar que a expressão "tão vaga e tão extensa" corresponde ao texto em francês, naõ tendo não tendo equivalente no latino.

a essa discrepância é justamente a vontade: tanto em mim quanto em Deus ela é imensa, e é por isso que posso *saber* que sou sua "imagem e semelhança". Entretanto, para estabelecer exatamente qual é o conteúdo dessa "imagem", é preciso determinar claramente – se é que isso é possível – as qualidades do original, isto é, da vontade de Deus. As *Meditações* determinam essa vontade apenas pela propriedade de ser infinita, sem caracterizar as implicações decorrentes da posse dessa propriedade. Para explorar essas implicações, será preciso invocar a tese cartesiana sobre a criação das verdades eternas por Deus, que só aparece, dentre as obras publicadas em vida, à margem dos textos principais, as *Quintas* e *Sextas Respostas* às *Objeções* às *Meditações* – e é sintomático que essa doutrina seja evocada justamente quando se trata de responder a *objeções*, pois ela vem suprir uma necessidade que ficou em suspenso na exposição sistemática (mas lacunar, pelo menos do ponto de vista dos teólogos) da filosofia. Descartes expôs essa teoria pela primeira vez em uma carta a Mersenne de 6 de maio de 1630, mas a retoma na correspondência com Mesland, na carta que antecede imediatamente a outra, mais famosa, de 1645, a qual, como vimos, trata da indiferença positiva[152]. Porque os homens, diz Descartes na carta de 1630, não consideram com atenção o fato de que Deus é infinito *e incompreensível* (poderíamos dizer, incompreensível *porque* infinito), eles não percebem que as verdades eternas, que se situam dentro dos limites de nosso intelecto finito, apresentam-se a nós como necessárias, mas não a Deus, cuja potência infinita ultrapassa a do nosso entendimento. Logo, completa ele em nova carta, provavelmente de 27 de maio de 1630, em resposta a perguntas de Mersenne despertadas pela correspondência anterior, apesar de ser *para nós* incompreensível negar as verdades lógicas e morais, elas foram *criadas* por Deus tanto quanto as coisas e eventos singulares existentes no mundo – porque, em Deus, querer, inteligir e criar são uma só e mesma coisa. Isso não significa, diz Descartes, que possamos conceber ou *compreender* a negação das verdades eternas, mas apenas que podemos *inteligir* que Deus as criou desse modo e que ele poderia não as ter criado – é justamente nesse contexto que a oposição entre os verbos "compreender" e "inteligir" é significativa. Em suma, as verdades eternas são contingentemente necessárias, o que é um contra-senso para nosso intelecto finito.

152 Trata-se da carta de 2 de maio de 1644.

Pela tese da identidade das "faculdades" em Deus, derivada de sua simplicidade, nem a vontade divina está submetida a seu entendimento nem, vice-versa, o entendimento divino a sua vontade[153]. O entendimento divino, sendo infinito, concebe tudo, inclusive o que, para nós, implica contradição; sua vontade infinita pode querer tudo. Como é da natureza da vontade divina escolher livremente entre tudo o que se apresenta, ela estaria subordinada ao entendimento caso só pudesse escolher uma certa parcela do que é pensado por seu intelecto – aquilo que chamamos, do ponto de vista de nosso intelecto finito, de domínio do logicamente possível. A vontade humana, ao contrário, está encerrada em limites dados por seu entendimento finito – o qual, justamente por ser finito, apresenta ao sujeito ideias que lhe aparecem como necessárias. Se considerarmos a vontade humana em si mesma, porém, e justamente na medida em que é a imagem da vontade infinita e incompreensível de Deus, ela continua tendo um poder absoluto de se determinar, até mesmo negando ideias claras e distintas da razão. Em uma nota escrita em latim que segue como adendo à carta a Mesland de 9 de fevereiro de 1645, Descartes na verdade identifica a liberdade negativa à positiva, pelo menos sob o aspecto de que, considerada nessas duas situações, *a* liberdade, que é una, revela sua verdadeira natureza:

> Essa faculdade positiva, não neguei que ela estivesse na vontade. Mais ainda, estimo que ela aí se encontra, não somente nesses atos nos quais ela não é movida [*impellitur*] por nenhuma razão evidente para um lado mais do que para o outro, mas também em todos os outros [....] Pois nos é sempre possível de nos reter de perseguir um bem claramente conhecido ou de admitir uma verdade evidente, desde que pensemos que é um bem afirmar por esse meio nosso livre-arbítrio[154].

Essa última frase é essencial: ela não opõe dois tipos substantivos de bem, a saber, uma "verdade evidente" e "nosso livre-arbítrio", pois esse último não é, considerado em si mesmo, nada além do que o poder absoluto de escolha – de tal modo que o bem, nesse caso, não é um conteúdo determinado, mas a afirmação da indiferença

153 Daí se segue, também, que Deus não tem ideias nem formula juízos: Deus tem apenas atributos, e não modificações, as quais implicam duração.

154 AT IV, 173.

positiva[155]. Ou seja, é só porque a liberdade, considerada em si mesma, envolve indiferença positiva que ela pode se encontrar em um estado de indiferença negativa: em todos os casos, *afirmamos* nosso livre-arbítrio diante da ausência de constrangimentos externos. De fato, os Artigos 39 a 40 da Primeira Parte dos *Princípios* só fazem sentido se a discussão girar em torno da indiferença *positiva*. Daí se entende como a graça divina opera sobre a vontade humana: trata-se de determinar a vontade a querer o bem sem alterar sua essência, o que inclui a indiferença positiva (devemos notar que, logo após formular sua definição de liberdade na Quarta Meditação, Descartes a conecta à discussão sobre a graça: "E certamente a graça divina e o conhecimento natural, longe de diminuírem minha liberdade, antes a aumentam e a fortalecem [*augent & corroborant*]"[156]).

A palavra "infinita" não aparece nesse trecho, o que levou alguns intérpretes a caracterizar a vontade humana como sendo, antes, *indefinida*, tanto em razão de ela ser uma experiência atribuída a um ente finito, o homem ("*tantum in me experior*") quanto porque ela é dita aí "tão vaga e tão extensa", e não "infinita". É preciso observar, no entanto, a *natureza* daquilo que é assim "experimentado": trata-se de uma grandeza tal que "não concebo a ideia de nenhuma outra mais ampla e mais extensa" [*ut nullius majoris ideam apprehendam*][157] – incluindo-se aí a ideia de *qualquer* "outra faculdade muito mais ampla, e mesmo infinita" [*alterius cujusdam multo majoris, imò maximæ atque* (só em latim) *infinitæ*] (*idem, ibidem*), e até mesmo quando se trata das "faculdades" de Deus (evidentemente, a atribuição de faculdades a Deus é apenas uma maneira de falar, já que, Nele, tudo é em ato): "não encontro nenhuma [*faculdade*] que não seja em mim muito pequena e limitada, e que em Deus não seja imensa *e infinita* (só no texto francês; grifo meu). Há apenas a vontade ..."[158]. A palavra "infinito" e variantes aparece sobretudo na versão francesa, o que poderia indicar um aperfeiçoamente feito por Descartes em seu próprio texto por ocasião da revisão da tradução. Em favor da tese de que se trata, nesse momento, de uma

155 Alquié, em uma nota a esse texto (Descartes, 1967, vol. III, p. 552), concorda com isso, embora não pelas mesmas razões aqui apresentadas.

156 AT VII, 67.

157 AT IX, 45; VII, 57.

158 *Idem, ibidem.*

correção do autor, e não de um lapso do tradutor (*e do revisor* – isto é, de Descartes), consulte-se a sequência do texto[159], na qual Descartes afirma que a vontade (por contraste com o entendimento) é "indivisível" [*indivisibili*]: "sua natureza é tal que não se poderia nada lhe retirar sem a destruir". Parece ser sugerido, nesse trecho que a indivisibilidade natural ou simplicidade da vontade parece implica sua infinitude. Sobre a diferença entre "infinito" e "indefinido" aplicado ao mundo físico, cf. *Princípios da filosofia* I, Artigo 26 e II, Artigo 21[160].

Como a vontade humana é feita à semelhança da de Deus, ela deveria herdar da primeira sua radical incompreensibilidade, não podendo ser apreendida pelo intelecto finito dos homens. Daí se seguiria que, se a compatibilização entre liberdade e determinismo é incompreensível, isso não decorreria, para Descartes, do fato de que a conjunção de dois elementos claramente determinados, mas opostos, é incompreensível, mas do fato, mais primitivo, de que os dois elementos a serem compatibilizados, Deus e a vontade humana, seriam, em si mesmos, incompreensíveis. Entretanto, como vimos acima, Descartes afirma, nos *Princípios*[161], que não há nada que compreendamos [*comprehendamus*] de maneira mais evidente e perfeita do que "a liberdade e a indiferença em nós". Parece, então, que, ao contrário, a liberdade não apenas é algo que podemos compreender, como ela é o que há de mais bem compreendido – "*nec ulla magis per se nota & perspecta esse possunt*", diz o Artigo 39 – dentre todas as verdades, resistindo, até mesmo, à hipótese do Deus enganador. Como dar conta dessas duas tendências distintas da caracterização cartesiana da vontade livre, uma delas segundo a qual ela seria o que há de mais incompreensível e outra segundo a qual ela é o maximamente compreendido?

Nos Artigos 39 a 41 da Primeira Parte dos *Princípios*, Descartes explica a compreensibilidade da liberdade através da noção de

159 AT IX, 48; VII, 60.

160 AT VIII, II, 14-15; IX-II, 36 e AT IX-2, 74. Sobre a noção de "experiência da infinitude", cf. a famosa fórmula de Spinoza, Ética, Parte V, Escólio da Proposição 23: "sentimos e experimentamos que somos eternos" [*sentimus, experimurque, nos æternos esse*]. A eternidade, para Spinoza, implica diretamente a infinitude, de modo que podemos, talvez, encontrar nessa frase um eco da Quarta Meditação de Descartes.

161 AT VIII, II, 20.

experiência ou de introspecção consciente[162]. A experiência da liberdade não é apenas uma maneira de descobrir por introspecção algo que poderia ser definido conceitualmente, mas aponta para um caso-limite de algo que só pode ser compreendido[163] por uma experiência que fazemos de nós mesmos – uma experiência que supõe a razão, na medida em que remete à escolha entre representações contrárias por um "eu" que, por sua vez, só pode ser apreendido intelectualmente, escolha essa, porém, que não se reduz a nenhuma compreensão dedutiva. Ou seja: a consciência da própria vontade não é algo que exceda a capacidade da razão, mas algo que, sendo racional, nao entende a racionalidade apenas através das propriedades lógicas e epistêmicas da dedutibilidade e da capacidade de ser intuída, concebendo-a antes como uma *experiência racional* intuitiva[164]. É verdade que não podemos *compreender* por meios puramente conceituais o infinito; a novidade, no caso da tematização do conceito de liberdade, consiste no fato de que aquilo que é comprendido nela não deriva de (nem é redutível a) uma dedução, mas provém de uma experiência introspectiva ela mesma racional. Ou ainda: minha vontade livre, sendo "ampla" e "perfeita", "vaga" e "extensa", eu "a experimento como circunscrita sem quaisquer limites"[165]. Portanto, sua imensidão não é a mesma dos números muito grandes ou a das extensões muito longínquas, mas, propriamente falando, a do infinito: é impossível conceber uma vontade livren *e*

162 Assim, no Artigo 39, lemos: mesmo diante da hipótese do Deus enganador, "*nihilominus enim hanc in nobis libertatem esse experiebamur*"; já no Artigo 41, lemos: "*libertatis autem & indifferentiæ, quæ in nobis est, conscios est, ut nihil sit quod evidentius & perfectius comprehendamus*" (AT VIII, 20).

163 Veremso logo adiante que há uma flutuação entre o uso tradicional que Descartes faz da oposição entre "inteligir" e "compreender" e o uso particular desses verbos nessas passagens agora em exame. Um tanto surpreendentemente, ele usará o segundo verbo para dar conta dessa experiência da liberdade.

164 Da mesma forma, como vimos acima (nota 147), quando Spinoza afirmar, no Escólio da Proposição 23 da quinta Parte de sua Ética, que a constatação de "sabemos e experimentamos que somos eternos" é explicada pelo fato de que "os olhos da Mente [*Mentis oculi*], com os quais vê e observa as coisas, são as próprias demonstrações", ele estará menos *reduzindo* a experiência a uma propriedade lógica do que afirmando uma característica fenomenológica da própria racionalidade.

165 AT VII, 56; IX, 45. As qualificações "vaga" e "extensa" aparecem apenas na versão francesa.

limitada[166]. Ainda que só Deus seja absolutamente infinito, a vontade humana é tão ampla que, embora não coincidindo perfeitamente com a ideia de infinito em ato (que só é atribuível à natureza divina), não é tampouco redutível a um objeto finito, por maior que ele seja. Descartes parece hesitar, neste momento, entre a identificação da infinitude divina com a ilimitação da vontade humana, ao mesmo tempo em que quer distinguir essa última de coisas muito grandes, mas finitas. É como se ele quisesse introduzir uma infinitude de outra ordem, menos perfeita, mas também atual e absoluta, para poder, assim, distinguir o modelo (Deus) da imagem (o homem). Essa ambiguidade encontra sua marca textual no fato de que Descartes naõ mobiliza, no Artigo 41, sua costumeira oposição entre os verbos "compreender" e "inteligir", mas usa o primeiro para dar conta do (auto) conhecimento da indiferença da vontade ("*ut nihil sit quod evidentius & perfectius comprehendamus*"[167]).

Mais do que a noção de liberdade, porém, Descartes é levado, no Artigo 40, a concluir pela admissão de duas verdades *contraditórias*, a saber: a pré-ordenação de todas as coisas por Deus e a indiferença positiva da liberdade humana. Cada uma dessas verdades é inquestionável (na medida mesma em que a infinitude de ambas é uma prova de que elas não são criações ilusórias de nosso intelecto finito), mas não é possível pensar ambas simultaneamente sem contradição[168]. O mesmo

166 A vontade, "tal que experimento em mim", é tal "que não apreendo nenhuma ideia maior" (AT VII, 57; IX, 45).

167 Note-se que, no Artigo anterior, ao caracterizar nosso conhecimento de Deus, Descartes usa o verbo "percebemos", que é neutro em relação à escolha entre "compreender" e "inteligir" ("*Sed quia jam Deus agnoscentes, tam immensam in eo potestatem esse percipimus*" (AT VIII, II, 20)). Já no Artigo 39, a "nossa liberdade da vontade" é dita ser "manifesta", encontrando-se "entre as noções maximamente comuns e primeiras que são inatas em nós" (AT VIII, II, 19) – isto é, elas são o objeto de uma intuição intelectual, tanto quanto o "eu". Mas trata-se de uma intuição peculiar, pois ela envolve um objeto *infinito* – isto é, não inteiramente compreensível. Na Quarta Meditação, essa mesma ambiguidade será expressa por uma hesitação na escolha dos termos para caracterizar a infinitude da vontade humana (se a "considero formalmente e precisamente em si mesma", ela "não me parece entretanto maior [*do que a vontade divina*]" (AT VII, 57; IX, 46).

168 A tradução francesa insere uma frase extensa no final desse Artigo 40, como explicação para o verbo "compreender": "*c'est-à-dire d'embrasser et comme limiter avec notre entendement, toute l'étendue de notre libre arbitre et l'ordre de la Providence éternelle*" ["isto é, abraçar e como que limitar, como nosso entendimento, toda a extensão de

raciocínio presente na primeira epígrafe deste Capítulo, uma passagem de uma carta de Descartes à princesa Élisabeth, repete-se aqui: assim como a distinção e a união da mente e do corpo não podem ser pensadas ao mesmo tempo, a contradição resultante da afirmação simultânea da indiferença positiva da vontade e da pré-ordenação de todas as coisas por Deus desaparece se ambas forem separadas temporalmente. Esse é um procedimento curioso para eliminar uma contradição, sem dúvida: do ponto de vista da lógica formal, que nós pensemos em uma contradição distribuindo seus termos em uma certa duração temporal não a elimina de maneira alguma. Se o cartesianismo – principalmente depois de sua apropriação por Malebranche – pôde ser associado a diversas formas de "entusiasmo"[169] – isto é, de irracionalismo religioso e fanatismo –, isso deriva, em parte ao menos, de trechos como esses, em que Descartes admite contradições em nome da clareza e distinção de suas ideias. Assim, o conceito de "união da mente e do corpo", que constitui uma das três "noções primitivas" a partir das quais formamos as ideias de todas as coisas que podem ser pensadas, não é – como o são as outras duas noções primitivas, a saber, as noções de pensamento e de extensão – o objeto de uma ideia clara e distinta da razão, mas sim o de uma *experiência* obscura e confusa, mas ainda assim inquestionável, dada pelas sensações[170] (de modo análogo à experiência inteligível mas não compreensível da liberdade).

Mas como essas concessões de Descartes a experiências ao mesmo tempo indubitáveis e incompreensíveis – embora inteligíveis – esclareceriam a questão da graça divina? Tendo defendido, ao que parece, ao menos em alguns textos centrais, uma concepção da liberdade como indiferença positiva, isso significa que Descartes não admite a pré-determinação da graça? Ou teria ele mudado de opinião ao longo dos anos,

nsso livre-arbítrio e a ordem da Providência eterna"] (AT IX, II, 42). Não é possível decidir se essa frase foi introduzida por Picot e aprovada por Descartes, uma vez que não conhecemos o quão cuidadosamente Descartes fez sua revisão da tradução; como quer que seja, porém, essa explicação tem o mérito de opor claramente a limitação do entendimento à extensão da liberdade, mostrando que essa última não é compreendida por uma representação intelectual, embora a suponha. Como mostra Ramond, "a dualidade da posição cartesiana está ligada à dualidade intrínseca, à qual ele nunca quis renunciar, da noção de livre-arbítrio" (Ramond, 2011, p. 73; traduzido por mim).

169 Sobre esse tema, cf. Thomas M. Lennon (1993).

170 Cf. *Princípios da filosofia* I, Art. 48 (AT VIII, II, 22-23; IX, II, 45).

partindo de uma perspectiva agostiniana para chegar a uma posição molinista? Já observamos que, levado a explicitar sua própria posição sobre o assunto ao longo da vida, Arnauld chega ao mesmo limite de compreensibilidade de Descartes; assim como esse último, ele explica a conciliação entre a onisciência divina[171] e a liberdade humana pela natureza incompreensível da ação divina ("no que nos diz respeito [*à notre égard*]", escreve Arnauld, "Deus reside em uma luz inacessível"[172]). Nesse sentido, as hesitações que encontramos em Descartes em torno do conceito de liberdade talvez sejam as mesmas do jansenista Arnauld: ambos apontam para uma experiência radicalmente avessa à compreensão, um ato irredutível que não pode ser assimilado dedutivamente à teoria. Há, porém, uma ambiguidade que é exclusiva da filosofia de Descartes: enquanto, em Arnauld, a incompreensibilidade da ação divina tempera seu jansenismo com elementos voluntaristas, a tese cartesiana acerca da incompreensibilidade das ações de Deus faz com que sua teoria sobre a graça divina conduza, em direção inversa, seus elementos voluntaristas – e até mesmo os "molinistas" – a um "jansenismo" peculiar. Isso fica especialmente claro quando nos lembramos de que a tese da livre criação divina das verdades eternas é um fundamento perfeitamente admissível para a tese jansenista da eleição gratuita de Deus: Deus escolheu *tão arbitrariamente* quem será salvo quanto que 2 + 3 = 5. Ou seja, ao invés de eliminar a indiferença em nome da necessidade matemática, é essa última que é conduzida à mais total arbitrariedade, radicalizando, assim, de forma surpreendente, a conexão hobbesiana entre arbítrio na instituição dos signos e necessidade axiomática – desta vez, com axiomas divinos. Se, por um lado, a tese da livre criação das verdades faz de Deus o modelo do qual a vontade infinita dos homens é uma cópia, dando caução, assim, para uma imagem do homem como "mestre e possessor da Natureza", por outro lado, essa mesma tese explicaria – o verbo "explicar" deve ser usado, aqui com cautela, uma vez que se trata de apontar para o limite mesmo da compreensibilidade – como a contingência absoluta das

171 Ao contrário da sugestão de Descartes na Primeira Parte dos *Princípios*, para Arnauld a causalidade de Deus sobre o mundo não é determinista (lembremos que, para Descartes, Deus não apenas sabe tudo o que acontecerá, mas pré-ordena todos os acontecimentos).

172 Cf. correspondência com Leibniz (1965) pp. 31-32.

escolhas do homem não elimina a necessidade de sua determinação pela luz sobrenatural de Deus.

Voltaremos a esse dilema entre jansenismo e molinismo, entendido como uma das origens da resistência de Descartes a tratar de questões teológicas, no próximo Capítulo, no qual o aspecto jansenista/agostiniano de seu pensamento será privilegiado. Por ora, uma primeira conclusão pode ser já retirada do que foi dito neste Capítulo: ao acrescentar uma "correção" à Quarta Meditação, na Sinopse das *Meditações*, relativamente ao escopo da tese sobre a vontade dever se limitar a afirmar ou a negar apenas aquilo lhe que é clara e distintamente representado pelo entendimento ("Deve-se observar, porém, que não trato absolutamente nessa passagem do pecado, ou seja, do erro que se comete na busca do bem e do mal... [....] Nem se deve esperar que eu trate das coisas que pertencem à fé, isto é, à conduta da vida... "[173]), Descartes procurou barrar a entrada de discussões teológicas – e o caso paradigmático examinado aqui foi o problema da graça divina – no interior de sua obra. Mas ele não teve como evitar sua discussão nas *Segundas Respostas*, nas quais o alcance ilimitado da vontade humana só foi determinado pela inevitável eficácia da graça para ser, em outros textos da mesma época – até mesmo nas *Meditações*, como vimos – reafirmado enfaticamente. Se a balança pende aí a favor dos elementos molinistas, porém, isso não impede que, em seguida, ela volte a se desequilibrar em direção às vizinhanças do jansenismo. A teologia, com sua exigência de conciliar duas ideias contrárias entre si, aparece, assim, como a síntese impossível que Descartes pôde – ou, ao menos, procurou – evitar no campo filosófico. De fato, enquanto o conflito entre livre-arbítrio e determinismo poderia ser admitido como um fato ao mesmo tempo inexplicável e irrecusável na filosofia, ele exigia uma resposta determinada na teologia da graça.

A teoria da vontade foi, pois, ao longo deste Capítulo, o tópico privilegiado para a investigação sobre os limites entre fé e razão, tais como eles se manifestam na obra de Descartes. Mas o tensionamento da linguagem presente nesses trechos é também um dos lugares nos quais as estratégias conceituais usadas ao longo de sua vida teórica visando a autoconstituição e a autolegitimação da figura do autor se revelam de forma mais patente. Veremos adiante que o problema da fronteira entre

173 AT III, 334; para a redação final da Sinopse, cf. AT VII, 15; IX, 11.

teologia e filosofia não se deve a uma ausência de pensamento teológico em Descartes, mas, antes, a sua tese, a um só tempo teológica e filosófica, sobre a criação das verdades eternas por Deus – tese essa que permaneceu como um pano de fundo não explicitado de seus escritos durante toda sua vida. Na construção de sua obra, as respostas evasivas às demandas para se manifestar sobre temas teológicos levava necessariamente Descartes a se pronunciar – mais do que gostaria ou *poderia* – sobre o que se encontra além do que pode ser expresso claramente. É na teologia, tal como era figurada do interior do campo filosófico, que esse compromisso impossível entre silêncio e discurso – o qual, nos momentos paratextuais de seus textos, materializa-se como um discurso sobre o silêncio – aparece com mais força, na medida em que ele o obriga a explicar clara e distintamente o que é, por natureza, incompreensível, mobilizando, para isso, dois conceitos excludentes de vontade livre. Justamente por isso, o problema de fundo que perpassa todas as questões teológicas com as quais Descartes se defrontou é expresso com maior nitidez quando ele desenvolve sua teoria da graça divina, pois é nela que a indiferença da vontade – do homem e de Deus – assume o centro dos questionamentos. É aí que aflora – ainda que de forma não confessada – a tese da livre criação das verdades eternas por Deus[174]. Até este momento, portanto, a análise das tensões presentes no interior da obra de Descartes ainda não tocou senão superficialmente na determinação fundamental que explica sua decisão de não *escrever* sobre teologia. O que é intratável na questão sobre a graça divina, o que leva Descartes a resistir escrever sobre ela, não é tanto a oposição entre verdade revelada (teologia mística) e luz natural (filosofia racional), mas antes aquilo que, em tal confronto, se mostra como uma opacidade interna do sistema, a saber: a incompreensibilidade da vontade. Se a vontade é o objeto de uma experiência interna indubitável, isso não ocorre porque Descartes privilegia dogmaticamente a tese da transparência da consciência a si mesma, mas porque a vontade é irredutível a deduções finitas e compreensíveis. Por sua própria definição, ela ultrapassa os limites do que pode ser compreendido clara e distintamente. Situada na origem do ato de escrita, mas inapreensível por ele, a vontade é o avesso da obra.

174 Remeto novamente o leitor à obra seminal de Marion (2009), na qual ele a identifica, como já vimos, com a principal contribuição de Descartes ao campo teológico.

CAPÍTULO II

Um tema incompreensível

"E certamente empenhei-me, *tanto quanto pude,* em seguir essa ordem em minhas Meditações".
Descartes, *Respostas às Segundas Objeções.*

"... ninguém com bom senso ousará confiar os seus pensamentos à linguagem, tanto mais que se trata de um discurso imóvel, como o escrito com as letras".
Platão, *Carta VII.*

Para melhor entender o modo como o "molinismo jansenista" de Descartes faz parte da origem de suas resistências a tratar de temas teológicos, será necessário recapitular sumariamente o percurso que fizemos até agora – a "regra da enumeração"[175] nos permitirá, enfim, retirar claramente as conclusões desejadas. De fato, a exposição da doutrina cartesiana da liberdade enunciada acima teve um caráter

175 A enumeração é o quarto e último "preceito" do Método apresentado no *Discurso,* com o seguinte enunciado: "E o último, de fazer em toda parte [*partout*] enumerações [*dénombrements*] tão completas [*entiers*] e revisões tão gerais que eu estivesse assegurado de nada omitir" (AT VI, 19) Se o primeiro preceito dizia respeito às condições de recepção do que era visto clara e distintamente, evitando assim a "precipitação" e a "prevenção", o quarto preceito enuncia a suspeita de que essa "visão" inicial não era suficiente, devendo ser duplicada em "revisões" [*revues*] exaustivas. Para além dessa suspeita um tanto neurótica, é importante assinalar também o papel que o quarto preceito desempenha no construtivismo peculiar de Descartes: depois de dividir as "dificuldades" (segundo preceito) e de ordenar as "parcelas", das mais simples para as mais complexas (terceiro preceito), era preciso reuni-las todas em uma inspeção de espírito que se aproximasse o mais possível da intuição intelectual, dando assim a *ver* o objeto construído.

fragmentário e, em certo sentido, *confuso* – quase tão confuso quanto as ideias obscuras pelas quais, segundo Descartes, representamos os objetos da fé religiosa, mimetizando-as no momento mesmo em que se deveria esclarecê-las. O quadro geral da exposição apresentou-se como uma série de idas e vindas temporais, diversos níveis de abordagem textual (entre a história das ideias e a análise imanente de certos textos) e posições que parecem se fundir no momento seguinte em que foram distinguidas. Devemos, agora, expor essa doutrina de modo mais claro, ordenando suas teses segundo uma configuração progressiva. Só dessa forma poderemos entender em que sentido a discussão sobre o problema da graça divina pode contribuir para o esclarecimento da resistência de Descartes em discutir temas teológicos em geral, bem como para a compreensão (ou intelecção, se aplicarmos a nosso próprio estudo a terminologia cartesiana) de como, *dos conteúdos* da teologia cartesiana, é derivada essa atitude de resistência contra o ato de escrever sobre ela.

O ponto de partida de nossa investigação foi a teoria cartesiana da graça divina. Diante da advertência formulada por Arnauld nas *Quartas Objeções* a respeito de um ponto, não nomeado explicitamente por ele, que poderia incomodar os teólogos, Descartes resolve assinalar, na Sinopse das *Meditações*, um aviso aos leitores. Segundo esse aviso, deveria ser respeitada uma fronteira nítida entre a filosofia primeira – que se ocupa do verdadeiro e do falso – e a teologia – que se ocupa da distinção entre o bem e o mal. A resposta de Descartes indica que se trata aí do problema da graça divina; em sua resposta – dada a contragosto – à objeção formulada por Mersenne nas *Segundas Objeções*, a posição cartesiana sobre esse ponto teológico envolve a tese de que os eleitos aceitam e, portanto, dão seu assentimento a ideias obscuras e confusas da fé, uma vez que seu intelecto é esclarecido por uma certa luz interior [*lumine quodam interno*][176] sobrenatural. Vimos também, porém, que o conceito cartesiano de vontade parece entrar em conflito com essa última tese, na medida em que ele envolve um poder absoluto de sim ou de não. Se isso for verdade, a graça divina não é infalível, ou seja, a aceitação das ideias obscuras e confusas da fé não implica sua afirmação em um juízo que expresse o assentimento a essa crença.

176 AT VII, 148.

Diante da ambiguidade de Descartes frente à inevitabilidade da graça, notamos que sua teoria parece sempre oscilar entre o molinismo jesuíta e o jansenismo agostiniano; sem pretender propriamente eliminar essa ambiguidade, a examinamos a partir do conceito de vontade. O resultado parcial dessa análise foi o de que, devido a duas das notas características desse conceito – sua *infinitude* e sua consequente *não--compreensibilidade* integral (o que implica que nosso modo de acesso a ela seja o de uma experiência que, em outros contextos, Descartes descreverá usando o verbo "inteligir", e não o verbo "compreender") –, a balança na qual colocamos sua concepção de graça divina pendeu – ao menos momentaneamente – mais para o lado molinista. Veremos, agora, que a introdução de uma espécie de "componente oculto"[177] presente sub-repticiamente na atividade de Descartes de traçar os limites entre as práticas cognitivas da filosofia e da teologia, a saber, a tese da livre criação das verdades eternas por Deus, faz a balança pender para o lado do agostinianismo – e isso justamente *por causa*, e *não apesar*, das duas propriedades da vontade assinaladas acima, sua infinitude e sua inteligível incompreensibilidade, desta vez relacionadas não aos homens, mas a Deus.

Antes de chegar a essa conclusão, é importante notar que as propriedades do conceito de graça divina mais relevantes para nossa investigação não dizem respeito ao aspecto que poderíamos chamar "metafísico" (relativo, por exemplo, à questão de saber se a presciência divina e o livre-arbítrio humano são compatíveis), mas ao "epistêmico". De fato, embora tenha sido a determinação do sentido de vontade livre o que nos ocupou sobretudo até agora, o mais importante, quando se trata de determinar essa fronteira em litígio entre filosofia e teologia, é o estatuto epistêmico que cada uma delas tinha para Descartes. Ou seja, o que deveria nos interessar sobretudo, no estudo da determinação da vontade pelo intelecto é o conjunto de características que esse último deve ter para realizar o tipo de determinação que realiza. Ainda assim, a metafísica é inevitável, pois, como veremos agora, é uma tese metafísica que se encontra na base da atitude epistêmica ambígua de Descartes em relação à teologia.

177 Mas, segundo as diretrizes metodológicas enunciadas na Introdução, tal componente não assumirá a forma de um fato psicológico ou sociológico, e sim, antes, a propriedade positiva de ser um elemento retórico visível na superfície do texto.

De fato, Descartes guarda uma posição permanentemente oscilante *entre* jansenismo e molinismo *devido* a sua concepção da tese da livre criação das verdades eternas por Deus. Em outras palavras, a indiferença positiva da vontade divina torna a questão de determinar se é o intelecto que é prioritário em relação à vontade ou vice-versa uma pseudo-questão. Descartes teria, pois, pressentido que o voluntarismo molinista toca o determinismo jansenista em seu ponto extremo: dada a incompreensibilidade das verdades criadas, a autarquia da vontade humana é a expressão mais adequada diante de um Deus indiferente. Que essa experiência-limite não possa ser inteiramente compreendida racionalmente, na medida em que dissocia os critérios humanos para o reconhecimento de verdades necessárias do conceito de necessidade relevante para caracterizar as escolhas de Deus[178], não é ainda, porém, um fato próprio apenas à teologia, sendo, antes, parte constitutiva do núcleo da filosofia cartesiana como um todo, como o atestam os Artigos 39 a 41 dos *Princípios* analisados acima. A intelecção vem resolver esse problema, já que, através dela, "tocamos" em verdades isoladas (a pré-determinação divina e o livre-arbítrio humano; a união da alma e do corpo e sua distinção real). Ou seja, Descartes não via nenhum problema em aceitar teses mutuamente excludentes em sua teoria, advertindo ao leitor de que sua conciliação escapava à possibilidade de compreensão humana.

O efeito mais sugestivo obtido por esse percurso surge, pois, não de uma tentativa de síntese, mas, antes, da exibição dispersa desses elementos incongruentes – do mesmo modo que, para Descartes, o livre-arbítrio humano e a pré-ordenação divina são dois elementos que, separadamente, são clara e distintamente conhecidos, mas que, quando conjugados, se revelam como contraditórios. Não precisamos chegar ao ponto de dizer que a doutrina cartesiana da liberdade como um todo era contraditória, mas, ainda assim, parece que cada um dos blocos expositivos acima, tomados isoladamente – e, sobretudo, sua conjunção disjunta – seja ilustrativa de um movimento peculiar do cartesianismo. Essa forma desarticulada exprime, de modo particularmente adequado, a conclusão mais "precisa" de sua imprecisão constitutiva: a de que o

178 Entenda-se bem: o conceito de necessidade relevante para a caracterização das ações e escolhas divinas é tal que *nenhuma* dessas ações ou escolhas pode ser dita "necessária".

"sistema" cartesiano, pelo menos no que diz respeito a sua teoria da liberdade, repousa sobre um terreno essencialmente *instável*. De fato, no momento mesmo em que, segundo M. Beyssade, Descartes parece mais comprometido com uma versão de sua teoria que define a liberdade não pelo "poder dos contrários", mas sim pela "espontaneidade e facilidade" de nossa adesão ao verdadeiro e ao bom, na Quarta Meditação, já descobrimos elementos que apontam para a presença da indiferença positiva, caracterizada como condição mesma da indiferença negativa – e, portanto, da liberdade definida como espontaneidade, uma vez que toda perfeição positiva que está presente "no mais baixo grau de liberdade" deve estar contida também em seu mais alto grau.

Ou seja, ao invés de diluir a tensão gerada pela sobreposição das diversas notas características do conceito de liberdade através de um recurso expositivo que a *resolvesse* – por exemplo, através da distribuição diacrônica das teses –, devemos exibir sua complicação sincrônica. De resto, mesmo que, como quer Alquié, haja uma ruptura entre as posições de Descartes sobre a liberdade de 1641 e as de 1645, é pelo mesmo recurso à incompreensibilidade de Deus que se poderia conciliar a liberdade (quer seja ela entendida como indiferença positiva ou como espontaneidade) e a predestinação e eficácia necessárias da graça divina.

Em que medida, porém, teriam Descartes e Arnauld realmente conseguido formular uma teoria compatibilista entre liberdade e necessidade? Teriam eles somente se refugiado, como diria mais tarde Spinoza, no conceito de vontade insondável de Deus, o "asilo da ignorância"? Mostrar que algo é necessariamente incognoscível é uma explicação suficiente para um fenômeno, como Descartes afirma no Artigo 40 da Primeira Parte dos *Princípios*, ou pelo menos para a explicação de sua possibilidade? Como quer que seja, partimos da suspeita de que Descartes tinha uma posição aparentemente paradoxal, a de uma *ortodoxia oculta* relativamente ao problema da graça e chegamos à constatação de que, propositalmente ou não (é difícil – senão impossível – determinar isso), sua teoria permanece suspensa entre a ortodoxia e a heterodoxia. A partir dessa conclusão, talvez seja melhor tentar encontrar, nas entrelinhas dos textos que exprimem as ambiguidades de Descartes sobre o problema da graça e da definição de liberdade, não os traços de uma evolução de seu pensamento nem lacunas a serem "reconstruídas" sistematicamente por comentadores diligentes e zelosos da coerência do sistema filosófico por eles estudados. Tampouco é recomendável simplesmente *explicar* – isto é, eliminar – essas ambiguidades vendo nelas os índices concretos de seu pertencimento a um tempo marcado por indefinições e hesitações bastante significativas, de tal modo a resolver, pela história, o que a filosofia não pôde fazer. Que Descartes tenha falhado em suas incansáveis tentativas de se desviar dos debates teológicos e de dar a eles uma resposta unívoca mostra menos a insistência com que alguns de seus interlocutores o assaltavam com questões dessa ordem do que as tendências disjuntas que formaram seu pensamento filosófico e teológico. Assim, o esforço mesmo de Descartes para traçar linhas nítidas entre a "filosofia primeira" e as questões referentes à verdade revelada mostra o quanto seu pensamento estava, em seu núcleo mais profundo e mais *interno*, irremediavelmente inscrito nos domínios mais abrangentes de sua própria época – e o quanto esses últimos, longe de fornecerem um "contexto histórico" explicativo desses impasses, só podem ser, eles mesmos, "descritos" a partir de sua incompreensibilidade constitutiva.

A *hesitação* que é característica do "mais baixo grau de liberdade" – e, novamente aqui, nos deparamos com o tema recorrente da *indiferença* –, aquele no qual a disposição da mente é a de uma "indiferença negativa" diante de opções igualmente obscuras e confusas – a situação em que se encontra o asno de Buridan –, parece ser justamente o que caracteriza, ao menos em parte, como vimos acima, a resistência de Descartes para escrever sobre temas teológicos em geral, e não apenas sobre o problema da graça divina. Ou seja, se a função da teologia era a de esclarecer os fundamentos racionais da fé, a constatação de que isso envolveria a tarefa de conciliar ideias claras e distintas com ideias obscuras e confusas poderia explicar a reticência cartesiana de formular discursos sobre ela. Entretanto, muitas vezes essa resistência é enunciada só para ser, logo em seguida, vencida pela necessidade de expor seus pontos de vista teológicos, mesmo que em meio a protestos de ser essa a "última vez" ou uma "exceção". E mais ainda: como já notamos mais de uma vez, em muitos textos, esquecendo suas próprias reservas, Descartes afirma explicitamente – e até mesmo orgulhosamente[179] – que os objetos da teo-

179 E seu inimigo Voetius não se cansará de lançar contra ele essa acusação.

logia podem ser compreendidos clara e distintamente por meio da luz natural da razão, de tal modo que, diante de uma evidência, não haveria lugar para qualquer hesitação. Assim, embora o exame do modo como Descartes tratou o problema da graça seja um momento importante para a explicação das relações da filosofia com a teologia, e mesmo que admitamos que tal exame tenha conseguido explicitar um dos elementos importantes que fazem parte da atitude de resistência característica de alguns de seus textos, através da aplicação do conceito de *indiferença negativa* aos paratextos relativos a sua teologia, não será esse aspecto volitivo – que, de resto, é a parte essencial do *conteúdo* das discussões teológicas sobre a graça – que deverá deter nossa atenção daqui para a frente. O mais importante será entender como a obscuridade e confusão da teologia revelada pode coexistir com a anunciada clareza e distinção das "soluções" da teologia racional formuladas por Descartes, de tal modo que a resistência que ele manifestou ao escrever sobre ambas revele algo mais do que hesitação e dúvida. É neste momento que a noção de *indiferença positiva* da vontade humana e da vontade divina, em sua relação com o intelecto e o conhecimento da verdade, entendidos como aquilo que, propriamente, nos faz a "imagem e semelhança" de Deus, pode fornecer uma elucidação para a tentação do silêncio que sempre esteve no horizonte de Descartes. Os preâmbulos hesitantes que manifestam essa tentação são o lugar privilegiado de sua relação com seus textos, o canteiro de construção de sua auto-imagem como "autor de livros".

Encaminhemo-nos, pois para essa direção, começando pela relação entre intelecto e vontade em Deus. A tese da livre criação das verdades eternas por Deus implica a distinção de dois sentidos de "necessidade": enquanto as verdades necessárias da matemática[180] são contingentemente necessárias[181], a existência de Deus é necessariamente necessária. Assim, em uma das cartas a Mersenne de 1630 nas quais introduz

180 Nas cartas de 1630, as verdades matemáticas são o paradigma para a tese da livre criação; em outras ocasiões, as verdades lógicas, físicas, metafísicas e até mesmo morais serão incluídas em seu rol.

181 Cf. carta a Mesland de 2 de maio de 1644: "E ainda que Deus tenha querido que algumas verdades fossem necessárias, isso não quer dizer que ele as tenha necessariamente querido; pois é inteiramente diferente querer que elas fossem necessárias e o querer necessariamente, ou ser necessitado a querê-lo" (AT IV, 118-119).

pela primeira vez o tema da criação das verdades eternas, Descartes promove uma hierarquia entre dois conteúdos necessários, a existência necessária de um Deus onipotente e as demais verdades necessárias:

> ... pois a existência de Deus é *a primeira* e *a mais eterna* de todas as verdades que podem existir, e *a única* de onde procedem todas as outras. Mas o que faz que seja fácil enganar-se nisso é que a maior parte dos homens não considera Deus como *um ser infinito e incompreensível*, e que é *o único* Autor do qual *todas as coisas* dependem; mas eles se detêm nas sílabas de seu nome [....]. Aqueles que não têm pensamentos mais elevados do que esse podem facilmente se tornar ateus; e, do fato de que compreendem perfeitamente as verdades matemáticas, e não a da existência de Deus, não é de se espantar se não crêem que elas dependem dele. Mas eles deveriam julgar o contrário: que, porque Deus é uma causa cuja potência *ultrapassa os limites do entendimento humano*, e que a necessidade dessas verdades *não excede nosso conhecimento*, que elas são algo de menor [*quelque chose de moindre*] e de sujeita a essa potência incompreensível[182].

A onipotência incompreensível de Deus não implica, porém, que as verdades matemáticas sejam necessárias apenas "para nós" [i.e., necessárias do ponto de vista da racionalidade humana], não o sendo "em si" [i.e., necessárias para Deus]. Ao contrário do que propuseram alguns intérpretes[183], Descartes não separa o ponto de vista de Deus do do homem, mas, ao contrário, *os identifica*: para ambos, as verdades necessárias são contingentemente necessárias. No lugar de uma distinção entre o que é "para nós" e o que é "em si", a distinção mais relevante apresentada no trecho citado acima é a que é feita entre "graus" de eternidade: Deus é "mais eterno" do que as verdades matemáticas. No entanto, não é imediatamente claro o que significa afirmar que uma entidade qualquer é "mais" eterna do que outra; como eternidade significa ausência de duração, tudo o que é eterno só pode compartilhar, aparentemente, do mesmo sentido absoluto de atemporalidade. Para entender o significado dessa comparação de graus, deve-se levar em conta que a precedência envolvida na discriminação de graus de eternidade não pode ser, por definição, temporal; ao invés disso, Descartes propõe que o critério para a estabelecer é seu grau

182 AT I, 150; grifos acrescentados na tradução.

183 Para um resumo da posição desses comentadores e uma crítica à ideia de que tais verdades são necessárias apenas "para nós", cf. Dan Kaufman (2005).

de compreensibilidade. Mas a escala proposta não deixa de ser surpreendente, já que inverte o que se poderia inicialmente esperar dela: ela faz do mais incompreensível o mais eterno e, inversamente, do mais compreensível o menos eterno. O raciocínio implícito parece ser o seguinte: uma vez provado, por meio de um raciocínio claro e distinto, que Deus existe necessariamente e é o autor de todas as entidades criadas, e que as verdades necessárias são coisas reais e, portanto, criadas, conclui-se que essas últimas, na medida mesma em que são apreensíveis pelo intelecto finito e criado do homem, encontram nele uma certa medida de finitude, ausente da potência infinita de Deus, que é inteiramente incompreensível para o intelecto humano (e para qualquer outro intelecto criado)[184]. A medida de finitude que torna as verdades necessárias – com exceção da ideia de Deus – comensuráveis com o intelecto humano é seu conteúdo: apesar de serem independentes desse último, justamente na medida em que são eternas, elas são inteiramente compreensíveis pela capacidade de pensar do intelecto finito. Já o conteúdo da ideia de Deus é constituído pela intelecção de sua incompreensibilidade, pois inclui em si a onipotência, isto é, uma vontade que não é limitada, em nenhum sentido, pelo intelecto (quer seja esse finito ou infinito).

184 No longo Escólio 2 da Proposição 33, Parte I, da Ética, Spinoza comenta (sem nomeá-la) a tese cartesiana da livre criação das verdades eternas, manifestando sua preferência em relação a ela, se comparada com a tese mais tradicional – a ser retomada, por exemplo, pela pena de Leibniz – segundo a qual há uma razão da verdade e do bem que antecede, no intelecto divino, a determinação de sua vontade. Diz aí Spinoza: "Confesso que a opinião que submete tudo a uma certa vontade indiferente de Deus [*indifferenti Dei voluntati*] e estabelece que tudo depende de seu beneplácito afasta-se menos da verdade do que a opinião daqueles que sustentam que Deus age em tudo tendo em vista o bem. Pois esses últimos parecem colocar alguma coisa fora de Deus, a qual não depende de Deus, à qual Deus, a título de modelo, presta atenção ao operar, ou bem à qual, a título de fim determinado [*certum scopum*], visa. O que não é, certamente, nada além", conclui Spinoza em uma fraseologia típica de Descartes, "do que submeter Deus ao destino". Esse Escólio retoma as demonstrações das Proposições 24 e 25 dessa mesma Parte I, nas quais se prova que Deus é causa eficiente da existência *e da essência* das coisas. Para a terminologia cartesiana, cf. a carta a Mersenne de 15 de abril de 1630: "É, de fato, falar de Deus como de um Júpiter ou Saturno, e sujeitá-lo ao Estige e às Parcas [*et aux Destinnées*] dizer que essas verdades são independentes dele" (AT I, 145). Ver também a carta a Mersenne de 27 de maio de 1630, na qual Descartes afirma que Deus "é tanto o autor da essência quanto da existência das criaturas", e conclui: "ora, essa essência não é outra coisa que essas verdades eternas" (AT I, 152).

Daí decorre que as verdades criadas não são fundamentadas *apesar* da incompreensibilidade de Deus, mas *por causa* dela[185]: é apenas ao remeter a totalidade das ideias claras e distintas cujo conteúdo está ao alcance da compreensão humana à potência incompreensível de Deus – isto é, ao alcance de um elemento que se encontra, de certa maneira, *fora* da série das ideias claras e distintas da razão[186] – que é possível fundar a validade dos elementos internos à série[187]. Qualquer tentativa de fundamentação que fosse contida apenas no interior da série das ideias claras e distintas, inteiramente compreensíveis pelo intelecto humano, estaria condenada, de antemão, a fracassar, pois ela teria de se apoiar dogmaticamente naquilo mesmo que pretendia fundar, a saber, na "ordem das razões" do pensamento finito.

Outra decorrência da tese da livre criação é que a natureza de Deus, tal como representada pela teologia cartesiana, envolve um tipo de incompreensibilidade mais radical do que a que qualquer outra teologia

185 J.-M. Beyssade parece introduzir o sentido adversativo aqui negado quando se pergunta: "será que a metafísica em geral e a onipotência de Deus em particular *acrescentam* aos princípios da física cartesiana uma necessidade que lhes faltava até ali ou será que elas lhes *retiram* uma pretensão abusiva de ser por si mesmos necessários?"; a essa questão, o próprio Beyssade responde: "elas fazem os dois sem contradição, porque elas *situam* essa necessidade, porque elas a colocam em seu lugar, em relação com nosso espírito e nossas faculdades de conhecimento, por um lado, e com Deus, de outro" (Beyssade (2001c), p. 78). Ou seja, o que é acrescentado é um tipo de necessidade que ultrapassa a "contingência do dado", e o que é suprimido é a necessidade absoluta, uma vez que a contingência é reintroduzida no nível das escolhas de Deus. J.-M. Beyssade está certo sobre esse duplo caráter contido na tese da livre criação, mas não é possível segui-lo quando limita o papel fundante da ideia de Deus ao que é acrescentado às ideias claras e distintas da física, pois Deus só exerce sua função de fundamento no momento mesmo em que subtrai dessas verdades seu caráter de verdades absolutamente necessárias.

186 Cf. Marion (2009), p. 443. Note-se que, nas provas da existência de Deus apresentadas na Terceira Meditação, trata-se justamente de mostrar que o conteúdo de uma única ideia – a ideia de Deus – não pode ser explicado pela realidade formal da substância pensante finita e que, portanto, ela deve, do exterior, ser o fundamento explicativo de sua presença na mente e da verdade de todas as demais ideias, na medida em que Deus é o autor de todas elas.

187 A noção cartesiana de ordem remete não apenas a séries lineares compostas de elementos simples, mas também a cadeias de séries (isto é, a "*series*" e a "*nexus*"). Cf. *Regras*, AT X, 366. Essa complicação adicional não afeta o raciocínio acima, pois o caráter complexo do *nexus* pode ser, em última análise, reduzido às séries homogêneas que os compõem.

anterior havia suposto[188]. De fato, como nota Marion, ela não diz respeito à impenetrabilidade dos fins de Deus, mas a sua *ausência*: a identidade entre intelecto e vontade divinos implica que os atos voluntários de Deus não são determinados de antemão por qualquer representação de seu entendimento, de tal forma que a concepção de uma possibilidade e o ato de escolhê-la como aquilo que deve ser produzida são uma só e a mesma coisa. Na teologia de Descartes, o que inteligimos é a incompreensibilidade radical de Deus. Daí por que, dada a ausência de prioridade entre o intelecto e a vontade divinos, a teologia cartesiana reserva à tese da livre criação das verdades uma *posição* distinta daquela em que suas próprias teses metafísicas a situam. Se, para esclarecer esse ponto, quiséssemos reintroduzir brevemente uma explicação psicológica para as hesitações de Descartes diante da teologia, poderíamos dizer que a prudência, manifestada por ele ao ser instado a discorrer sobre temas teológicos, encontra, na tese da livre criação, sua motivação mais profunda, ligada à ausência de teleologia que ele seria levado a admitir abertamente, uma vez que a ideia de Deus fosse deslocada de seu papel de fundamento incompreensível da necessidade das demais ideias claras e distintas da razão para aquele outro, o de centro das investigações teológicas. É esse aspecto prudencial que poderia ser lido no pedido feito a Mersenne, no momento mesmo em que formulava pela primeira vez a tese da criação das verdades por Deus, em 1630:

> Espero escrever isso [*a saber, a tese da livre criação das verdades eternas por Deus*], mesmo antes de quinze dias, em minha Física; mas não vos peço por isso manter segredo; ao contrário, vos convido a dizê-lo tão frequentemente quanto a ocasião se apresentar, *desde que seja sem me nomear*; pois eu ficaria muito contente de conhecer as objeções que se poderão fazer contra ela, e também para que o mundo acostume-se a ouvir falar de Deus mais dignamente, parece-me, do que fala dele o vulgo, que o imagina quase sempre como uma coisa finita[189].

Mas a prudência é apenas mais um signo textual; nela, o que importa é menos nos deixar adivinhar a psicologia do autor do que

188 Pelo menos no que se refere às teologias com pretensões racionais, não alinhadas às tradições místicas. Para uma ilustração das teologias que defendem a indiferença da vontade de Deus em relação ao mundo criado, cf. Boécio, *Consolação da filosofia*, IV.5.

189 AT I, 144; grifo acrescentado na tradução.

mostrar como o texto associa o anonimato à tese extrema da criação divina das verdades. De fato, a gratuitade de Deus presente nessa tese é muito mais radical do que a livre eleição da graça dos luteranos e dos quietistas, pois se aplica literalmente a tudo, e não apenas à escolha dos eleitos. O próprio critério da salvação seria afetado pelo arbitrário do fundamento: que algo seja bom ou mau, que o pecado se distingua essencialmente da virtude, isso mesmo seria fruto de uma decisão arbitrária de Deus. Nessa nova configuração estrutural imposta por sua inserção no domínio teológico, a "mesma" tese – isto é, a tese da livre criação das verdades eternas – ganha um *outro* sentido, a saber: a natureza essencialmente arbitrária da necessidade[190] passa a operar não mais como o fundamento externo e incompreensível das cadeias de razões, tal como ocorre na metafísica, mas como o objeto privilegiado de uma ciência particular. Ou seja, a posição *central* da ideia de Deus na teologia, que trata da salvação e, portanto, das noções de bem e de mal, faz de Deus não mais um elemento fundante situado *fora* do domínio das demais ideias claras e distintas, mas o tema em relação ao qual todos os demais gravitam e se ordenam[191]. Deus passa a ser, em suma, mais um elemento da série e um princípio de ordenação de pensamentos, ao invés de, de fora das séries, ser apenas seu fundamento absoluto e garantidor da legitimidade da ordem. Se, na metafísica cartesiana, Deus tem a função de ser o fundamento das ideias, sendo um dos elementos da "ordem das razões" e, ao mesmo tempo, aquilo que, devido a sua imensidão, ultrapassa a compreensão humana que dispõe essa ordem, em sua teologia ele é o objeto *tematizado* por essa ciência e, por isso, é um elemento puramente *interno* à série de raciocínios teológicos. Isso nos leva a suspeitar que não é devido à obscuridade e confusão de algumas ideias da teologia que Descartes enuncia suas reservas a discorrer sobre ela – pois, como vimos, há toda uma parte da teologia que não só pode ser objeto de deduções claras e distintas como pode ser, na verdade, segundo seu autor, mais bem resolvida por sua "filosofia" do que por qualquer outra teoria concorrente, baseada que está na inteligibilidade da ideia

190 O que aproximaria Descartes curiosamente, e *malgré lui*, do autor das *Terceiras Objeções*.

191 Cf. Boécio, que, também na *Consolação da filosofia* III.11–12, introduz, como parte de seu argumento, a ideia de que Deus é a causa final da ação das criaturas.

de Deus –, mas, antes, devido à posição estrutural que a tese da livre criação ocupa na teologia. A teologia, como ciência, é tão bem fundamentada quanto a física ou a matemática, mas há nela um elemento, a ideia de Deus, que, por sua clareza e distinção mesmas, a torna diferente das demais formas de conhecimento. Examinemos essa tese.

Comecemos pelo modo como a ideia de Deus é mobilizada pela metafísica. A ideia de Deus é um dos elementos da série metafísica e, ao mesmo tempo, remete para um objeto fora da série de ideias das demais coisas percebidas clara e distintamente pela razão. Essa última característica não implica que Descartes faça, de tal conteúdo mental, o objeto de uma intuição pura, isolada das demais ideias[192]. Ao contrário, do ponto de vista do projeto de fundamentação da ciência, tanto por meio de provas *a posteriori* quanto por meio de provas *a priori*, tratar-se-á sempre, em seus escritos de metafísica, de demonstrar a existência de Deus como a conclusão de uma série encadeada de ideias. Nesse sentido, a ideia de Deus faz parte da série metafísica, ao mesmo tempo em que escapa dela: sua realidade objetiva é tal que não pode ter se originado dos conteúdos das demais ideias. Assim como a ideia do "eu" escapa às "razões de duvidar" elencadas na Primeira Meditação, precisamente porque a proposição "eu sou, eu existo" enuncia a *condição formal* de todo e qualquer pensamento e, portanto, da própria dúvida cética (no vocabulário cartesiano, ela enuncia a "realidade formal" do pensamento, isto é, o ato de pensar), a ideia de Deus exprime a *condição material* de todo e qualquer pensamento, na medida em que ela dá conta da noção mesma de conteúdo pensado (no vocabulário cartesiano, a "realidade objetiva" do pensamento). De fato, o finito é, para Descartes, uma negação do infinito, e não o contrário, apesar do que sugere a forma da palavra "in-finito"; logo, os conteúdos finitos que podemos compreender clara e distintamente são todos derivados do arquétipo mesmo de todo conteúdo pensável, a saber, da ideia incompreensível de Deus, inteligido como a forma mesma de todo e qualquer conteúdo. É assim que, logo após formular o problema que deverá ser

192 É verdade que a Quinta Demanda da *Exposição geométrica* que encerra as *Respostas às Segundas Objeções* pede aos leitores para contemplar atentamente a ideia que eles têm de Deus, pois, "apenas daí, e sem nenhum raciocínio, eles conhecerão que Deus existe" (AT IX, 126-127). Ainda assim, nas Proposições Três e Quatro, Descartes demonstrará, por duas provas *a posteriori*, que Deus existe.

resolvido pela Terceira Meditação, Descartes elucida o significado da noção de "realidade objetiva" de uma maneira tal que ele implica necessariamente que sua causa seja uma "realidade formal":

> Pois, assim como esse modo de ser objetivo pertence às ideias por sua própria natureza, da mesma maneira esse modo de essência formal pertence à causa das ideias, ao menos às primeiras e mais importantes, por sua própria natureza. E ainda que talvez uma ideia possa nascer de uma outra, não pode, porém, ocorrer um progresso ao infinito, mas é preciso no final chegar a uma primeira ideia, cuja causa seja como um arquétipo, no qual esteja contida toda realidade formal que está na ideia enquanto objetiva[193].

É apenas ao encontrar essa ideia que remete inequivocamente a uma realidade formal primitiva que é possível explicar por que "a luz natural me faz conhecer evidentemente que as ideias são em mim como imagens"[194], isto é, que elas têm conteúdos. Como a única realidade objetiva que pode estabelecer indubitavelmente a existência de um objeto distinto do próprio "eu" é a dada pela ideia de Deus, e como a realidade formal do "eu" não apenas não pode explicar a realidade objetiva da ideia de Deus, mas ela mesma depende, para ser pensada como uma realidade objetiva, da ideia de Deus[195], então se segue que todo e qualquer conteúdo pensado (seja ele verdadeiro ou falso) depende da realidade objetiva da ideia de Deus.

Ainda do ponto de vista metafísico, é preciso reconhecer que o encadeamento de ideias que nos conduz, necessariamente, à prova da existência de um Deus infinito e incompreensível apresenta uma outra peculiaridade que o distingue de todas as outras séries racionais: ele introduz, entre os elos necessários das deduções anteriores, a contingência da escolha de Deus em relação à própria necessidade

193 AT VII 42; IX, 33.

194 *Idem, ibidem.* O texto francês diz: "que as ideias são em mim como quadros [*tableaux*] ou imagens".

195 É por isso que a ideia pela qual penso em mim mesmo necessariamente como uma "coisa incompleta" é *a mesma ideia* pela qual penso em Deus como uma coisa completa: se a ideia inata de Deus em mim é a marca que o obrador imprimiu em sua obra, "não é tampouco necessário que essa marca seja alguma outra coisa diversa do que a própria obra" (AT VII, 51; IX, 41).

dos encadeamentos de razões. O caráter absoluto do fundamento só pode consistir nisto, que ele subtrai a necessidade dos elementos de quaisquer outras séries, reduzindo todas à dependência da única verdade que é necessariamente necessária. Para evitar que a verdade do raciocínio que conduziu à prova da existência de Deus seja submetida, reflexivamente, ao mesmo regime de contingência que afeta todas as demais "ordens de razões", é preciso, mais uma vez, voltar à distinção que Descartes estabelece entre os verbos "compreender" e "inteligir". Tal distinção perpassa a obra cartesiana pelo menos desde as cartas a Mersenne de 1630[196]; segundo ela,

> O infinito, enquanto infinito [*infinitum, qua infinitum est*], não é em verdade compreendido [*comprehendi*], mas é, no entanto, inteligido [*intelligi*]: pois inteligir clara e distintamente [*clare et distincte intelligere*] que uma coisa seja tal que não se possa encontrar limites nela é inteligir claramente [*clare intelligere*] que ela é infinita[197].

Descartes oferece frequentemente uma mesma metáfora para ilustrar a diferença entre o significado desses dois verbos, a que os relaciona a dois outros verbos ligados ao corpo e à sensação tátil, "abraçar" [*embrasser*] e "tocar" [*toucher*]: podemos, diz ele, inteligir, mas não compreender Deus, "da mesma forma que podemos, por certo, tocar com as mãos uma montanha, mas não a abraçar, como o faríamos com uma árvore"[198]. Deve-se notar, porém, que essa passagem não implica que a série dedutiva que leva à conclusão de que Deus existe seja inteligível e não compreensível; ao contrário do que parece propor Henri Gouhier[199], do fato de que a ideia de Deus não seja compreensível, mas apenas inteligível, não se segue que a prova de sua existência não seja, ela mesma, compreensível. Deus é incompreensível porque, quando uma mente finita pensa nele, pensa em um *objeto sem limites*[200], o que, se não é uma contradição em termos,

196 Assim, na carta de 27 de maio de 1630 (AT I, 152), a última das três que tratam, ao menos nesse período inicial de sua formulação, da livre criação das verdades, Descartes distingue entre "saber" [*savoir*] que Deus é eterno e o "compreender" [*comprendre*].

197 Esse trecho encontra-se nas *Respostas às Primeiras Objeções* (AT VII, 112; IX, 89).

198 Carta a Mersenne de 27 de maio de 1630 (AT I, 152).

199 Gouhier (1962), p. 212.

200 Conforme é dito na versão francesa dos *Princípios* I, Art. 19 (AT IX, II, 33).

ao menos é, do ponto de vista da compreensão, algo impossível de ser representado[201]. Logo, a conclusão dessa dedução nos apresenta uma ideia inteligível e não compreensível, sem que a própria dedução seja, por isso, incompreensível[202]; ao contrário, é essencial que a incompreensibilidade da conclusão seja compreensível pela dedução, pois é essa última que permite que intelijamos que Deus não é compreensível[203], o que, por isso mesmo, equivale a garantir a necessidade da série argumentativa que nos levou até essa conclusão, submetendo todas as demais séries à contingência da vontade de Deus[204]. O que é inteligido, em suma, é a onipotência divina. Daí se segue, também, como já dissemos acima, que Deus seja o fundamento da ciência *porque* é (e não *apesar* de ser) incompreensível: uma *intelecção* clara e distinta deve fundar as *compreensões* claras e distintas justamente na medida em que é só através dela que o pensamento humano atinge uma realidade absoluta e existente em si[205]. A racionalidade revela

201 Lembremos que a clareza e distinção de uma representação mental indicam, com seu vocabulário ligado à visualidade, a apreensão de um objeto internamente "iluminado" e precisamente "delimitado".

202 Da mesma forma, como vimos acima, a liberdade humana é compreensível através de uma "experiência" do incompreensível.

203 Cf. carta a Clerselier de 23 de abril de 1649: "*Nempe sufficit me intelligere hoc ipsum quod Deus a me non comprehendatur*" (AT V, 356). Nesse caso, o verbo "inteligir" [*intelligere*] aplica-se à conclusão do raciocínio, e não ao processo que conduziu a ela.

204 Como nota Marion, porém, essa dedução é, ela mesma, uma verdade criada e não pode, portanto, estabelecer nenhuma restrição à incompreensibilidade de Deus, mesmo que tal restrição se limitasse às condições de possibilidade da própria afirmação da onipotência divina e de seu exercício efetivo. Marion examina algumas interpretações que pretenderam estabelecer limites para a incompreensibilidade (por exemplo, que Deus não pode criar seres independentes dele) e convincentemente as refuta (cf. Marion, 2009, pp. 297-298).

205 Uma das conclusões gerais de Marion pode ser posta em questão a partir do que foi exposto acima: a saber, a conclusão segundo a qual "o fundamento se furta no momento mesmo em que a meditação o atinge" (Marion (1981), p. 427). Marion explica logo em seguida sua posição: não se trata de dizer que o fundamento seja ausente, mas que ele "se revela sob a figura da independência": o homem passa, então, a imitar legitimamente a autarquia de Deus. Ou ainda: como o que é imitado é a autarquia, a imitação, se bem-sucedida, deve, por isso mesmo, diferenciar-se de Deus. Para resolver esse paradoxo, Marion afirma que Descartes deve retomar o pensamento da analogia, criticado por ele mesmo em outros contextos, como o próprio Marion examinara na parte II de seu livro; tal pensamento da analogia incidirá sobre a noção de causalidade

seu caráter factual, embora não se trate de um fato humano, e sim divino – e, portanto, eterno. No entanto, a fundamentação da ciência depende igualmente do fato de que Deus é representável, na medida em que é inteligível.

É preciso distinguir bem a função desempenhada pela ideia de Deus na filosofia primeira da função que ela desempenha na teologia. Para tanto, devemos examinar criticamente uma interpretação da teologia cartesiana que se tornou corrente nas últimas décadas, proposta sobretudo por Marion, mas que está radicada, em última análise, nas lições de seu professor, Alquié[206]. Segundo essa interpretação, o Deus cartesiano pertence a um domínio inefável, não conceitual e não linguístico, correspondente a uma experiência do ser absoluto e transcendente. Seria essa característica quase "mística" que explicaria não só as reticências de Descartes à linguagem, como também os limites estritos que ele estabeleceu para a racionalidade. É assim que Marion caracteriza a teologia cartesiana, regida por uma "lógica eminente" da incompreensibilidade, em *A teologia branca de Descartes*:

> ... se esse proferimento se diz silenciosamente, ele daria ao menos ao silêncio um estatuto teórico à medida de sua profundidade. Sem dúvida Descartes avança com um passo seguro nessa via, quando ele tenta compreender a incompreensibilidade do infinito a partir dela mesma. [....] A incompreensibilidade inverte a compreensão; ela coloca em causa a polarização cogitativa do conhecimento em benefício do ego, despoja o ego do domínio [*maîtrise*] do ego – melhor ainda, despoja o ego do domínio que ele exerce, pela *cogitatio*, sobre o pensável. À referência universal do ente à *Mathesis Universalis*, uma exceção se impõe. De fato, ela se impõe com uma radicalidade cujo esplendor não poderia se subestimar (e será a contribuição definitiva de F. Alquié de tê-lo, quase sozinho, constatado e enunciado. [....] De fato, o absoluto se manifesta por uma experiência extática que impõe ao ego não mais cogitar, nem observar (*intueri*), mas

e redundará na formulação da noção de causa de si. Se a interpretação aqui proposta estiver certa, porém, o fundamento, para Descartes, não "se furta" ao fundado: ao contrário, ele só exerce seu papel de fundamento se for um elemento fora da série de raciocínios que levou até ele.

206 Knox Peden situa o livro de Alquié de 1950, *La Découverte métaphysique de l'homme chez Descartes*, na origem "da recuperação fenomenológica do cartesianismo no contexto francês que se seguiu a sua crítica na filosofia de Heidegger", especialmente no que ele denomina "virada teológica" da filosofia francesa, que inclui também, além de Marion, Armogathe, entre outros. Cf. Peden (2014), pp. 280-281 (nota 6 do Capítulo 2).

admirar e adorar. [....] Mas essa experiência permanece um fato, que se impõe excepcionalmente, sem dar a pensar, nem se dar ao pensamento, que se abole imediatamente na adoração, sem pensar: quando intervém a adoração, cessa aqui o pensamento, que só retomará seu curso uma vez suspensa a adoração[207].

Ao invés de tal "lógica eminente", porém, é preciso reconhecer, nas reflexões teológicas de Descartes, a presença da racionalidade no interior mesmo da incompreensibilidade. Se é certo que o fundamento da ciência é incompreensível, não podemos esquecer que isso ocorre porque ele é, na mesma medida, inteligível. O próprio Marion não segue sempre rigorosamente a oposição cartesiana entre o compreensível e o inteligível; assim, por exemplo, em um momento crucial de *A teologia branca de Descartes*, ele assimila os dois verbos na fórmula: "Deus, ou o fundamento *ininteligível* de uma inteligibilidade sem fundamento, o código"[208]. Ora, já vimos que, para Descartes, o fundamento é incompreensível, mas não ininteligível. Ao contrário, podemos saber que ele é incompreensível justamente porque ele é inteligível em sua incompreensibilidade. Esse lapso de Marion não deixa de ser significativo, pois é um sintoma de seu apelo a uma "experiência extática" para dar conta da tese cartesiana sobre os fundamentos do ser e do conhecer. O que ele não aceita é que, para Descartes, diante de duas evidências contrárias, o paradoxo deve ser afirmado em sua disjunção irredutível, sem o recurso a um terceiro termo (no caso, a "experiência") para superá-lo. Já constatamos mais acima o modo como o paradoxo que conjuga a pré-ordenação das coisas por Deus e o livre-arbítrio humano é afirmado. No caso da tese da livre criação das verdades eternas por Deus, o mesmo se repete: o limite do compreensível é complementado pelo inteligível que o nega, embora seja seu resultado (e que, em ambos os casos, o que esteja em jogo seja a liberdade infinita – dos homens e de Deus – não é um acaso[209]).

207 Marion (2009), p. 401.

208 "*Dieu, ou le fondement* inintelligible *d'une intelligibilité sans fondement, le code*" (Marion, 2009, p. 279); grifo acrescentado na tradução. O "código" em questão é aquele que dá conta da relação entre os objetos do mundo e das percepções que os representam através de distorções.

209 Sobre a relação entre os paradoxos enunciados por Descartes e sua concepção de liberdade, remeto os leitores novamente a Ramond (2011).

Assim como a majestade de um rei torna-se mais inteligível na medida mesma em que o monarca se subtrai ao olhar dos súditos e se torna mais incompreensível[210], a incompreensibilidade da imensidão divina só aumenta sua inteligibilidade. De fato, a ideia de Deus é, na teologia de Descartes, o objeto de uma intelecção clara e distinta, de tal forma que sua incompreensibilidade e sua exterioridade às séries racionais não podem ser tomadas como signos de uma transcendência não conceitual. Ao contrário, a inteligibilidade de Deus implica que o tipo de exterioridade que ele guarda em relação às séries racionais é essencialmente homogêneo às ideias "compreensíveis".

Os verbos "compreender" e "inteligir" dividiriam, então, respectivamente, o campo da "filosofia" e da "teologia"? Essa conclusão certamente não seria correta, pois a intelecção de Deus faz parte essencial do projeto de fundamentação metafísica do conhecimento. Tampouco seria legítimo supor que cada verbo designaria uma faculdade distinta da mente humana: o mais correto é dizer que eles exprimem duas maneiras distintas de raciocínio, uma vez que a mente, para Descartes, é uma só potência unificada de pensar[211]. A diferença entre os dois verbos indica, antes, a dificuldade central da teologia, aos olhos de Descartes: ao contrário do que ocorre na metafísica, a teologia deveria tematizar a ideia inteligível de Deus de tal modo que dela se retirem argumentos compreensíveis sobre sua natureza e sobre suas ações. Essa operação que tenta *tirar conclusões* compreensíveis sobre a natureza de um objeto que é apenas inteligível é, ao menos em parte, a explicação das reticências de Descartes em relação à teologia. Vejamos por quê.

A necessidade *de dicto* identifica-se, no cartesianismo – e desde as *Regras para a direção do espírito* –, à elaboração de séries finitas de raciocínios, de elos dedutivos cujos elementos são unidos, um a um, por intuições intelectuais evidentes, partindo de naturezas simples e chegando, em um número determinado de passos, a uma dada conclusão. Entenda-se bem: a tese de que a necessidade dos raciocínios está relacionada à finitude de uma série argumentativa é uma ideia absolutamente trivial, fazendo parte de qualquer teoria do raciocínio

210 *Idem, ibidem.*

211 Se podemos afirmar que a mente tem uma faculdade de "imaginar" e de "sentir", isso ocorre não por uma sua divisão intrínseca, mas antes pelo fato de ela estar causalmente unida a um corpo que a afeta do exterior.

– mesmo daquelas que têm o infinito como seu objeto[212]. E, vice-versa, é também trivial que, na ausência de cadeias necessárias de razões, abre-se (ao menos potencialmente) o campo de uma conversa infinita, incontida em limites precisamente determinados. O que é peculiar ao cartesianismo, e de modo algum trivial, é a tese segundo a qual a realidade não é mais o paradigma da necessidade dos argumentos, mas, antes, nosso conhecimento a respeito dela[213]. Tal tese nos conduz à avaliação negativa que Descartes faz da teologia: enquanto a filosofia pode *construir*, em um número finito de deduções, seus objetos a partir das naturezas simples – simples relativamente à ordem do conhecimento (e não à ordem do ser) –, a teologia, ao colocar no centro de suas investigações a ação criadora arbitrária de Deus, por isso mesmo se vê comprometida com a tarefa de delimitar completamente seu objeto. Em outras palavras, a ideia de Deus, no caso da teologia, justamente porque faz parte da série de seus argumentos, não pode mais, ao contrário do que ocorre na "filosofia primeira", contentar-se em ser apenas inteligível, nem em ser apenas uma teologia negativa: seu objeto tem de ser posto pelo ato mesmo de ser conhecido. É verdade que, assim como ocorre no campo das investigações metafísicas, no contexto teológico – ao menos, dada a concepção cartesiana da teologia –, a finitude das séries de raciocínios conduzidos pela "luz natural da razão" garante sua necessidade – assim, a tese da livre criação das verdades eternas por Deus é a conclusão de um argumento metafísico que, embora nos situe no limiar da inteligibilidade mesma, é clara e distintamente estabelecida como necessária. É verdade também que as deduções da metafísica podem eventualmente ocorrer em um domínio que contém verdades contingentes – pensemos no *cogito* que, sendo uma verdade contingente, é, porém, *o tema* de um raciocínio necessário. Uma teologia cartesiana, porém, deveria fazer da ação absolutamente livre e indeterminada de Deus o tema mesmo de suas investigações, seu

212 No contexto de elaboração da filosofia de Descartes, dominado pelo aristotelismo tomista, a finitude dos raciocínios era normalmente explicada pelas diversas formas silogísticas identificadas por Aristóteles.

213 Ou seja, que a estrutura lógica das proposições sobre o real não seja compreendida – ao menos não como um ponto de partida – como isomórfica à estrutura lógica da própria realidade. Para a originalidade da noção cartesiana de série dedutiva em relação ao aristotelismo de sua época, cf. Marion (1975) e a noção de uma "ontologia cinza".

ponto de partida e de chegada e, por isso, não poderia evitar o objetivo de, em alguma medida, compreender o objeto de sua intelecção. Daí a abertura do campo discursivo a uma indeterminação fundamental, a uma espécie de curto-circuito discursivo, que, ao mesmo tempo em que exige a continuação do discurso, o veta[214] – não por falta de clareza sobre o estatuto dos discursos racionais nesse domínio, mas, ao contrário, porque a intelecção clara e distinta do Deus infinito abre a razão para além de toda série finita.

Portanto, se, para Descartes, a teologia deveria ser evitada, não seria somente, como já notamos acima, porque ela é o campo onde as paixões sociais dos homens se exercem com mais força e promovem as batalhas mais ardentes, mas, sobretudo, devido a sua concepção acerca da natureza de Deus e de seu ato de criação. Ou melhor, é preciso compreender por que Descartes deveria exercer sua prudência a respeito de suas posições teológicas (já que muitas delas, inclusive as que eram implicadas pela tese da livre criação das verdades eternas, não eram particularmente heréticas[215]), bem como por que o desenvolvimento de raciocínios teológicos seria uma "perda de tempo"[216], já que eles podem ser tão claros e distintos quanto os da metafísica. É ao responder essas questões que chegamos ao significado da tese segundo a qual não é apenas devido a razões extrínsecas que Descartes rejeita a discussão pública de questões teológicas, mas devido a razões intrínsecas a seu pensamento – mais especificamente, *devido ao núcleo de sua teologia*, governada pela tese da livre criação das verdades eternas. Através da

214 Note-se que as ideias sensíveis, obscuras e confusas, são, elas mesmas, ocasiões para um discurso não-finito, na medida em que elas não fornecem critérios para determinar o começo e o fim de uma série de ideias.

215 A sorte do cartesianismo ao longo dos séculos XVII e XVIII seria inconstante, variando de uma condenação completa a uma aceitação parcial por parte da Igreja católica.

216 Como já vimos, a ideia de que escrever em geral – e naõ apenas sobre teologia – é uma perda de tempo aparece em alguns outros textos de Descartes; ver, por exemplo, a Sexta Parte do *Discurso*, quando, considerando motivos a serem levados em conta contra a publicação de seus escritos em vida, ele afirma que nem as controvérsias nem as glórias decorrentes da publicação lhe dariam "alguma ocasião de perder o tempo que tenho a intenção de empregar para me instruir" (AT VI, 66). Sobre a conexão entre a impossibilidade de terminar uma série e a sensação de perda de tempo, cf. Beckett (2004), p. 13, quando ele faz Malone se perguntar: "Que é que estou fazendo agora, ganhando ou perdendo tempo?".

admissão dessa tese, todas as verdades da teologia racional passam a se referir não apenas ao arbitrário do fundamento, como é o caso da física e da matemática, mas a um elemento interno da teoria, Deus, que internaliza assim a arbitrariedade para todos os nexos conceituais por ela construídos. Assim, ao remeter a graça divina ou a transubstanciação da eucaristia a Deus, a teologia é forçada a pensá-las diretamente como necessárias e *simultaneamente* como arbitrárias, como aquilo que Deus estabeleceu como via da salvação e *simultaneamente* como aquilo que, em si mesmo, é absolutamente contingente. Em uma ciência, como a teologia, que desemboca diretamente em uma apologética, essa duplicidade é desestabilizadora.

É assim que, nas *Respostas às Sextas Objeções*, concluindo a longa questão teológica formulada no item 5, Descartes dedica o item 6 a responder a objeção contra sua suposta negação de que a vontade de Deus seja indiferente diante de conhecimentos claros e distintos (e a objeção continua fazendo referência à religião, complementando seu raciocínio com a consideração de que pertence "a nossa fé que Deus foi por toda a eternidade indiferente a criar um mundo, ou inúmeros, ou nenhum"[217]):

> Pois, por exemplo, não é por ter visto que era melhor que o mundo fosse criado no tempo do que desde a eternidade que ele o quis criar no tempo; e ele não quis que os três ângulos de um triângulo fossem iguais a dois retos porque ele conheceu que isso não poderia ser de outra forma, etc. Mas, ao contrário, porque ele quis criar o mundo no tempo, por isso é melhor que seja assim do que se ele tivesse sido criado desde a eternidade; e na medida em que ele quis que os três ângulos de um triângulo fossem necessariamente iguais a dois retos, é agora verdadeiro que isso é assim, e não pode ser de outra forma, e assim de todas as outras coisas. E isso não impede que se possa dizer que os méritos dos santos são a causa de sua vida eterna; pois eles não são a causa que determina Deus a querer algo, mas são somente a causa de um efeito, do qual Deus quis desde toda a eternidade que eles fossem a causa. E assim uma suma indiferença em Deus é o argumento o maior [*summum argumentum*] de sua onipotência[218].

217 AT VII, 417; IX, 221.

218 AT VII, 432; IX, 233.

A existência de valores que são, em si mesmos e simultaneamente, eternos e arbitrários não afeta, diz a sequência do texto, o assentimento da vontade humana à percepção clara e distinta que seu intelecto tem de que Deus quis *livremente* que tais valores fossem necessários. A representação humana da relação da vontade de Deus com tais valores não deixa, porém, de introduzir neles um elemento que entra em confronto com a ideia de um valor absoluto[219]: se a vontade divina é dotada de uma "indiferença positiva" em relação aos valores absolutos, então a noção mesma de mérito se reduz ao assentimento à vontade arbitrária de Deus. Ou seja, a gratuidade da eleição divina coincide inteiramente com o mero ato de vontade de concedê-la, sem nenhuma conexão necessária com o conteúdo das virtudes salvíficas[220]. É exatamente neste ponto que se encontram, indiscerníveis, molinismo e jansenismo.

Deve-se notar que Descartes tem, com essa tese, uma relação ambígua: enquanto, nas cartas de 1630 a Mersenne, ele pede que sua tese seja amplamente divulgada, mas sem que seja identificado seu *autor*, na obra posterior ela raramente chega a ser explicitamente expressa, a não ser em breves passagens das *Respostas* à *Objeções*. Que ela seja mobilizada nas respostas de Descartes aos que atacavam sua teoria mostra claramente que se trata de um dos fundamentos dessa última, que deveria ser mobilizada como uma premissa das réplicas cartesianas a seus adversários. As conexões textuais entre a tese da livre criação das verdades eternas e a resistência a escrever sobre a teologia não são, entretanto, tão claramente dadas. Mais do que simplesmente relacionar os conteúdos de dois conjuntos distintos de textos, trata-se aqui de compreender certos *atos* de enunciação (a resistência à escrita) a partir do *conteúdo* de uma certa tese (a da livre criação das verdades eternas). Tais atos de enunciação sobre os conteúdos enunciados, por sua vez, só são acessados através dos paratextos nos quais Descartes os formula explicitamente, fazendo dos conteúdos um ato metalinguístico

219 Essa mesma ideia reaparece na segunda regra da "moral provisória" do *Discurso*: para sair de uma floresta na qual estamos perdidos, é preciso escolher uma direção qualquer de forma aleatória e segui-la resolutamente, sem mudança posterior de rota.

220 Um pouco mais adiante, no iem 8 dessas mesmas *Respostas às Sextas Objeções*, Descartes atribui à "imensidão de Deus" a potência de criar a própria existência de "ordens", o que implica que qualquer "ordem de razões" é segunda em relação à preordenação das verdades e dos valores pela vontade indiferente de Deus (AT VII 435-436; IX, 235-236).

de enunciação, assim como, em Deus, o mérito das virtudes se reduz ao ato de afirmá-las.

É possível, certamente, elaborar um discurso claro e distinto sobre o que é obscuro e confuso – as *Paixões da alma* o comprovam –, mas o obstáculo próprio da teologia racional é, em certo sentido, o contrário desse: ela lida com verdades que são clara e distintamente apreendidas, uma vez que seus conteúdos ou bem são estabelecidos por deduções claras e distintas ou bem são conhecidos através da luz sobrenatural da revelação divina, sendo a clareza mesma desses últimos que deve servir como critério da verdade dos raciocínios desenvolvidos pela luz natural da razão. O que propomos aqui é que, longe de ser apenas mais um capítulo da velha disputa entre fé e razão, a tese da livre criação das verdades eternas deve ser lida, no contexto teológico, como um esforço para assimilar o incompreensível no interior de um quadro teórico compreensível. Nesse sentido, a questão da graça divina, com a qual começamos nossa investigação, é exemplar, na medida em que ela gira em torno de um fenômeno religioso que é definido, em grande medida, pela noção *de conhecimento,* ainda que se trate de um conhecimento produzido pela luz sobrenatural de Deus.

Como já foi estabelecido, não há nada mais contrário ao impulso fundamental da escrita cartesiana do que a abertura para um campo potencialmente indefinido de debates: desde as *Regras,* tratava-se de partir de um ponto intuitivamente apreendido e elaborar, por meio de sucessivas intuições intelectuais, uma série dedutiva finita. Mesmo as *Objeções* e *Respostas* que são acrescentadas pelo autor a suas *Meditações metafísicas* no momento de sua primeira edição visam menos abrir um diálogo genuíno com os que dele eventualmente discordassem do que terminar de uma vez por todas, em seu nascedouro, as polêmicas. Já no caso da teologia, ela fracassa devido a um *excesso* de racionalidade, no sentido em que sua tarefa de compreender o inteligível condena os autores de textos teológicos a um diálogo sem fim possível, uma vez que a construção de seu objeto remete ao próprio infinito em ato. Ou seja, a infinitude do objeto da teologia (Deus) força a elaboração de um discurso infinito – o que é, evidentemente, uma "perda de tempo", pois só os discursos finitos geram uma ação eficaz e uma compreensão perfeita. O Deus que é objeto da "filosofia primeira", ao contrário, é o ponto inicial – justamente, "primeiro" – das séries finitas de raciocínios, *para aquém do qual* não se pode inquirir.

É verdade que a escrita e a publicação de *qualquer* texto, mesmo os que não se dedicam à teologia, compartilham *potencialmente* com essa última a propriedade de abrir uma série infinita. Se, *de direito*, as séries metafísicas são finitas, *de fato* elas podem gerar debates infinitos, dado que tangenciam a incompreensibilidade pelo ato de intelecção que lhe é próprio. No caso específico de Descartes, isso se dá, em primeiro lugar, porque seus textos, como todos os textos publicados no século XVII, tinham, em seu horizonte explícito ou implícito, a questão teológica – e, portanto, em seu caso específico, e no interior mesmo de seus escritos, a tese da livre criação das verdades eternas por Deus. Mas, também, porque a metafísica, ela mesma, está comprometida, senão com a tentativa de compreender o incompreensível, pelo menos com uma série de paradoxos racionais para a razão: a incompreensibilidade divina não pode permanecer não-compreendida (pois é essa não-compreensão que leva ao "ateísmo"[221]); ao contrário, é preciso compreender a incompreensibilidade do fundamento (no sentido de compreender a necessidade da dedução que nos conduz à incompreensibilidade de Deus), de tal forma que o evento eterno da livre criação das verdades exprima a conjunção, em um só ato divino, de duas dimensões que, no intelecto humano, são dissociadas, a conjunção da liberdade com a verdade.

É preciso a isso acrescentar que os textos escritos são ineludivelmente peças destinadas à comunicação e ao convencimento; ao dirigir-se aos leitores, a escrita não pode evitar a inconclusão da série de equívocos que inaugura. Ao comentar a Sexta Parte do *Discurso*, Descartes afirma que a inutilidade da escrita se deve ao fato de que o que se aprende de outros, sem que se seja por si mesmo seu inventor, é incapaz de torná-lo verdadeiramente *seu*[222]. Nesse sentido, a ação de *ultrapassar* os limites dos domínios sobre os quais pretendera inicialmente se calar não é tanto o resultado de uma decisão anterior à publicação desses textos, mas uma *consequência* da decisão, mais primitiva, de publicar aqueles outros, dedicados unicamente àquilo que poderia

221 AT I, 150: "Aqueles que não têm pensamentos mais elevados do que esses podem facilmente se tornar ateus... ".

222 AT VI, 69.

ser apreendido completamente pela "luz natural da razão". Ou seja, a publicação de textos sobre a teologia é o resultado inevitável da abertura ao infinito promovida pelo *ato de escrever em geral*, mesmo que não o compreendamos mais sobre o pano de fundo da tese da livre criação das verdades eternas. Ao contrário, é essa última tese que será, como veremos mais adiante, subsumida à resistência que Descartes devotava à publicação e à escrita, pois, nessa materialização do pensamento, residem as motivações últimas para uma abertura ao infinito das conversações, da qual a tese da livre criação das verdades eternas é apenas uma instância. Não surpreendentemente, a ideia de escrever textos apenas para si mesmo, "acrescentando a eles o mesmo cuidado que como se os quisesse fazer imprimir"[223] – essa ideia estranha de identificar-se ao mesmo tempo com o emissor e o único receptor da escrita, fechando assim o círculo da comunicação – encontra-se, ela também, na Sexta Parte do *Discurso*.

Se a resistência em tratar de temas teológicos não é – ao menos, não inteiramente – explicada pela obscuridade e confusão das ideias que temos deles, e se já excluímos deste estudo as considerações psicológicas, históricas e sociológicas relacionadas à prudência e à (auto) censura (por mais que tais considerações possam, também, explicar outros aspectos interessantes dessa mesma questão), em que sentido podemos ler, nos trechos de sua obra em que Descartes *resiste* em tratar de tais temas, suas estratégias de autoconstituição textual como autor? O que essa resistência, enfim, exprime?

Para responder essa pergunta, temos, antes, de eliminar uma possível objeção à análise oferecida acima. Procuramos mostrar que há um "componente oculto" funcionando implícita, mas incessantemente na atividade de Descartes de traçar os limites entre a filosofia e a teologia, a saber, a tese da livre criação das verdades eternas por Deus. Haveria, entretanto, suficiente base textual para comprovar essa leitura? Como podemos lidar com um suposto "elemento oculto" de uma doutrina senão constatando sua influência indireta sobre a superfície manifesta do texto, e como fazer isso sem deixar, ao mesmo tempo, de fornecer as evidências necessárias de sua existência?

223 AT VI, 65.

Até certo ponto, Marion já respondeu a essa questão em *A teologia branca de Descartes*. De fato, o fio condutor do argumento no capítulo 13 de seu livro é a constatação de que o caráter estruturante da tese da livre criação das verdades eternas por Deus para as demais doutrinas cartesianas, que até então havia sido tomada por ele como dada, "pede uma verificação mais precisa nos próprios textos". A essa constatação, Marion faz corresponder a seguinte questão: "Em que, de fato, as 'verdades matemáticas, as quais nomeeis eternas' (AT I, 147) podem ter uma relação direta com o que denominamos desfiguração e código?"[224]. No Capítulo anterior, Marion explicou o significado da noção cartesiana de código a partir da teoria da percepção, segundo a qual as ideias sensíveis não guardam qualquer semelhança natural com os objetos que as causam, o que supõe, se algum tipo de correlação entre pensamento e realidade é possível, que haja uma "geometria natural" inata na mente. A teoria da livre criação das verdades eternas por Deus é introduzida como resposta à tarefa de fundamentar tal geometria. Ao desenvolver a resposta à questão formulada acima, Marion nota que a maioria dos comentadores contesta "a permanência, e, pois, a importância da doutrina de 1630"[225]. Apesar de concordarmos com as razões apresentadas por Marion para justificar sua posição heterodoxa entre os comentadores a respeito desse ponto da filosofia cartesiana, é preciso complementar seu raciocínio com razões textuais que provem o lugar decisivo ocupado pela tese da livre criação no caso especial da resistência de Descartes em escrever sobre questões teológicas. A dificuldade aqui não é pequena, uma vez que o caráter oculto de tese da livre criação duplica-se no laconismo e no silêncio a que Descartes era conduzido quando instado a se manifestar a respeito da teologia – e, em certo sentido, como vimos, ambos os silêncios são o mesmo. Não se trata apenas, portanto, de tornar manifesta a presença implícita dessa tese no conjunto de doutrinas explicitamente formuladas por Descartes, mas, antes, de saber reconhecê-la em suas omissões e reservas. No presente estudo, apontaremos para essa conexão ao analisar um trecho das *Respostas às Sextas Objeções*. Veremos, então, como a tese da livre criação das verdades eternas por Deus se conecta, aí, à resistência

224 Marion (2009), p. 264.

225 *Idem*, p. 267.

em discorrer sobre questões teológicas. Se estivermos certos, teremos circunscrito uma primeira base textual para confirmar a hipótese de que o silêncio ao qual Descartes tantas vezes almejava tem, ele mesmo, razões teológicas. O caminho estaria aberto, pois, para aplicar essa leitura a outros textos cartesianos.

No próximo Capítulo, articularemos a resistência de Descartes a escrever sobre determinados temas e uma certa "ontologia do autor" revelada por essa mesma resistência. Em tal ontologia, a dimensão fundamental é dada pelo tempo – tempo da escrita, e também do que se subtrai (ou tenta, em vão, se subtrair) da escrita. Também agora, no caso da tese da livre criação das verdades eternas por Deus, uma questão ontológica e metafísica encontra-se na origem de uma opção estilística. Como, porém, advinhar, num caso como no outro, nas entrelinhas de uma análise estilística – ainda que se trate de uma análise *filosófica* do estilo, como a nossa – uma estrutura ontológica? A resposta é clara: desde que pensemos essa ontologia não do ponto de vista do próprio Descartes, a partir do qual teríamos de nos comprometer com um posicionamento quanto a sua verdade ou falsidade, mas antes do ponto de vista de quem formula uma teoria do estilo, como uma das dobras estilísiticas que representam o autor em seu momento de hesitação. Trata-se, em suma, menos de avaliar se os pressupostos ontológicos da autoposição autoral de Descartes são verdadeiros – tarefa, se não impossível, pelo menos fútil –, e mais de traçar, através desses textos, a autofiguração de um autor e da própria noção de autoria.

Devemos mostrar, pois, que a resistência, manifestada diversas vezes, em escrever sobre temas teológicos, é um sintoma da peculiar teologia cartesiana. Por um lado, tal resistência não se confunde com o silêncio místico diante do inefável: se Descartes se cala, não é por não poder expressar o domínio do divino (como vimos, é possível *inteligir* a essência *incompreensível* de Deus). Por outro lado, tal resistência indica um ponto de tensão entre o exprimível e o inexprimível que não pode ser ignorado (também vimos que não é possível evitar, no domínio teológico, a tendência a *compreender* o *incompreensível*). Que o "ódio à escrita" seja um dos índices dessa tensão é tornado claro pelo fato de Descartes ter sempre figurado a teologia como um campo de guerra conflagrada. De fato, a motivação para as reservas de Descartes a se envolver em disputas teológicas, já o notamos, está ligada não tanto à obscuridade e confusão do domínio teológico – pois ele julgava que sua filosofia poderia, mais do que a "filosofia vulgar" de sua época, resolver *todos* os problemas nesse domínio –, mas antes à ideia mesma de um pensamento estruturado em forma de disputa. Ou melhor, as disputas, muitas vezes cultivadas obstinadamente pelo próprio Descartes, não derivavam do fato de ele ser levado a defender, contra a tradição teológica racionalista anterior, e de modo mais ou menos implícito, sua idiossincrática doutrina da livre criação das verdades eternas por Deus; elas derivavam, antes, da arbitrariedade absoluta que sua filosofia atribuía às ações divinas, que passavam a fazer parte do interior das séries das verdades no domínio da teologia. Ao interiorizar a arbitrariedade de Deus, a exigência de compreensão chocava-se, então, com a tarefa impossível de compreender racionalmente o arbitrário; mas o que é característico dessa atitude cartesiana é o fato de a *incompreensibilidade* de Deus ser demonstrada por uma prova que é, ela mesma *compreensível*[226]. Portanto, como também já expusemos acima, a tese da livre criação das verdades eternas por Deus está na base das polêmicas em que Descartes, apesar de sua inclinação contrária, se engajou, mas não por ser diretamente o *objeto* de tais polêmicas, e sim por remeter todos os raciocínios claros e distintos da teologia racional à incompreensibilidade de seu elemento central. Dessa curiosa via mediana entre o misticismo e a teologia racional[227] resulta que, para Descartes, a arbi-

226 Sobre a ideia de compreender a incompreensibilidade, cf. Schlegel (1967).

227 Em que medida, porém, a posição de Descartes difere realmente de formas mais tradicionais de misticismo, tais como as que também faziam fronteira com o agostinianismo e com sua versão mais moderna, o jansenismo (que, ele mesmo, deve algo ao luteranismo)? Tudo depende do sentido em que o verbo "demonstrar", usado na frase acima ("a *incompreensibilidade* de Deus ser demonstrada por uma prova que é, ela mesma *compreensível*"), é entendido. O que singulariza a posição de Descartes parece ser o fato de que ele usa esse verbo em um sentido forte, segundo o qual a prova de que Deus é incompreensível é tão racionalmente sólida e convincente quanto as provas matemáticas. Nesse sentido, é do interior do racionalismo mais estrito que emerge a incompreensibilidade, limitando-se a si mesma, de dentro de seus domínios. Sobre a proximidade de Descartes com o "entusiasmo" nele inspirado, ver carta a Silhon de março ou abril de 1648 (AT V, 136): "O conhecimento intuitivo é uma ilustração do espírito, pelo qual ele vê na luz de Deus as coisas que lhe apraz descobrir por uma impressão direta da clareza divina sobre nosso entendimento, o qual, nisso, não é considerado como agente, mas somente como recebendo os raios da divindade". A caracterização do conhecimento natural parece coincidir, nesse trecho, com a da vi-

trariedade das ações divinas conduz a uma *relação* igualmente arbitrária e contingente entre o "eu" meditante e Deus. Em outras palavras, o arbitrário do fundamento, no campo da teologia, ao invés de garantir a necessidade dos raciocínios claros e distintos, como ocorre na metafísica, os suspende todos à inexistência de finalidade da criação divina, considerada agora como um dos elementos internos de suas deduções, e, daí, a um impasse ineliminável, pelo qual o "eu" tenta compreender o incompreensível. Daí por que a resistência em escrever sobre temas teológicos pode passar, de modo imediato, a uma atitude diametralmente oposta, caracterizada pela inclinação em se engajar em disputas violentas: longe de ser uma atitude contraditória da parte de Descartes, a tentação do silêncio ou fechamento sobre si, em uma reflexão da relação do "eu" com Deus fundada no abismo da ausência de finalidade, de tal modo que sua posição nas infinitas querelas da teologia exprime a busca por uma palavra final que silenciasse os partidos em oposição. Ao exteriorizar-se na sua relação contra objetores e inimigos, tal fechamento em si manifesta-se como obstinação e guerra violenta.

É porque o autor situa-se fora do tempo de uma tradição, no ponto sem extensão e sempre de novo instantâneo da *invenção*, em um limite do texto que sempre deve, no entanto, fazer parte dele, que Descartes resiste a escrever sobre teologia, a ciência da disputa por excelência. Ou seja, é porque a teologia é – pelo menos, a teologia de seu tempo, mas talvez desde sempre – *constitutivamente* uma forma de disputa entre partidos contrários que ela se torna incompatível com a novidade do pensamento cartesiano. No entanto, poderia parecer, à primeira vista, que Descartes não era contrário às disputas; afinal, mais do que nenhum outro filósofo moderno, ele as buscou através da incorporação de uma série de objeções e respostas às suas *Meditações*, concebendo assim o diálogo como uma forma privilegiada da busca da verdade. Foi ele também quem, no final de seu *Discurso*, convidou seus leitores a propor-lhe críticas e descobrir as eventuais falhas de seu escrito. Mas não nos enganemos: como assinalamos acima, todas as críticas ao *Discurso* foram rebatidas com virulência; muitas objeções às *Meditações* (como testemunham particularmente as *Terceiras*, *Quintas* e *Sétimas Respostas*)

são sobrenatural relatada por alguns místicos. Não poderemos tratar, neste estudo, da mística cristã e o modo como foi recebida por Descartes. Para uma breve introdução ao tema, cf. Christophe Delporte (2002).

são repletas de ironias, ataques, argumentos *ad hominem* e de acusações de incompreensão. Se Descartes quis incorporar vozes dissonantes a sua própria obra, foi para melhor calá-las, *de uma só vez*, isto é, restituindo ao ponto de vista atemporal do autor seu privilégio exclusivo de dizer a verdade[228]. As *Respostas* às *Objeções* que Descartes fez questão de publicar *simultaneamente* com as *Meditações* ("*semel in vita*", lembremos que esse era o desígnio anunciado desde as primeiras palavras do texto) são, é verdade, bastante extensas. A verborragia dos comentários cartesianos às *Objeções* é, porém, apenas a contraparte da brevidade do texto principal, uma vez que ambos partilham o mesmo objetivo: é preciso encerrar "de uma vez por todas" as discussões, e deixar que a plenitude de uma intuição intelectual pura e instantânea se instale de vez na mente dos leitores. Menos do que um diálogo, as *Respostas* são uma tentativa – por vezes fracassada[229] – de instaurar um silêncio que nos permitisse ouvir nosso ininterrupto monólogo interior[230].

228 Mais de um intérprete já notou que o diálogo *A busca da verdade* é interrompido bruscamente – permanecendo para sempre inacabado – no momento em que as personagens se aproximam da enunciação do "*cogito, ergo sum*", isto é, do momento solipsista da teoria de Descartes.

229 Basta lembrar da irritação crescente contra Bourdin, autor das *Sétimas Objeções*, que se recusava a permitir que a discussão terminasse, publicando escritos e acusações tempos depois da publicação das *Respostas* de Descartes.

230 Na carta a Mersenne de 28 de janeiro de 1641, Descartes instrui seu amigo, que cuidava então da publicação das *Meditações* em Paris, sobre a disposição e o conteúdo das *Objeções* e *Respostas* que ele esperava colocar ao fim do livro: "Ficaria contente se me fizesseis o máximo de objeções e as mais fortes que se puder fazer, pois espero que a verdade aparecerá ainda melhor daí; mas vos rogo de fazer ver minha resposta e as objeções que já me haveis enviado àqueles que quiserem me fazer novas, a fim de que não me proponham aquilo a que já tiver respondido" (AT III, 297). No final da Sexta Parte do *Discurso*, o mesmo pedido é feito diretamente aos leitores do livro (AT VI, 75). Ver também a carta a Mersenne de 31 de março de 1641, especialmente o trecho no qual, comentando sua explicação para o Santo Sacramento, Descartes diz que "não quis calá-los..." – isto é, que ele não pretendeu imitar os que "querem abusar da autoridade da Igreja para exercer suas paixões" (acrescentando em seguir, para que não restem dúvidas sobre a quem ele se referia: "isso se aplica aos que fizeram condenar Galileu") – nem impor o silêncio aos tomistas, mesmo tendo em vista sua explicação aristotélica equivocada da eucaristia (AT III, 349). Evidentemente, nem a motivação nem os métodos que Descartes utilizou para calar seus objetores eram os mesmos da Igreja – a estratégia cartesiana era eminentemente discursiva (o que não significa que era, por isso, menos violenta).

A "novidade" do cartesianismo só poderia ser instaurada, pois, como uma irrupção instantânea, sem intermediações ou procedimentos paulatinos. É assim que, na descrição que o próprio Descartes oferece da visita que teria recebido do "Espírito da Verdade" em 10 de novembro de 1619 (a narrativa desse episódio encontra-se, como se sabe, no texto de juventude intitulado *Olímpicas*, infelizmente perdido, mas cuja transcrição indireta, em terceira pessoa, nos é dada pelo biógrafo de Descartes, Adrien Baillet[231]), ele nos diz que "o fogo tomou-lhe o cérebro", fazendo-o "cair em uma espécie de entusiasmo que dispunha de tal maneira seu espírito já abatido que o colocou em estado de receber as impressões dos sonhos e das visões". Na descrição que Baillet nos legou do sonho de Descartes, um dos momentos que mereceria uma análise mais detalhada é o que contrapõe a interpretação que ele começou a fazer do sonho *durante o próprio sonho* e, na sua sequência, a interpretação que desenvolve uma vez tendo acordado ("ele despertou sem emoção e continuou, de olhos abertos, a interpretação de seu sonho"). Deve-se notar que esse começo mítico de sua teoria filosófica lhe confere não só uma data precisa de nascimento – e até mesmo, a acreditarmos no relato de Baillet, uma hora exata, um *instante* isolado dos demais –, mas confere a todos os desenvolvimentos ulteriores, até a morte do autor, uma *certeza* inabalável que garantirá *a priori*, antes dos debates e das controvérsias com os objetores, a verdade de sua posição contra a de todos os demais.

Portanto, se o Método colocado em discurso e o procedimento analítico revivido como meditações pretendiam como que refazer com o leitor os passos da "ordem da descoberta", era apenas para levá-lo a perceber que, desde o início, já possuía as ideias inatas da razão, já estava localizado no ponto de vista atemporal das verdades, apreendendo seu próprio "eu" no instante de uma intuição. Descartes, como autor, deveria, desde então, escrever como um profeta que, vindo do deserto, entrasse na cidade para anunciar a boa nova, estendendo o deserto até a cidade, destruindo suas vielas e construções aleatórias, feitas pela anomalia das contingências históricas[232], e substituindo-as

231 No texto reproduzido em AT X, 217-219.

232 A metáfora da cidade planificada aparece no começo da Segunda Parte do *Discurso* (AT VI, 11-12): as velhas cidades cresceram ao longo do tempo ao sabor das circunstâncias, de tal modo que, vendo seus edifícios e o modo como são arranjados,

por uma cidade planificada, uma espécie de Brasília desértica. Albert Camus já disse isso, apontando, ao mesmo tempo, para a distância que nos separa do projeto cartesiano:

> Descartes, pondo-se a meditar, escolheu seu deserto: a cidade mais comerciante de sua época. Ele encontra nela a solidão e a ocasião do que é, talvez, o maior de nossos poemas viris: "O primeiro [preceito] era o de jamais acolher alguma coisa como verdadeira que eu não conhecesse evidentemente como tal". Pode-se ter menos ambição e a mesma nostalgia. Mas Amsterdã, após três séculos, cobriu-se de museus. Para escapar da poesia e reencontrar a paz das pedras, é preciso outros desertos, outros lugares sem alma e sem recursos[233].

"Nosso" deserto, como dissemos acima, é a análise filosófica do estilo a que nos propomos aqui; é ela a única forma de alcançar a distância que nos permite avaliar externamente a obra cartesiana, ao invés de, situando-nos internamente em sua perspectiva, tentar avaliar sua "verdade" ou "falsidade". Em suma, toda avaliação sendo, em última análise, *externa*, cabe-nos tentar alcançar essa exterioridade percorrendo, de forma apenas aparentemente paradoxal, a imanência dos textos.

Estando bem estabelecida essa posição do "eu" que escreve frente a uma série potencialmente infinita de discursos, podemos voltar a examinar alguns indícios textuais que articulam a tese da livre criação das verdades eternas por Deus à resistência de Descartes a escrever sobre temas teológicos. Os índices textuais que atestam a presença de um "elemento oculto" (a teoria da livre criação das verdades eternas) no interior da disposição para se calar e não escrever são, quase que por definição,

"aqui um grande, lá um pequeno, e como eles tornam as ruas curvas e desiguais, dir-se-á que é antes a fortuna do que a vontade de alguns homens usando a razão que os dispôs assim". A esse caos sem ordem aparente, Descartes opõe "essas praças, traçadas por um engenheiro à sua fantasia numa planície". É difícil não ver, na descrição dessa cidade dos homens, um eco das duas cidades de Agostinho: "Dois amores erigiram duas cidades, Babilônia e Jerusalém: aquela é o amor de si até ao desprezo de Deus; esta, o amor de Deus até ao desprezo de si". Santo Agostinho, *A Cidade de Deus*, 2, L. XIV, XXVII

233 Albert Camus (2010, p. 17). O texto de Camus é um eco de um lugar comum da mística do século XVII; sobre o que Delporte (2002, p. 43) chama de "recusa intramundana do mundo", pode-se consultar a obra *La solitude du désert*, do Abade de Rancé, publicada pela primeira vez no final do século XVII.

parcos. A atestação da presença de uma ausência ou de um segredo só pode ser indireta, sob pena de destituir a ausência de sua forma. O orgulho com que anunciava suas "inovações" em filosofia, ao invés de repelir, demandava, como estabelecemos mais acima, as reservas com relação à atividade de escrever sobre teologia, na medida em que essa última poderia remetê-lo de volta a uma *forma* de argumentação – e, sabemos, não há distinção entre forma e conteúdo – que diluiria a novidade na indiferença de mais um capítulo da história das doutrinas filosóficas. Havia nessas hesitações em se imiscuir nos debates teológicos um perigo latente de se *contaminar* por sua "doença", como ele deixa claro a Voetius:

> Não pretendo tampouco que jamais seja útil a teólogos, ou a outras pessoas, conhecer os maus livros que aparecem, quando eles têm o ofício de refutá-los ou de corrigi-los; mas isso ocorre apenas raramente; e, assim como jamais visitamos um hospital de pestilentos unicamente por prazer, da mesma forma um homem verdadeiramente pio não irá jamais, baseado apenas no desejo de se passar por possuir imensa leitura, nutrir-se habitualmente de maus livros. Eles trazem sempre consigo algum contágio funesto. Faço disso, neste momento, uma experiência: pois foi-me necessário, para escrever esta carta, percorrer alguns de vossos escritos; meu estilo recebeu imediatamente delas uma aspereza que me é quase impossível de corrigir, e é por isso que reclamo a indulgência do leitor ... [*scabrities quædam stylo meo inde accessit, quam vix possum emendare; atque hoc nomine veniam peto*][234].

Novamente, nas *Sextas Respostas,* Descartes encontrava-se na soleira dessa casa pestilenta: "... faço aqui minha declaração de que doravante não responderei mais a tais coisas"[235]. Ele refere-se ao "quinto escrúpulo" formulado pelos autores das *Sextas Objeções*; assim como nas *Segundas Objeções,* são as preocupações teológicas de Mersenne que estão em jogo aqui; não se trata mais uma vez, porém, de críticas do próprio Mersenne, mas sim de um grupo de filósofos, matemáticos e teólogos reunidos em torno dele. Nesse Item 5, Descartes foi constrangido a se pronunciar sobre dificuldades teológicas que, segundo seus objetores, pareciam derivar de suas teses filosóficas. Seus argumentos

234 AT VIII, II, 40-41; Descartes (1826), p. 44.

235 AT VII, 429; IX, 230.

para forçá-lo a se pronunciar sobre tais dificuldades o deixaram encurralado: "Tampouco negues dever responder", escrevem eles,

> dizendo que a interpretação da Escritura pertence aos teólogos; pois, sendo cristão como vós sois, deveis estar prontos para responder e satisfazer a todos aqueles que vos objetam algo contra a fé, principalmente quando aquilo que se vos objeta choca aquilo que quereis estabelecer[236].

Diante dessa convocação irrecusável – silenciar-se seria uma confissão de culpa –, Descartes é *forçado* a escrever. Ele não deixa de avisar, porém, *mais uma vez*, que "esta vez" será a última: "Mas não deixarei de responder a isso ainda por esta vez, por medo de que meu silêncio desse ocasião a alguns de crer que me abstenho por não poder dar explicações assaz cômodas aos lugares [*da Escritura*] que vós proposeis"[237]. Novamente aqui, como nas *Quartas Respostas* e na *Carta a Dinet*, constatamos a confiança que Descartes tinha em sua teoria, mesmo quando ela deve tratar dos assuntos da fé: não era por falta de explicações, mas antes devido ao "receio de passar por presunçoso"[238], que ele hesitava diante das dificuldades enumeradas pelos teólogos contra sua filosofia. A razão pela qual poderia ser acusado desses vícios, esclarece Descartes, derivaria do fato de que, nunca tendo se imiscuído em estudos de teologia, seria certamente apenas por "presunção" ou "arrogância" que não se contentaria com as opiniões já emitidas sobre esses assuntos, buscando pensar em novas [*"novas excogitare"*]. Ao contrário do tom guerreiro da *Carta a Voetius*, aqui Descartes parece submeter-se servilmente à tradição, abandonando a ela a tarefa de dar soluções para os problemas teológicos, e considerando um erro ser, nessa área, um "inovador". Na *Carta a Voetius*, Descartes proporá essa mesma separação: é bom ser inovador em filosofia, enquanto, na religião, cada um deve se contentar com aquela que Deus lhe deu. No entanto, essa declaração de modéstia, já o vimos, é substituída prontamente pela confiança irrestrita na capacidade de sua teoria explicar

236 ATVII, 416; IX, 221.

237 AT VII, 429; IX, 231

238 *"je craindrais de passer pour présomptueux"* (AT IX, 230), em francês traduz a expressão latina *"vererer crimen arrogantiæ"* (AT VII, 576).

"todas as questões teológicas"[239]; também aqui, nas *Sextas Respostas*, a prudência será seguida da exposição triunfante de suas teses. Mas as *Sextas Respostas* acrescentam um elemento novo a essa equação: a já mencionada paixão da "arrogância".

Podemos aproximar essa paixão do "orgulho", cuja natureza e etiologia são descritas no Artigo 157 das *Paixões da Alma*[240]. O orgulho é um vício na medida em que temos de nós mesmos uma boa opinião por qualquer outra causa que não seja "o uso de nosso livre-arbítrio e o império que temos sobre nossas vontades" (Artigo 152); esse "uso" e esse "império" são as marcas da "generosidade", a essência da virtude. Além disso, o orgulho comporta *graus*: sua pior forma é quando nos orgulhamos sem nenhuma razão para tal, porque, nesse caso, consideramos que a glória é sempre uma "usurpação" (Artigo 157), de tal modo que teriam mais glória aqueles que mais se a atribuíssem. O orgulho é, assim, uma paixão "epistêmica", própria dos "ignorantes" e dos "mais estúpidos", e cujos efeitos são simetricamente contrários aos da generosidade (Artigo 158)[241]. De fato, o orgulhoso é "escravo de seus desejos" e, não podendo ter as virtudes dos outros homens, trata de "rebaixá-los"; ele tem, pois, sua alma "incessantemente agitada *pelo ódio*, pela inveja, pelo ciúme e pela cólera"[242].

O que está ameaçado pela demanda de se pronunciar sobre esses assuntos a que não se dedicou é, portanto, a virtude por excelência, a generosidade, esse "domínio de si" que é garantido pela única coisa

239 Sobre a atitude de Descartes perante os "desafios" (entendidos à maneira de um duelo aristocrático), Ramond observa que Descartes cultivava uma posição "superior e oracular " que o levou a tratar de assuntos tão diversos quanto estes: "como se pode esmagar uma bola de chumbo com um martelo sobre um travesseiro", como "quebrar um ombro de carneiro com o dorso de uma faca colocando-a sobre a mão", "por que as balas de chumbo atravessam couraças de ferro", "como se produz o eco", etc. (Ramond, 2011, p. 98, nota 1).

240 AT XI, 448-449.

241 Ver também Artigo 156: "Os que são dessa maneira generosos são naturalmente levados a fazer grandes coisas e, no entanto, a nada fazer do qual não se sentem capazes" (AT XI, 447). Nas *Quartas Objeções*, Arnauld reconhece que Descartes, especialmente ao tratar dos limites entre fé e razão, "sempre condenou a arrogância e a presunção daqueles que opinam, isto é, daqueles que pensam saber o que não sabem" (AT VII, 215-216; IX, 168).

242 Artigo 158 (AT XI, 449); grifo acrescentado na tradução.

que está inteiramente em nosso poder, a vontade livre. Por mais que a generosidade gere muitos efeitos observáveis, ela ocorre em uma dimensão essencialmente privada, envolvendo apenas a relação consigo mesmo – ou melhor, com aquela dimensão de si mesmo que é *infinita* e que, por isso, é aquilo que, mais propriamente, nos assemelha a Deus, tornando-nos "sua imagem". Enquanto é a infinitude de Deus que garante, na Terceira Meditação, a existência de algo exterior à própria mente, rompendo assim com o solipsismo, a infinitude da vontade individual é absolutamente privada, interna, e remete, pois, para aquela dimensão transcendente a qualquer tradição historicamente constituída, tão presente na *Carta a Voetius.*

O "quinto escrúpulo" formulado pelos autores das *Sextas Objeções* diz respeito à impossibilidade de refutar a hipótese do "Deus enganador", formulada na Primeira Meditação: assim como é admitido por "muitos teólogos" que os condenados podem ser "continuamente iludidos pela ideia que Deus lhes imprimiu de um fogo devorante, de modo que eles crêem firmemente e imaginam ver e sentir efetivamente que são atormentados por um fogo que os consume, ainda que de fato ele não exista", também poderia ser o caso, eles dizem, em um tom berkeleyano *avant la lettre,* que "nós pensamos ver mui claramente, e tocar com cada um de nossos sentidos coisas que, no entanto, não são nada fora de nós"[243]. Dessa tese seguem-se várias citações de trechos bíblicos, todos eles apontando para a limitação do conhecimento humano. O mais interessante, para nossos fins, é menos a resposta que lhes dá Descartes – logo após os protestos reproduzidos acima[244] – do que o fato de que o "sexto escrúpulo", dizendo respeito à indiferença da vontade de Deus[245], enseja Descartes a introduzir, sub-repticiamente, em sua resposta, a tese da livre criação das verdades eternas. O ponto central da resposta diz respeito à diferença entre a vontade humana e a divina, não devido a sua natureza, mas devido à identidade, em Deus, entre intelecto e vontade: em Deus, a vontade é,

243 AT VII, 415; IX, 220.

244 A resposta de Descartes assume a forma de uma hermenêutica bíblica, mostrando como cada um dos trechos citados pelos seus objetores não eliminam a possibilidade da ciência humana.

245 Os objetores criticaram – equivocadamente – Descartes por atribuir um tipo de "indiferença negativa" – isto é, uma indiferença que envolve ignorância – a Deus (AT VII, 416-417; IX, 221).

> desde toda a eternidade, indiferente a todas as coisas que foram feitas ou que jamais se farão, porque não é possível pensar em nenhum bem ou verdade, em nenhuma coisa que se deva crer, ou fazer, ou omitir, cuja ideia no intelecto divino pudesse existir antes que sua vontade para agir tenha se determinado[246].

Foi porque Deus quis criar o mundo no tempo, continua Descartes, que a criação do mundo no tempo é o melhor a ser feito; e é porque ele quis que os três ângulos de um triângulo fossem iguais a dois retos que é verdadeiro que isso seja assim e que não possa ser diferentemente; do mesmo modo, as verdades morais são equiparadas às verdades físicas e às matemáticas[247]. Enunciada logo após as reticências quanto a escrever sobre temas teológicos, a tese da livre criação das verdades eternas é confessada como sendo a verdadeira teologia cartesiana, expondo retrospectivamente, assim, as razões profundas dessas reticências. A incompreensibilidade de Deus não elimina a certeza nem a necessidade das verdades matemáticas, físicas e morais, mas, se Deus não é enganador, ele é dotado de uma característica ainda mais perturbadora, não mencionada nos textos bíblicos[248], e que faz parte, como vimos, do núcleo da teologia peculiar de Descartes, a saber: a propriedade de decidir, a seu livre-arbítrio, o que será verdade e o que será falso, o que será bom e o que será mau.

Vemos, assim, que o deslocamento da ideia de Deus da filosofia para a teologia – ou ainda, a elucidação da ideia de Deus elaborada do ponto de vista de uma questão teológica – conduz Descartes a colocar, no centro da atenção, a tese da indiferença positiva da vontade divina, o que explica a hesitação que precede sua enunciação. A divulgação dessa tese,

246 AT VII, 431-432; IX, 232-233.

247 Na sequência do texto, Descartes afirma que o mérito dos santos é a causa de sua beatitude eterna apenas porque essa relação causal é, ela mesma, o efeito que Deus quis produzir, ao unir mérito e recompensa (ele poderia ter recompensado o que chamamos atualmente de pecado).

248 De fato, trata-se de uma propriedade pertencente ao "Deus dos filósofos" e não ao Deus "de Abrãao, de Isaac e de Jacó". Ainda assim, a frase ".... e Deus viu que isso era bom", que acompanha os atos de criação do mundo no *Gênesis*, poderia certamente dar algum suporte textual à tese cartesiana da livre criação das verdades eternas por Deus, uma vez que a constatação da bondade sucede, ao invés de preceder, a obra da criação.

apenas sugerida em linhas gerais sem ser nomeada, vai contra a decisão, baseada na generosidade, de se calar diante da tradição teológica, evitando assim o vício da arrogância. Mas a generosidade também produz, como dissemos acima, ações externas observáveis; dentre elas, Descartes certamente incluiria a franqueza, uma espécie de coragem[249]. É à franqueza que ele recorre quando, nas *Quartas Respostas*, prefere enfrentar de frente a crítica de Arnauld contra as implicações que sua filosofia traria para a interpretação do sacramento da eucaristia. De fato, dentre todas as "coisas que poderiam incomodar os teólogos", listadas na parte final de suas *Objeções*, Arnauld apresenta, além daquela já examinada por nós no Capítulo anterior, e que parece se referir à questão da graça divina, uma outra, com "que prevejo que os teólogos mais se ofenderão"[250], a saber, que a filosofia cartesiana negaria o artigo de fé da transsubstanciação do pão e do vinho no corpo e no sangue de Cristo. Essa negação derivaria da recusa, por parte de Descartes, de que os "acidentes reais" do pão (suas qualidades sensíveis e suas propriedades intrínsecas, tais como sua figura, sua extensão e seu movimento) possam existir separadamente da substância do pão, o que entraria em conflito direto com a doutrina cristã. Contra tal objeção, Descartes responde – não sem antes aventar a possibilidade de não o fazer –, em primeiro lugar, que nada em sua filosofia é *incompatível* com a doutrina escolástica dos acidentes reais, particularmente diante da consideração da onipotência divina ("A cuja objeção eu poderia muito facilmente me eximir de responder, dizendo que até aqui nunca neguei que os acidentes fossem reais..."[251]). Essa hesitação inicial, porém, é superada; logo em seguida Descartes escreve: "Mas, para proceder com mais franqueza, não dissimularei que...". Ou seja, à suspeita de Arnauld de que sua filosofia seria culpada dos pecados da "presunção" e da "arrogância"[252], negando que possamos crer em coisas que não entendemos clara e distintamente pela razão, Descartes reconhece, em primeiro lugar, que há mistérios da fé cuja crença depende da graça divina e, em segundo lugar, que pode explicar melhor do que a "filosofia vulgar"

249 A coragem pode ser tanto uma paixão da alma quanto um hábito ou uma inclinação natural. Cf. *Paixões da alma*, Terceira Parte, Artigo 171 (AT XI, 460).

250 AT VII, 217; IX, 169.

251 AT VII, 248-249; IX, 191-192.

252 AT VII, 216; IX, 168. Esses dois pecados só aparecem na versão francesa das *Quartas Objeções*.

o que ocorre no sacramento da eucaristia[253]. Arnauld desempenha, nesse texto cartesiano, a figura do teólogo de boa fé, que não procede por meio de disputas infinitas, mas tenta apenas evitar que, "tratando de sustentar a causa de Deus contra a impiedade dos libertinos, ele [Descartes] não pareça ter lhes colocado armas na mão"[254]. Por essa razão, Descartes pode tratar-lhe com generosidade e falar-lhe com "franqueza", sem deixar, no entanto, de "dizer a verdade sem inveja"[255] – isto é, recusando como sem valor as outras teorias concorrentes, mas nem por isso adotar o tom beligerante que dirigia a Voetius: "ouso esperar", escreve Descartes a Arnauld, "que virá o tempo no qual essa opinião, que admite acidentes reais, será rejeitada pelos teólogos como pouco certa na fé, e que a minha será recebida em seu lugar como certa e indubitável"[256]. "O que acreditei não dever aqui dissimular", conclui Descartes, "para prevenir, tanto quanto possível, as calúnias..."[257]. Ou seja, Descartes coloca Arnauld ao lado dos "teólogos pios e ortodoxos"[258], distintos dos "caluniadores" que, diante de inovações nas ciências ["*quid novi in scientiis*"][259], tentam abolir pela autoridade o que não podem fazer pela razão. A função retórica da "franqueza" da resposta a Arnauld é, portanto, a de antecipar-se a seus verdadeiros inimigos e, se possível, calá-los de antemão. Ao enfatizar que está agindo por virtude, Descartes pode atacar seus inimigos sendo sincero com seu amigo.

O aspecto mais importante a ser ressaltado nessa passagem não é, pois, o retórico, mas o ético: trata-se de uma ética da escrita, de suas regras e de seus impasses. Na resposta a Arnauld, entra em jogo

253 A resposta cartesiana recusará a noção de acidente real e sua separabilidade da substância e explicará, nos quadros da filosofia mecanicista, como a superfície dos corpos é mantida, na consagração do pão e do vinho, enquanto sua substância (e seus modos) são substituídos pela substância do Cristo.

254 AT IX, 170.

255 "*sine invidiâ*" (AT VII, 255); lembremos que a inveja é caracterizada, nas *Paixões da alma*, como uma das paixões que se seguem do orgulho.

256 AT VII, 255-256; IX, 197. Em uma nota de sua edição das obras filosóficas de Descartes (1967, vol. II, p. 704), Alquié observa que "é raro ver Descartes falar de teologia com uma tal segurança e ousar se declarar tão nitidamente em desacordo com o tomismo".

257 AT VII, 255.

258 AT VII, 256.

259 AT VII, 255.

claramente a dimensão moral que a ressalva em abordar temas teológicos tinha para Descartes. A moral cartesiana é atravessada por tensões tanto quanto o é a relação de sua obra filosófica com a teologia: ele jamais dedicou à moral uma obra independente, e as diversas formulações de sua teoria moral aparentam ser mais uma série de visões parciais do que um todo coerente. Dentre essas *incompletudes*, a mais conhecida é aquela que opõe a "moral provisória" da Terceira Parte do *Discurso* a uma "moral definitiva" nunca formulada explicitamente, mas que encontra esboços na correspondência com a princesa Élisabeth nos anos de 1644-1645. As ambiguidades da teoria moral de Descartes, na verdade, situam-se antes já na própria formulação da "moral provisória", exposta, segundo ele afirma no *Discurso*, em "três ou quatro máximas"[260]. Segundo J.-M. Beyssade, é preciso entender positivamente a hesitação expressa pela expressão "três ou quatro": a quarta e última máxima da moral provisória – segundo a qual ele deveria "passar em revista as diversas ocupações que têm os homens nesta vida, para tratar de fazer a escolha da melhor"[261] – não é "nem exatamente uma máxima, como as três outras (sem o que haveria quatro máximas, e não três) nem exatamente estrangeira (sem o que haveria três, e não quatro)"[262]. A oposição entre o caráter universal das três primeiras regras e o caráter individual da quarta mostra, segundo J.-M. Beyssade[263], que ela ao mesmo tempo as fundamenta (pois coloca o projeto de descoberta da verdade no horizonte de uma *escolha*) e as limita (apontando para a *imperfeição* das três regras anteriores, e para a necessiodade de as superar). Além da leitura sugerida por J.-M. Beyssade, podemos dizer que, se se trata de "três ou quatro" máximas, isso também pode derivar do fato de que a quarta máxima é, de certa forma, a aplicação das outras três –cada uma dessas três primeiras máximas sendo independente das demais – à ação específica de investigação da verdade narrada pelo *Discurso*. É ela, afinal de contas, que, sem ser nomeada, como as outras três o foram, de "máxima"[264], e sim de "conclusão" ("Enfim,

260 AT VI, 22.

261 AT VI, 27.

262 Beyssade (2001a), pp. 237-238.

263 Beyssade (2001a), p. 249.

264 "A primeira era..."; "Minha segunda máxima era..."; "Minha terceira máxima era..." (AT VI, 22-25).

como conclusão desta moral ..."[265]), conecta a moral ainda imperfeita ao projeto metodológico do *Discurso*: devendo escolher o melhor tipo de vida[266] a seguir, "pensei que o melhor a fazer seria continuar *naquela mesma em que me achava*, isto é, empregar toda a minha vida em cultivar minha razão, e adiantar-me, o mais que pudesse, no conhecimento da verdade, *segundo o método que me prescrevera*"[267]. A escolha, feita a partir do máximo de racionalidade disponível nesse momento do percurso metódico, diz respeito à totalidade desse percurso, fundando-o, e, simultaneamente, ao limite da racionalidade que levou a essa mesma escolha. Mas não é propriamente na Terceira Parte do *Discurso* que encontraremos a dimensão ética das hesitações cartesianas sobre o que poderia (e deveria) ser dito: se a Terceira Parte contém uma reflexão ética sobre a melhor forma de conduzir a vida enquanto a ciência ainda não foi fundamentada, é a Sexta Parte, porém, que exporá as implicações morais do próprio discurso, e de sua *publicação*.

Embora a teologia seja o caso paradigmático do embate entre a obrigação de escrever – pelo bem do público – e a tentação do silêncio, isso não nos impede de estender tal paradigma agora a todos os escritos de Descartes. Ou melhor, mais do que estender, trata-se de expor seus fundamentos mais profundos, suas raízes em algumas "faculdades" e "inclinações" – desde que essas últimas sejam outros tantos signos *escritos*.

Até o momento, a maior parte dos textos aqui examinados nos quais Descartes exprime suas reservas a tratar de temas teológicos foi tirada das *Objeções* às *Meditações*. Isso não foi uma escolha casual: além da restrição metodológica enunciada na Introdução deste estudo, segundo a qual devemos privilegiar os textos de Descartes publicados em vida,

265 AT VI, 27. Trata-se de uma "conclusão" peculiar, uma vez que ela também é pressuposta pelas outras três máximas: "Além do que as três máximas precedentes só estavam fundadas sobre o intento que eu tinha de continuar a me instruir: pois, Deus nos tendo dado a cada um alguma luz para discernir o verdadeiro do falso, não cria me dever contentar com as opiniões de outrem um só momento, se não me tivesse proposto empregar meu próprio juízo a examiná-las quando fosse o tempo... " (a sequência do texto dedica-se a reexaminar cada uma das máximas a partir do fundamento dado pela quarta máxima).

266 Cf. o papel da escolha de vida ("eleição") nos *Exercícios espirituais* de Loyola. Ver também as *Olympicas*, sobre os acontecimentos da noite de 10 de novembro de 1619 (AT X, 217-219).

267 AT VI, 27; grifo acrescentado na tradução.

é no rastro da meditação em torno do "eu", a forma de escrita a mais propriamente cartesiana (ou, pelo menos, aquela que mais foi identificada com o estilo cartesiano de escrita por seus leitores desde o século XVII), que a tentação do silêncio se impôs de forma mais marcante.

Mas há outras obras de Descartes nas quais as mesmas reservas são igualmente expressas – e, em algumas delas, com características ausentes da primeira. Nelas, a tese da livre criação das verdades eternas por Deus não ocupa a posição privilegiada que lhe concedemos na explicação das reticências de Descartes em relação à divulgação de seu pensamento. A resistência à escrita transborda desse motivo central, atinge outras dinêmicas e é movida por outros motivos. Mas, em todos esses novos casos, a tese da livre criação das verdades eternas permanece, ao fundo, com sua marca da onipotência absoluta de Deus, contaminando-os com o arbitrário do fundamento. Assim, por exemplo, ao alinhar-se com a tese heliocêntrica de Galileu, *O Mundo* permite-se deslocar a Terra do centro do sistema planetário e estelar sem se preocupar com os dogmas da Igreja, uma vez que *toda a ordem do universo* poderia, à luz da onipotência divina, ser diferente da que de fato é. O eterno é, em suma, tão criado quanto o mais contingente dos acidentes.

Assim, no *Discurso*, obra também escrita em primeira pessoa do singular, mas que, ao invés de uma meditação, apresenta-se como a narrativa de uma autobiografia intelectual, encontramos, em sua Sexta Parte, o registro das hesitações da publicação de uma obra que permaneceu inédita em vida, o tratado *O Mundo*[268]. Embora esse tratado, inédito durante a vida de Descartes, não abordasse questões teológicas, a condenação de Galileu pela Igreja, por defender teses semelhantes às contidas no seu livro, dava a ele um contexto propriamente teológico que não devemos ignorar. O que chama a atenção nesse texto é a presença de uma forma de hesitação narrada como um acontecimento passado: enquanto nas *Respostas às Objeções* Descartes formula suas reservas logo antes de ceder a seus objetores e discorrer sobre a teologia, nesses trechos da Sexta Parte do *Discurso* não é o futuro imediato que está em jogo, mas as razões de um silêncio que efetivamente se manteve como tal. Tais trechos da Sexta Parte do *Discurso* fazem, assim, como sugerimos na

268 Sobre a tensão constitutiva da autofiguração de Descartes como autor de uma obra, Ramond (2011, p. 87) chama a atenção para essa "reticência em assumir o lugar 'de autor da verdade', isto é, o lugar de escritor-filósofo".

Introdução deste estudo, o livro aparecer ao leitor como o substituto ou a prótese de um outro livro não publicado[269].

Mas, se é verdade que a Sexta Parte do *Discurso* alonga-se na narrativa das hesitações do autor/narrador relativamente à publicação do tratado científico que havia escrito cerca de três anos antes[270], as razões que ele apresenta sucessivamente a favor e contra a publicação dos resultados alcançados não se limitam ao passado: elas atingem também os estudos que deveriam ser publicados juntamente com o *Discurso* e, consequentemente, até mesmo esse último, uma vez que ele nada mais é do que um prefácio ao conjunto formado pela *Dióptrica*, pela *Geometria* e pelos *Meteoros*[271]. Como já observamos mais acima, a Quinta Parte do *Discurso* é um texto curioso, uma vez que, sendo a segunda maior das seis Partes que compõem o livro[272], não parece acrescentar nada a seu conteúdo positivo: o leitor obviamente *já sabe* o desfecho daquelas deliberações aparentemente intermináveis, pois, por um lado, já fora informado de que o tratado de 1633 não vira a luz do dia, e, por outro lado, tem o *Discurso* entre as mãos, diante de seus olhos. O autor/narrador (qual deles? ambos?), portanto, parece estar condenado desde o início a narrar pacientemente um conflito interno desprovido de suspense, cuja solução já está dada ao público pelo próprio ato da leitura, mas é justamente sobre essa ausência de substância positiva, em torno da tentadora *possibilidade* de *não* publicar nada, que o texto se constrói positivamente, progredindo na vertigem de sua própria supressão, numa alternância de posições a favor e contra *sua existência mesma* que nada tem

269 Como veremos mais adiante, alguns comentadores especulam sobre a existência de uma espécie de "livro arquetípico" escrito por Descartes antes mesmo das *Regras*.

270 Após resumir as principais teses de *O Mundo* na Quinta Parte, a primeira frase dessa Sexta Parte diz: "Ora, faz agora três anos que cheguei ao fim do tratado que contém todas essas coisas... ".

271 "Todas essas considerações conjuntamente foram a causa, *há três anos*, de eu não querer divulgar o tratado que tinha entre as mãos, e mesmo que tomasse a resolução de não deixar ver nenhum outro, *durante a minha vida*, que fosse tão geral, nem a partir do qual se pudesse entender os fundamentos de minha Física. Mas houve depois outras razões... " (AT VI, 74; grifo acrescentado na tradução). Do ponto de vista estilístico, é comum encontrarmos em Descartes esse movimento pendular – lembremos, por exemplo, do momento em que a Terceira Meditação apresenta razões contra e a favor da crença nas ideias claras e distintas: "Mas quando considerava algo de muito simples... "; "Se julguei depois que podia duvidar dessas coisas..."; "Mas todas as vezes que essa opinião... "; "E, ao contrário, todas as vezes que me volto... " (AT VII, 25-26; IX, 28).

272 Sendo superada apenas pela Quinta Parte.

de um progresso dialético, mas que se assemelha a uma enervante indecisão infinita, continuamente parada no mesmo lugar – o que não deixa de ser estranho, considerando o tamanho desproporcionalmente grande do texto[273]. No interior de um livro que se apresenta como uma autobiografia intelectual, esse aparente exagero da Sexta Parte parece uma digressão um tanto supérflua, uma *hipérbole* – pois, se a Parte I expõe a gênese do projeto de fundamentação da ciência, esse dúbio epílogo não trata, como seria de se aguardar, da anunciação de seus esperados resultados, mas antes da possibilidade, já então eliminada, de eles não virem a ser divulgados. Qual seria o sentido desse texto que versa sobre sua impossível inexistência? À primeira vista, há pelo menos uma camada de seu significado que contribui para a autobiografia como um seu elemento importante: ele é o relato do modo como o autor previa as reações a suas descobertas e, mais particularmente, como via a relação entre seu pensamento e a linguagem escrita que o comunicaria aos demais homens. Ou seja, trata-se de imaginar os efeitos que sua narrativa teria sobre sua audiência, *antecipando* o que ocorreria depois que o leitor fechasse o livro[274] – mas, ao mesmo tempo, adiando longamente esse momento final, prolongando-o na descrição detalhada das deliberações que, elas mesmas, ocorreram em um espaço de tempo enormemente dilatado, de anos. A Sexta Parte do *Discurso* realiza a passagem entre o processo de interiorização que levou o narrador a uma conversão, incluindo a mediação de sua relação com o mundo externo através do livro no interior do próprio livro. A recusa da ciência aprendida em La Flèche[275] levou Descartes para o mundo externo, para a Alemanha e a Dinamarca, mas foi em um acampamento de guerra, repousando no interior de uma cabana de oficiais enquanto aguardava indefinidamente sua chamada para a ação, que ele pôde se voltar para si mesmo, primeiramente através de um aviso em sonhos. Foi então que ele compreendeu que

273 "O fim está no começo e, no entanto, se continua", diz Hamm em *Fim de partida*, de Beckett (1971).

274 Como vimos, também o projeto das *Objeções* e *Respostas* apostos às *Meditações* obedecia a essa espécie de compulsão de ansiedade e controle.

275 Sobre o período de sua formação no colégio jesuíta, Descartes afirma, em sua correspondência, que passou "oito ou nove anos" no Colégio de La Flèche (Carta ao P. Grandany, 2 de maio de 1644 (AT IV, 122). A fórmula, que exprime uma certa hesitação quanto ao tempo efetivo que passou lá, lembra a expressão com que introduz as "três ou quatro" máximas da "moral provisória" na Terceira Parte do *Discurso* que acabamos de examinar.

as opiniões dos jesuítas e as aventuras militares pertenciam igualmente ambas a um mundo exterior que não continha em si mesmo os princípios de sua própria inteligibilidade, e que era no interior de sua mente que encontraria o caminho para bem se conduzir na vida. Como elemento de uma biografia que testemunha uma conversão intelectual, é relevante, portanto, entender que a decisão de compartilhar a sabedoria conquistada por esse novo método decorreu de um longo processo, envolvendo a consideração da totalidade da vida do narrador, e que *a própria narração* dessas hesitações desempenha uma função importante na divulgação do Método. Ela não é somente, pois, o relato de um fato encerrado no passado, mas, antes, realiza, no ato da leitura, a reflexão sobre a finalidade do método e suas condições de implementação, bem como de sua eficácia e do impacto que poderia ter na autoridade religiosa.

É preciso entender que esse aspecto *performático* da narrativa, não sem certa relação com a *performance* do *cogito*, está ligado à ausência, no interior da Sexta Parte, de *um outro livro*, contido negativamente em suas entranhas, o já referido *O Mundo*[276]. Em seu comentário ao *Discurso*, Étienne Gilson observa que *O Mundo* dependia, como de uma premissa fundamental, da tese do movimento da Terra, objeto da condenação de Galileu e razão da decisão de Descartes de suspender sua publicação. "Teria sido então muito francamente absurdo da parte de Descartes", conclui Gilson, "publicar como sua, no *Discurso*, a própria opinião que não quis publicar em *O Mundo*, uma vez que ele só escrevia o *Discurso* para poder, em seguida, publicar o primeiro"[277]. De fato, Descartes refere-se de forma oblíqua a essa "opinião de física" no início da Sexta Parte, sem mencionar o nome de Galileu (em seu lugar, ele coloca um adjetivo: "publicada um pouco antes por outrem"), sem, tampouco, afirmá-la nem negá-la (ela é uma opinião que, escreve Descartes, "não quero dizer" que a tive – e é sintomático o uso do verbo "querer" nessa frase: o fato de *não querer dizer*

276 Em uma carta a Mersene de fins de novembro de 1633, já citada em parte anteriormente, na qual comenta a condenação do *Sistema do mundo* de Galileu, Descartes anuncia sua decisão de não publicar seu livro sob uma forma mutilada; "nunca tive o humor inclinado a fazer livros", escreve aí Descartes, "e se não me tivesse engajado através de promessas com relação a vós e a alguns de meus outros amigos [....] Há já tantas opiniões em Filosofia que têm a aparência e que podem ser sustentadas em disputa, que se as minhas não têm nada de mais certo e não podem ser aprovadas sem controvérsia, não quero jamais publicá-las".

277 Gilson (1987, pp. 440-441).

que adere à tese de Galileu não implica que ele não aderiu a ela, o que não deixa de ser uma forma elegante de se omitir quanto a uma tomada de posição clara). Foi por não querer professar uma opinião prejudicial "nem à Religião nem ao Estado" que o autor julgou melhor se abster de divulgar seus resultados ("O que foi suficiente para me obrigar a mudar a resolução que tinha tido de publicá-los"). O texto publicado (mas quase voluntariamente suprimido) refere-se, pois, a outro texto, até certo ponto involuntariamente inédito, e encontra nessa referência sua justificativa: é o não-escrito que sustenta essa escrita. Além disso, algo dele pode ser adivinhado entre as linhas; uma opinião nem afirmada nem recusada sobre o movimento celeste perpassa todas as demais. Gilson assinala uma estratégia semelhante adotada por Descartes anos mais tarde, nos *Princípios*[278]: ao mesmo tempo em que afirma a translação da Terra, nega seu movimento, pois, relativamente ao céu no qual repousa, ela está parada, mas, em relação ao curso do céu, é transportada por seus movimentos, sem, entretanto, ela mesma se mover. Foi necessário, portanto, a Descartes, construir positivamente a narração da ausência do livro auto-censurado, pois ela era parte de seu projeto científico mais amplo.

A *performance* realizada pela narrativa escrita e lida manifesta-se também no trecho que encerra o primeiro parágrafo da Sexta Parte, na qual o narrador aparece dividido entre duas "inclinações" contrárias igualmente fortes. Inscrevê-las no papel obedece a um duplo interesse: o do próprio autor, de tornar públicas suas razões, e o do público, de conhecê-las ("não somente eu tenho aqui algum interesse de dizê-las, mas talvez também o público o tenha de sabê-las"[279]). Ou seja, não bastava divulgar suas "opiniões de física": seria necessário fazer o mesmo, mas *anteriormente*, com as razões que o levaram a publicá-las. Não se trata simplesmente de um ato de prudência, como o que está em jogo, por exemplo, em um pedido antecipado de desculpas ou em uma resposta a objeções meramente imaginadas, mas, antes, da compreensão aguda de que a *exposição pública* de seus dilemas fazia parte integrante das razões que venceram no processo deliberativo, e que levaram à publicação desse mesmo texto: é *porque* essas razões seriam *expostas* que a decisão de publicar o livro pôde

278 Cf. Gilson (*idem, ibidem*).

279 O interesse do autor é imediatamente acessível a ele mesmo, enquanto o do público só pode ser presumido com certo grau de probabilidade; é o primeiro, portanto, que desempenha o papel preponderante na deliberação.

ser enfim tomada. Se as *Meditações* têm por propósito fundamentar o conhecimento científico, a Sexta Parte do *Discurso* trata de legitimar sua existência mesma enquanto linguagem: só a linguagem filosófica pode tomar a linguagem científica como objeto, pois ela é a única que, ao ser dita/escrita, pode sustentar, *diante do público*, a necessidade da outra[280]. Dirigindo-se, assim, ao público, ele o fazia para exortá-lo a prosseguir no caminho aberto a partir do momento no qual ele mesmo não poderia – devido à brevidade da vida ou a dificuldades de realizar as experiências necessárias – continuá-las. A publicação de seus escritos aparecia como "o melhor remédio contra esses impedimentos", permitindo-lhe "comunicar fielmente ao público todo o pouco que tivesse descoberto"[281].

As razões contra a publicação eram, porém, fortes. Na verdade, voltava-se contra ela uma paixão, o ódio – e, mais especificamente, o ódio à escrita ("minha inclinação, que me fez sempre odiar o ofício de fazer livros ..."). Mais de dez anos depois, no Artigo 56 das *Paixões da alma*, o ódio é definido como o afeto que nasce da *representação* de um objeto como sendo mau ou nocivo em relação a nós. A enumeração das paixões, que havia começado no Artigo 53 com a admiração, derivou dessa última toda uma série de sentimentos morais (a estima, o desprezo, a generosidade, o orgulho, etc.) que não dependiam da percepção de seu objeto como sendo bom ou mau em relação a nós; é com o amor e o ódio que o texto introduz essa nova categorização e, a partir dela, a classificação das paixões em relação ao momento do tempo em que se situa seu objeto – assim, por exemplo, o desejo dirige-se a um bem que não temos ainda ou a um mal que acreditamos poder ocorrer (bem como à manutenção futura de um bem que já possuímos ou à ausência futura de um mal que tememos[282]).

Mas Descartes associou seu desejo não cumprido de indiferença em relação ao livro a ser publicado ao desejo, mais forte, de glória e reconhecimento ("... ainda que eu não ame a glória em excesso [....],

280 No Resumo que Descartes coloca entre o título do livro e a famosa primeira frase da Primeira Parte, a Sexta Parte é apresentada com as seguintes palavras: "E, na última [*Parte*], quais coisas ele [*o autor*] crê serem requeridas para ir mais adiante na pesquisa da natureza do que até onde foi, e quais razões o fizeram escrever" (AT, VI, 1).

281 AT VI, 63.

282 Artigo 57, AT XI 374-375.

entretanto jamais procurei esconder minhas ações como crimes..."[283]) – embora ele mesmo tenha relativizado o papel desempenhado por esse último. Era sobretudo pelo desejo altruísta de progredir em seu conhecimento, cuja efetivação dependia da divulgação[284] dos resultados por ele alcançados ("... por causa de uma infinidade de experimentos de que tenho necessidade, e que é impossível que eu faça sem a ajuda de outrem... "[285]), que se deveria explicar a publicação do *Discurso* e dos ensaios científicos que o acompanhavam. Ou seja, tratava-se de desejos que ultrapassavam sua individualidade, que a negavam e a ignoravam[286] em nome de algo impessoal, o conhecimento e a utilidade pública. Esse aniquilamento do autor é algumas vezes explicitamente reivindicado por Descartes; assim, explicando a Mersenne a razão de o *Discurso* ser publicado anonimamente, ele diz: "De resto, não quero

283 AT VI, 74.

284 Na *Carta ao padre Dinet*, que Descartes publicará na segunda edição latina das *Meditações*, em 1642, logo após as *Sétimas objeções e respostas*, ele trata de conseguir um aliado entre os membros da Companhia de Jesus, à qual, como já vimos, também pertencia Bourdin, autor das *Sétimas objeções*. Ele argumenta que, devido a suas múltiplas ocupações particulares, os membros dessa ordem tendem a seguir a opinião desfavorável daqueles outros de seus membros que primeiro leram um certo escrito, podendo até mesmo, em certos casos, simplesmente abster-se de lê-lo. A certa altura da carta, ele lembra a seu correspondente que a obra *Meteoros*, publicada seis anos antes, foi vítima de um tal destino: sendo o livro "... mais exato e mais verossímel do que qualquer um dos autores que escreveram sobre isso antes de mim [*quàm in ullis scriptis aliorum*], não vejo que haja razão pela qual vossos mestres de filosofia, que ensinam todos os anos os Meteoros em vossos colégios, não falem dele, a não ser porque, reportando-se talvez aos maus juízos que o R.P. fez dele, jamais se deram ao trabalho de lê-lo" (AT VII, 573). Comentando essa passagem em sua edição das obras de Descartes, Alquié sugere, em nota, que, durante a redação dos *Meteoros*, o autor seguiu de perto a forma dos manuais escolásticos, não apenas para, dessa maneira, melhor refutá-los, mas também porque "... ele sempre esperou ver suas próprias obras substituírem esses manuais, em particular nos colégios jesuítas: ele respeita, pois, a ordem e o planos deles" (Descartes (1967), vol. II, p. 1079). Como evidência para sua afirmação, Alquié remete o leitor a suas notas ao Discurso Sétimo dos *Meteoros* (intitulado *Des tempêtes, de la foudre et de tous les autres feux qui s'allument en l'air*).

285 AT VI, 75.

286 Seria possível remeter a esse desejo não egoísta à paixão da admiração, afeto que se encontra na base da ciência e que, não estando relacionada ao sangue, é isenta de interesses pessoais. Cf. *Paixões da alma*, Artigo 53 (AT XI, 373).

colocar nele meu nome, seguindo minha antiga resolução; e peço-vos para não dizer nada disso a ninguém"[287].

Mas a renúncia à fama pessoal não implicava a ausência de referência a si, na forma meditativa de um "eu" que expõe, aos demais, o curso interno de seus pensamentos – tal renúncia, ao contrário, demandava essa exposição. Logo, mesmo a invisibilidade autoral é exposta por meio de um artifício, é uma *estratégia retórica* – e seria preciso fingir denunciá-la para que o livro fosse digno de ser escrito. Entre a reserva em fazer promessas que não poderiam ser cumpridas[288] e o receio de ser admoestado por não ter cumprido seu dever[289], o que importa é narrar esse dilema, pois só isso tornaria possível o livro, ainda que fosse através do vislumbre de sua ruína[290]. Nesse relato, é reconstruída a unidade de uma obra ausente, forjada em uma metanarrativa que a descreve, o que inclui as peripécias em torno de sua decisão de não publicar o livro[291]. Se nós podemos *ler Descartes*, é somente às custas dessa operação de narrá-lo e de descobrir, nos signos escritos, *outros signos* – os nossos.

287 Carta a Mersenne de março de 1636 (AT I, 338). Em uma carta mais antiga (datada de abril de 1634) destinada ao mesmo correspondente, Descartes anuncia sua divisa, retirada de Ovídio: "*bene vixit, bene qui latuit*" ("viveu bem aquele que viveu nas sombras"). É irônico que o nome "Descartes" tenha sido, desde então, um dos mais *publicados* e divulgados. Mas, como ele mesmo diz na Sexta Parte do *Discurso*, lhe era completamente indiferente o destino de seu nome após sua morte.

288 Ver *Discurso*, Sexta Parte, AT, VI, 73 ("Mas, além do fato de que não presumo tanto de mim mesmo que queira prometer nada de extraordinário... ", e AT VI, 78 ("De resto, não quero falar aqui, em particular, dos progressos que tenho a esperança de fazer, no futuro, nas ciências, nem me engajar com o público com nenhuma promessa que não esteja certo de cumprir... "). Sobre as promessas como atos de fala na obra de Descartes, remetemos novamente o leitor a Ramond (2011).

289 Ver *Discurso*, Sexta Parte, AT, VI, 75 ("entretanto, não quero tampouco me diminuir tanto a mim mesmo a ponto de dar motivo àqueles que me seguirão, de me repreender algum dia... ").

290 Ao narrar, em uma passagem famosa relatada por Baillet na *Vie de Monsieur Descartes*, (reproduzida em AT X, 217-219) o sonho em que foi visitado pelo "espírito da verdade", que o inspirou a escrever toda sua obra, Descartes conta que ele *lê um livro*. Deve-se notar que Descartes não interpretou esse sonho como a manifestação de um erro ou engano dos sentidos, mas como a própria verdade revelando-se em si mesma.

291 Entre 1662 e 1677, as primeiras edições de *O Mundo* e do *Tratado do Homem* são publicadas. Na correspondência de Descartes entre 1631 e 1634, podemos acompanhar os planos para a composição dessas obras e as reflexões sobre a decisão de não as publicar.

CAPÍTULO III

O tempo da escrita

"Para apresentar sua filosofia completa, Descartes retomou o estudo dos organismos vivos. Sorbière, numa carta a Gassendi (escrita apenas em 1658), conta a resposta de Descartes a um amigo 'que o veio visitar em Egmond': questionado sobre as suas leituras, levou-o 'a um pátio, na parte de trás do seu alojamento. Mostrou-lhe um vitelo com a dissecação do qual se devia ocupar no dia seguinte'".
Geneviève Rodis-Lewis, *Descartes. A biografia.*

"Acreditamos que o homem possui 'consciência', mas, ainda assim, não 'pura' consciência. Desde o início, o 'espírito' é afligido com a maldição de ter o 'fardo' da matéria, a qual faz aqui sua aparição sob a forma de camadas agitadas de ar, sons, em suma, da linguagem ...".
Karl Marx e Friedrich Engels, *A ideologia alemã*[292].

Se a potência do infinito corroi de dentro as pretensões da teologia cartesiana, assombrando-a com o duplo espectro da vontade indiferente dos homens e de Deus e impedindo, assim, a realização perfeita de uma série finita de ideias – condição da escrita e da comunicação dos pensamentos –, é um outro elemento de sua metafísica que nos interessa examinar agora. Esse novo elemento, ao contrário da infinitude

292 As palavras de Marx e Engels ecoam a Terceira Carta de Johann Gottlieb Fichte em *Sobre o espírito e a letra na filosofia*, "Esta disposição interna do artista é o espírito de seu produto e as formas contingentes em que ele a expressa são o corpo ou a letra de sua obra. É aqui que entra a necessidade da arte mecânica". Fichte (2014), p. 153.

da vontade humana e divina, não ultrapassa nem escapa às séries nem as abre a uma insustentável vertigem do infinito, mas, ao contrário, é seu ponto inicial, constituindo o "princípio" mesmo da filosofia. Trata-se do próprio "eu" que pensa e que escreve, o autor escondido, imaterial, sob os signos impressos sobre o papel; será ele, veremos, que universaliza as reticências ligadas ao ato de escrever sobre teologia em direção à escrita em geral. É esse "eu", na medida em que é e não é o autor das palavras escritas, que poderá articular as resistências pontuais ligadas à publicação de opiniões teológicas ao ódio que Descartes dizia dirigir ao "ofício de fazer livros" em geral.

O exemplo privilegiado para examinar a função do "eu", entendido como produtor de textos, é dado pelas *Meditações metafísicas*, pois elas revelam, mais do que nenhum outro texto de Descartes, a construção de sua auto-imagem como autor – não apenas porque foram escritas em primeira pessoa do singular (o *Discurso* e, obviamente, toda a correspondência, também o são), mas, sobretudo, porque a forma mesma de uma "meditação", no sentido em que esse termo tinha no século XVII, envolve esse processo de autoconstituição. O ponto focal deste Capítulo será, pois, o texto das *Meditações*, embora algumas conclusões venham a ser aplicadas para outros textos cartesianos. A forma meditativa remete, inequivocamente, para os inúmeros guias espirituais da mesma época, todos eles relacionados, de uma forma ou de outra, com os *Exercícios espirituais* de Santo Inácio de Loyola, destinados a conduzir os devotos a uma conversão. Ao contrário de comentadores do passado[293], alguns estudos mais recentes têm colocado em dúvida uma relação mais próxima (de influência direta, por exemplo) entre as *Meditações* de Descartes e os *Exercícios* de Loyola. Assim, segundo Hermans e Klein, "a influência da espiritualidade da Companhia de Jesus sobre o pensamento de Descartes deriva mais de um parentesco de dinâmicas internas do que de um empréstimo lexical ou ideológico"[294]. Se abandonarmos, porém, a pretensão de determinar as "influências" – esse conceito tão escorregadio em história das ideias – que teria sofrido Descartes e nos limitarmos justamente ao nível lexical e ideológico,

293 Cf. Rodis-Lewis (1971), p. 451, Alquié (1950), pp. 34-35 e Beck (1965), p. 31. *Apud* Hermans e Klein (1996), p. 429, nota 4.

294 Hermans e Klein (1996), p. 438; tradução minha.

poderemos, ao contrário do que fazem Hermans e Klein[295] (os quais procuram estender o campo da genealogia das heranças espirituais de Descartes para um domínio mais amplo do que apenas os *Exercícios* de Loyola) explorar o aspecto *estilístico* que as meditações cartesianas compartilham com boa parte das meditações jesuítas do século XVII. Ou seja, ao invés de traçar linhagens, nos contetaremos, aqui, com a identificação de semelhanças.

Para o presente estudo, não será necessário tampouco expor um quadro classificatório exaustivo dessas semelhanças e dessas repercussões. Algumas delas, de resto já bem conhecidas, precisam apenas ser relembradas para que o procedimento mais importante possa ser, em seguida, esboçado: o fato de que tanto as *Meditações* cartesianas quanto muitas meditações devocionais tenham sido escritas como uma narrativa em primeira pessoa; de que essa narrativa estruture-se como a passagem de dias durante os quais as meditações ocorrem, cada uma delas ocupando uma jornada; a ordem dos "exercícios" presente em ambas, exposta como uma sequência cuidadosa de argumentos, conclusões e emoções correspondentes; o exercício ativo da imaginação das situações contrafactuais ou futuras; a revisão, no início de cada novo dia, dos resultados alcançados no dia anterior; a *via purgativa* da rejeição dos sentidos, pela qual o meditante recusa os erros do passado e previne-se para não os cometer mais no futuro, conduzindo assim à contemplação de Deus[296]; além do próprio *tema* de ambas (a existência de Deus e a separação da alma do corpo)[297]. A Segunda Meditação começa

295 Cf. Hermans e Klein (1996), p. 431: "... a Companhia de Jesus é, como Descartes, filha de seu tempo. Certos traços comuns à espiritualidade da Ordem e à filosofia de Descartes derivam de uma herança compartilhada pelo conjunto da cristandade do século XVI".

296 Cf. o final da Terceira Meditação, no qual Descartes propõe ao leitor uma *suspensão* temporária do ato de leitura: "Mas, antes de examinar mais cuidadosamente isso e passar à consideração das outras verdades que daí se podem inferir, parece-me muito a propósito deter-me algum tempo na contemplação deste Deus todo perfeito, ponderar totalmente à vontade seus maravilhosos atributos, considerar, admirar e adorar a incomparável beleza dessa imensa luz, ao menos na medida em que a força de meu espírito, que queda de algum modo ofuscado por ele, mo puder permitir" AT VII, 52; IX, 41.

297 Sobre essas semelhanças, cf. Rubidge (1990), p. 45. Porque continua pensando em termos da relação de influência e separando forma de conteúdo, porém, Rubidge conclui que essas similaridades "sugerem que as *Meditações metafísicas* estão conec-

com as seguintes palavras: "A meditação *que fiz ontem* encheu-me a mente de tantas dúvidas, que doravante não está mais em meu alcance esquecê-las"[298]; a Terceira Meditação introduz o novo dia com uma deliberação: "Fecharei *agora* [*nunc*] os olhos, tamparei meus ouvidos, desviar-me-ei de todos os meus sentidos ..."[299]; na Quarta Meditação, o texto inicial é: "Acostumei-me de tal maneira *nesses dias passados* [*his diebus*] a desligar minha mente dos sentidos [....] que agora desviarei sem nenhuma dificuldade meu pensamento da consideração das coisas sensíveis ..."[300]; na Quinta Meditação, lemos, em sua segunda frase: "*E agora* [*jamque*] nada me parece mais urgente do que [....]tentar sair e desembaraçar-me de todas as dúvidas em que mergulhei *nesses dias passados*...."[301]; finalmente, a Sexta Meditação nos avisa que "*Só me resta agora* [*reliquum est*] examinar se existem coisas materiais"[302]. A Primeira Meditação, na medida mesma em que se apresenta como um ponto inaugural, não pode remeter a meditações anteriores, mas nem por isso deixa de começar por uma remissão ao passado – não da iluminação, mas da obscuridade: "*Há já algum tempo* eu me apercebi de que, *desde meus primeiros anos*, recebera muitas falsas opiniões como verdadeiras [....] *Agora*, pois, que minha mente está livre de todos os cuidados, e que consegui um repouso assegurado [*securum otium*] numa pacífica solidão, aplicar-me-ei seriamente e com liberdade em destruir todas as minhas antigas opiniões ..."[303]. Todos os grifos que aparecem nas citações acima foram acrescentados na tradução.

tadas à tradição da meditação. Na ausência de outras analogias, entretanto, elas não justificam a conclusão de que as *Meditações* são influenciadas de modo significativo pelo ou modeladas a partir do gênero meditativo. As semelhanças são relativamente poucas, algumas são ou vagas ou tênues, e nenhuma toca realmente nos conteúdos das *Meditações*. Elas apontam para uma relação à tradição meditativa, mas a linha de argumentação não parece por si mesma ser influenciada pelas convenções do gênero" (cf. Rubidge, 1990, p. 48).

298 AT IX, 18 (o texto latino é mais conciso: "*In tantas dubitationes hesterna meditatione conjectus sum, ut nequeam amplius earum oblivisci ...*" (AT VII, 23).

299 AT VII, 34; IX, 27.

300 AT VII, 53; IX, 42.

301 AT VII, 63; IX, 50

302 AT VII, 71; IX, 57.

303 AT IX, 13.

Todos esses fatos bem conhecidos, repetimos, são uma condição de inteligibilidade da análise que proporemos a seguir, na medida em que eles situam esse conjunto de textos no contexto das instituições da Igreja da contra-reforma. O procedimento estilístico-ontológico em que nos concentraremos, porém, é outro, diferente de toda forma de "contextualização": trata-se aqui de compreender a figura do autor como uma espécie de ponto sem extensão, fora do tempo, a partir do qual ele julga *a totalidade* do tempo de uma tradição passada. A presença do autor manifesta-se na tensão entre o tempo da meditação introspectiva, realizada anteriormente por ele, e a narração de seu passado ao leitor. Porque se inscreve necessariamente no tempo, a linguagem escrita introduz essa tensão no momento mesmo em que aponta para sua superação, e a figura de um autor *novo*, e que diz coisas novas (um "inovador", em suma), surgirá no horizonte da cultura europeia, dominando parte do imaginário intelectual (não apenas filosófico, mas também científico e literário) de boa parte do Setecentos. Se Descartes é, ainda hoje, um autor incontornável – e se nos for permitido, agora, sugerir uma genealogia –, é porque ele, de certa forma, está no nascimento da ideia mesma de autoria (pelo menos tal como ela foi entendida pelo século XVIII, e recusada, em grande medida, pelos pós-Kantianos e pelos Românticos do século seguinte – isto é, *por nós*). Ao libertar as meditações religiosas de seu contexto estritamente salvífico, a ideia de autor torna-se separada do percurso meditativo em direção a Deus: para provar o caminho apontado no livro, era preciso, antes, perguntar-se por *quem* o aponta. Daí a necessidade de Descartes abordar, de forma explícita, a figura do meditador[304].

Em muitos momentos, Descartes tematiza a *forma* meditativa, mas em nenhum outro lugar isso é feito tão claramente quanto no final das *Segundas Respostas*, à guisa de introdução para a *Exposição geométrica*

304 Bernard Williams (1978, p. 69) explica a forma das meditações cartesianas em primeira pessoa do singular de uma maneira simetricamente oposta a esta sugerida por mim, na medida em que a remete para o que ele denomina "projeto de Investigação Pura". Segundo Williams, "... quando a busca da verdade assume a forma especial da Investigação Pura [*Pure Enquire*], a natureza da investigação parece de fato adotar um elemento distintivo de primeira pessoa" – e a explicação de Williams para essa conexão essencial é que a "Investigação Pura procura maximizar a proporção de verdade [*truth-ratio*] entre as crenças que se tem", o que, por sua vez, "envolve a reflexão crítica não sobre o conteúdo das crenças, mas sobre os métodos para adquiri-las".

que a segue. Descartes cede aí, não sem antes exprimir uma certa *resistência*, aos apelos do objetor (Mersenne) para que ele expusesse sua filosofia segundo a "ordem sintética" da geometria; em resposta, Descartes nos adverte que, ao contrário da geometria, cujos princípios são facilmente apreendidos pelos sentidos, a filosofia lida com princípios puramente intelectuais, que muitas vezes são contrários aos preconceitos adquiridos através dos sentidos, "aos quais damos nosso assentimento desde a infância"[305]. Por essa razão, as proposições da metafísica, se fossem expostas geometricamente, "seriam facilmente negadas por aqueles cujo espírito é propenso à contradição"[306]. Logo em seguida, Descartes explica o abandono do estilo filosófico tradicional e a escolha da forma das meditações; as razões alegadas por ele relacionam-se prioritariamente a uma questão ligada à *atenção*:

> Esta foi a causa pela qual preferi escrever meditações e não disputas, como fazem os filósofos, ou teoremas ou problemas, como os geômetras, a fim de testemunhar com isso que as escrevi tão-somente para os que não se recusarem a considerar as coisas com atenção e meditar comigo. Pois, pelo fato mesmo de que alguém se prepare a fim de impugnar a verdade, ele se torna menos capaz de percebê-la, porquanto *desvia o espírito da consideração* das razões que o persuadem dela para aplicá-lo à busca das que o dissuadem[307].

O "tempo da persuasão", se nos for permitido acrescentar uma nova expressão às qualificações do tempo discriminadas por J.-M. Beyssade[308], explica a adesão irresistível de nossa vontade ao que é percebido presentemente como claro e distinto. Na geometria, da "facilidade" com a qual aceitamos seus primeiros princípios, decorre que sua única dificuldade ulterior se refere à memória: suas deduções podem ser feitas

305 AT VII, 157; IX, 123.

306 *Idem, ibidem.*

307 *Idem, ibidem*; grifo acrescentado na tradução. Deve-se notar que as *Objeções* e *Respostas* acrescentadas por Descartes às *Meditações* não são uma concessão à forma tradicional da "disputa" filosófica, mas, ao contrário, visam conduzir essa última à forma meditativa, absorvendo-a e anulando-a em seu interior.

308 Como vimos na Introdução, Beyssade (1979) discrimina os "tempos" da intuição, da dedução e da enumeração.

> ... mesmo por quem é menos atento, desde que se recorde apenas das coisas precedentes; e, daí, fazendo a distinção de detalhes das proposições, a fim de que sejam [*consideradas*] separadamente, de tal modo que se lhes possam citar em seguida...[309].

Ora, a filosofia, ao contrário, apresenta uma dificuldade *de princípio*: suas noções mais simples não sendo tão facilmente apreendidas quanto as da geometria, suas deduções, tampouco, podem se beneficiar dos recursos mnemônicos das exposições geométricas, nem de seu esquematismo imaginativo. Ou seja, o problema que se coloca a filosofia não é o de partir de primeiros princípios, mas antes o de chegar a eles. Enquanto as "regras metodológicas" do *Discurso* podiam nos guiar na busca da verdade, o caminho traçado pelas *Meditações* é feito como que às cegas, à medida que se caminha. Nesse percurso, os pensamentos do meditador devem ser fortemente contrapostos à linguagem que os expressa, como uma condição de inteligibilidade *da própria linguagem*, pois essa última não é um instrumento dócil de exposição de verdades já alcançadas antes, mas sim a expressão de novas ideias – sendo também, simultaneamente, um obstáculo a elas. Esse duplo aspecto da "linguagem metafísica" será mais bem entendido se atentarmos para o fato de que a linguagem é, para Descartes, essencialmente um recurso *mnemônico*, não tendo, pois, nenhum papel na constituição dos pensamentos[310].

Para entendermos, pois, o modo como Descartes se autorrepresentava como autor nas *Meditações*, será preciso esclarecer a função que a introspecção, a intuição presente e a memória desempenham em seu texto. Em todos esses tópicos, deveremos levar em consideração a interminável discussão existente entre os comentadores a respeito da concepção cartesiana do tempo, segundo a qual ele deveria ser entendido ou bem como uma sucessão de instantes discretos, ou bem como uma duração contínua. O caráter *metafísico* do texto será revelado na

309 AT VII, 157; IX, 122. A versão francesa acrescenta várias ideias ao original: "*ce qui se peut faire par toutes fortes de personnes, même par les moins attentives, pourvu seulement qu'elles se ressouviennent des choses précédentes; & on les oblige aisément à s'en fouvenir, en distinguant autant de diverses propositions qu'il y a de choses à remarquer dans la difficulté proposée, afin qu'elles s'arrestent separement sur chacune, & qu'on les leur puisse citer par après, pour les avertir de celles ausquelles elles doivent penser*".

310 No século XVII, Leibniz representa uma exceção relativamente rara a essa teoria cartesiana da linguagem.

confrontação entre o tempo da escrita e o tempo da meditação – ou seja, entre a extensão e o pensamento.

Nas primeiras edições do texto das *Meditações* no século XVII, o parágrafo que iniciava a Primeira Meditação só se encerrava no terceiro parágrafo da Segunda Meditação. A diagramação do texto demandava, pois, uma leitura de um só fôlego, através de um longuíssimo parágrafo ininterrrompido, ainda que, no começo da Segunda Meditação, lêssemos: "A meditação que fiz *ontem*..."[311], remetendo o leitor, portanto, a uma pausa, um intervalo de tempo, e à sua retomada. Esse quase imperceptível confronto entre a informação dada pela materialidade do texto impresso[312] e seu conteúdo declarado indica justamente a oposição entre dois processos temporais: por um lado, a escrita fornece visualmente a sugestão de uma continuidade, enquanto o pensamento recomenda uma interrupção e um repouso[313]. É a natureza finita do pensamento que impõe a necessidade da interrupção, pois nossa capacidade de atenção não pode se manter por muito tempo inalterada ("... sou também de tal natureza que não posso manter sempre a mente ligada a uma mesma coisa ..."[314]). Como as *Meditações* são escritas majoritariamente no tempo verbal presente, apresentando-se como a realização *atual* de um fluxo de pensamento que se realiza diante dos *olhos* do leitor – como se o pensamento fosse uma coisa extensa, que pudesse ser, portanto, vista e tocada –, a tensão entre essas duas sugestões de leitura revela justamente a figuração do autor do texto como aquele

311 AT VII, 23, grifo acrescentado na tradução.

312 É claro que há outro aspecto material do texto que assinala a existência de uma ruptura, a saber: a divisão gráfica entre a última página da Primeira Meditação e a primeira página da Segunda Meditação. Esse outro signo material apenas reduplica a tensão apontada acima.

313 Assim, Descartes nos recomenda mais de uma vez que não nos detenhamos na Primeira Meditação apenas o tempo requerido para sua leitura, mas que nela permaneçamos até que a dúvida radical se instale totalmente em nosso espírito. Mesmo a pequena nota do "Livreiro ao Leitor" que se segue ao "Prefácio do Autor ao Leitor" na primeira edição francesa das *Meditações* emula esse lugar-comum do cartesianismo, ao recomendar que o livro seja lido "sem prevenção, precipitação, e com o objetivo de se instruir; dando primeiramente a seu autor o espírito de aluno [*l'esprit d'écolier*], para assumir o papel, em seguida, do de censor. Esse método é tão necessário para esta leitura que posso chamá-la de chave do livro, sem a qual ninguém o poderia bem entender". (AT IX, 3).

314 Quinta Meditação, AT VII, 69.

que se encontra no limite sem espessura entre ambas: o autor é esse limite textual. Afinal, o olho que observa o campo visual não pode ser, ele mesmo, um dos objetos vistos[315], mas pode mostrar-se *nos limites* do campo visual[316], ou seja, como sendo, ele mesmo, de alguma forma, um "dado" fenomênico – entenda-se, *do fenômeno textual.*

É no quarto parágrafo da Segunda Meditação que aparece, pois, ao menos se nos guiarmos pelo tempo da escrita e seus signos gráficos, a primeira interrupção do texto. O que surge depois dessa pausa é a intuição intelectual do primeiro princípio da filosofia, ou melhor, é sua expressão através de uma proposição, "eu penso, eu existo" ["*ego cogito, ego existo*"]. O que é intuitivo nesse pensamento é a conexão necessária entre seus dois elementos: é ela que dá ao "eu" pensante a necessidade peculiar de um fundamento. Não nos detenhamos aqui na longa disputa levada a cabo entre alguns comentadores – e o primeiro deles foi o próprio Descartes, ao revisitar seu texto – sobre o estatuto desse princípio, isto é, se o assim chamado "argumento do *cogito*" é uma dedução ou uma intuição – e, se for uma dedução, se tem algo em comum com um silogismo ou não. O que nos interessa aqui é notar a inescapável natureza intuitiva da ligação entre seus elementos – afinal, uma dedução não é nada além, como diz Descartes na *Regras*, do que uma série de naturezas simples conectadas por intuições intelectuais. Mais interessante ainda é observar como a natureza intuitiva da ligação é expressa por uma conjunção oculta: "eu penso, [logo] eu existo"[317]. A ausência de um elemento linguístico para expressar a intuição remete, por assim dizer *pela sua omissão mesma*, para a natureza puramente intelectual daquele que, ao intuir a conexão, não faz nada além do que se intuir a si mesmo como "*res cogitans*". A palavra "eu", portanto, indica uma entidade para além da palavra escrita, de um modo distinto ao de outras palavras no livro – "Deus", "corpos", "mundo", "homens" –, as quais fazem referência a objetos "fora" do pensamento. A diferença reside

315 Como diz Wittgenstein em seu *Tractatus Logico-philosophicus* (5.6.331) – e, em termos mais específicos, Kant, *Crítica da razão pura*, "Da unidade sintética originária da apercepção" § 16 da Primeira Parte da "Doutrina transcendental dos elementos" (B 132-133).

316 José Luis Bermudez (1998).

317 Como é bem sabido, na Quarta Parte do *Discurso* a conjunção aparece: "*je pense, donc je suis*".

no fato de que o "eu" e as palavras que ele escreve não estão articulados apenas pela relação de referência, mas antes pela de expressão: elas são palavras "autorais". Essa segunda relação introduz, pois, uma discrepância entre dois tempos: o da concepção e o da enunciação escrita. Isso fica claro pela oposição, perceptível no texto, entre as inscrições no papel, que servem como um "auxiliar da memória" ao fixar graficamente seus enunciados, e a restrição temporal da existência do "eu" que as enuncia: "... esta proposição, *eu sou, eu existo,* é necessariamente verdadeira todas as vezes que a enuncio ou a concebo em meu espírito [*quoties a me profertur, vel mente concipitur*]"[318]. O "ou" dessa última frase exprime uma correção: ao invés de "enunciadas" – o que suporia a existência de uma boca, com sua língua e dentes (ou seja, suporia a existência do corpo) –, as palavras devem ser suprimidas em favor das ideias que elas expressam, reduzindo as palavras ao modo como são "concebidas" pelo espírito, através de sua imaginação visual ou sonora.

É claro que o tempo verbal presente não poderia eludir o fato, para os leitores, de que eles estavam diante de uma experiência passada; mas, através do presente da narrativa, o que as meditações do século XVII (incluindo aí as meditações religiosas) induziam o leitor a fazer era uma emulação do processo já percorrido, o qual eles adivinhavam na materialidade das páginas seguintes ainda a ser lidas que tinham entre as mãos. A polêmica de outrora, cultivada por alguns comentadores, sobre se a obra de Descartes[319] deveria ser entendida prioritariamente no registro de uma experiência vital ou de uma "ordem das razões" puramente lógica revela aqui toda sua inutilidade, visto que ambas são indissociáveis entre si: é só no confronto ou no intervalo entre o "tempo da evidência" e o "tempo da escrita" que o "eu" pode aparecer. Que esse intervalo se mostre, logo no parágrafo seguinte, como tendo uma natureza substancial ("*ego sum res cogitans*") não modifica a percepção de sua propriedade temporal mais básica, a de existir como um "átomo de pensamento" (para usar a expressão leibniziana) discreto temporalmente de seus outros instantes, átomo esse visível nos interstícios da linguagem. Afinal, mesmo que substancial, esse "eu"

318 AT VII, 25; IX, 19.

319 Particularmente, na polêmica que opôs Ferdinand Alquié a Martial Gueroult. Cf. Peden (2014), Capítulo 2, "Spinoza Contra Descartes: Martial Gueroult versus Ferdinand Alquié", pp. 65-94.

pode bem, dada a dúvida metafísica do "Deus enganador", ter apenas uma existência interrompida ou instantânea[320].

Se a existência do "eu" – bem como a de "outros eus" e a dos corpos – é pensada ou *representada* como uma sucessão discreta de pontos temporais, então podemos compreender melhor a relação de Descartes com a tradição, e com os livros que a preservam[321]. A oposição às tradições mortas e a autodenominação de "inovador" decorriam não apenas de uma oposição ao *conteúdo* das teses e doutrinas às quais ele opunha as "boas novas", mas sobretudo da oposição entre dois tipos distintos de temporalidade, a da escrita e a do mental, ou seja, a da extensão e a do pensamento, pois é essa última oposição que permite a primeira.

Há, como reconhecem muitos comentadores, uma tensão entre as teses cartesianas sobre a divisibilidade infinita da matéria e a sobre a existência de múltiplas susbtâncias materiais individuais: dada a continuidade da extensão corporal, parece seguir-se que há uma só substância extensa – em uma espécie de spinozismo *avant la lettre*[322] –, a qual não admitiria substâncias extensas individuais independentes umas das outras. Haveria uma tensão semelhante no caso das partes temporais? Tad Schmaltz acredita que sim. Segundo ele, poderíamos suspeitar que a tese cartesiana de que a separabilidade mútua é uma condição suficiente da distinção real entre indivíduos ou entidades quaisquer implicaria que a diferença entre as partes temporais da mente compõe uma pluralidade de átomos (substâncias) temporais[323]. Como nota Schmaltz, ainda que as as partes temporais devam ser entendidas a partir da noção de distinção modal, Descartes não explica por que o pensamento humano não pode ser dividido em um número finito de partes: mesmo que a criação de Deus seja contínua (ou seja, Ele não recriaria o mundo a cada instante, pois a criação é um ato único, fora do tempo), o

320 Sobre a ideia de substâncias dotadas de existência instantânea, cf. David Hume, *Tratado da natureza humana*, Livro I, Parte 4.

321 Como vimos, Descartes rejeita veementemente a acusação de Voetius segundo a qual ele *odiaria* os livros; entretanto, além de expressar "ódio" pelo ofício de fazer livros, Descartes também deixa transparecer – por exemplo, na Primeira Parte do *Discurso* – um certo desdém pelos livros já escritos que ele herdou da tradição.

322 Leibniz, por inúmeras vezes, afirmou que o spinozismo não era nada além do que o cartesianismo levado às suas últimas consequências.

323 Schmaltz (2009), p. 130.

ente criado bem poderia ser uma sucessão de instantes descontínuos[324]. No entanto, Descartes afirma enfaticamente que, contrariamente ao que ocorre com a extensão, as partes temporais da substância pensante têm uma "natureza indivisível"[325], o que significaria que ela é um contínuo temporal unido a um corpo tridimensional divisível. Mas, do fato de uma substância pensante ter uma "natureza indivisível" não se segue que, ao ser recriada a cada instante por Deus, essa natureza tenha sido dividida – a única coisa que se segue, de fato, é que o tempo no qual ela existe é divisível. Como dissemos acima, o próprio Schmaltz reconhece essa possibilidade: embora Deus seja caracterizado por Descartes como uma coisa pensante infinita que não comporta divisão de partes temporais (uma vez que é eterno), ele teria de apresentar um argumento a favor da tese de que uma mente finita existente no tempo não pode ser composta por instantes sucessivos, eles mesmos desprovidos de duração[326]. Assim como ocorreu no caso da determinação da natureza da vontade, Descartes poderia apelar aqui, à guisa de argumento, para uma *experiência* de introspecção, pela qual constatássemos de forma evidente e indubitável a continuidade de nossos pensamentos. Esse não seria, porém, um bom argumento, pois ele não exclui a possibilidade de estarmos enganados a respeito de nós mesmos, justamente pela *finitude* de nosso intelecto – no caso da vontade, como já foi estabelecido mais acima, sua *infinitude* não pode ser senão clara e distintamente percebida, excluindo-se, assim, a possibilidade de engano a respeito de sua natureza. Da mesma maneira, ainda que *nossa* percepção finita do tempo o represente como contínuo, Deus pode tê-lo criado como descontínuo. Curiosamente, como nota Schmaltz, Descartes tem um argumento convincente para mostrar que o movimento corporal só pode ser entendido como sendo indefinidamente divisível, não dispondo, porém, de um argumento análogo para o caso do pensamento. De fato, não é possível enunciar um argumento para a indivisibilidade do pensamento a partir da constatação factual, introspectiva, da união causal entre a alma e corpo, de tal modo que as propriedades temporais do segundo fossem como que "transferidas" para o primeiro – justamente

324 Schmaltz (2009), pp. 133, 143.

325 Schmaltz (2009), p. 130.

326 Schmaltz (2009), p. 141.

porque a união é, segundo Descartes, um fato metafisicamente contingente. Que alguns pós-cartesianos, como Robert Desgabets, tenham derivado a divisibilidade indefinida da duração mental do *fato* da união da mente com o corpo não elimina a ausência de uma *justificação* para essa tese no interior dos escritos de Descartes. Ao contrário: tendo ele admitido a existência de uma duração puramente espiritual (por exemplo, quando tematiza a memória intelectual na *Conversação* com Burman), a distinção real entre mente e corpo não lhe permite apelar para sua união ao explicar a temporalidade própria a cada tipo de substância. Assim como, no caso da substância extensa, as divisões entre suas partes parecem poder ser somente modais, antecipando assim a substância única spinozana, no caso da substância pensante nem ao menos uma distinção modal parece poder ser justificada pela mera *natureza* do pensamento – embora ela não seja, tampouco, contraditória com tal natureza. Teríamos de encontrar um outro critério para decidir entre essas duas possibilidades igualmente plausíveis. Tentaremos encontrar tal critério ao analisar o papel da memória na fundamentação do conhecimento, de tal modo que, como veremos no final deste Capítulo, esse critério possa ser confirmado no contraste entre as naturezas da extensão e do pensamento, e não na sua *união*. Em outras palavras: a investigação deve abordar não a natureza do tempo, mas sim a função positiva da memória na articulação da dúvida metafísica e na resposta ao ceticismo, tal como ambas são formuladas nas *Meditações*. Uma vez estabelecida a importância de uma fundamentação da memória no projeto metafísico de Descartes, será possível, em seguida, mostrar como o "tempo da escrita", compreendido como oposto ao "tempo da meditação", demanda uma compreensão do autor como o habitante de uma sucessão de instantes discretos. Essa caracterização de si mesmo como um "eu" que, fora da continuidade de uma tradição, escreve suas meditações, é mais um passo na descrição da autofiguração da ideia cartesiana de "autor" e de "autoria" que perseguimos desde o começo deste livro.

Na *Conversação com Burman*, há uma explicação clara sobre a função da linguagem em sua relação com o pensamento. A *Conversação* não é, como se sabe, um texto cartesiano: ela é apenas um (suposto) relato retrospectivo de um encontro entre o filósofo já famoso (o encontro teria ocorrido no dia 16 de abril de 1648) e um jovem estudante de filosofia, François Burman, no qual esse último percorre os principais textos de Descartes disponíveis na época e lhe formula perguntas sobre cada um deles[327]. O manuscrito encontra-se arquivado na biblioteca da Universidade de Göttingen (Cod. Ms. philol. 264). Burman era filho de um pastor de Leyde, provavelmente amigo de Descartes. O título completo do manuscrito de Göttingen, supostamente ditado por Burman a Clauberg quatro dias depois do encontro – portanto, em 20 de junho de 1648 – é *Respostas de René Descartes a certas dificuldades tiradas de suas Meditações e de outros textos recolhidos* (*Responsiones Renati Des Cartes ad quasdam difficultates ex meditationibus ejus etc. ab ipso haustæ*). Ao invés de criar um obstáculo à compreensão do ponto que nos interessa, o caráter *indireto* desse texto pode, ao contrário, nos ser especialmente útil. Por ele podemos compreender como o século XVII figurava Descartes enquanto ele dava a entender suas teses em "viva voz". Que se trate de uma representação escrita de como esse diálogo se deu, isso apenas nos reconduz novamente da ideia de uma voz originária à dispersão dos signos impressos. Uma questão que não pode ser respondida sobre o manuscrito de Burman é se ele tomou notas durante o encontro com Descartes ou se se fiou na sua memória; também aqui, porém o fato de usarmos um texto talvez escrito *de memória* para tratar justamente da questão *da memória* e da escrita pode antes nos ajudar do que atrapalhar, uma vez que nossa abordagem deverá levar em conta, de alguma maneira, essa espessura da passagem do tempo como um ato realizado na linguagem escrita. Uma segunda questão sem resposta sobre o texto diz respeito à língua em que a conversa se deu: provavelmente em uma mistura de latim e holandês, já que as edições das obras cartesianas comentadas são as latinas – inclusive o *Discurso*, escrito originalmente em francês –, e Burman não conhecia bem essa última língua[328]. Ou seja, trata-se aqui de um texto que não expressa

327 Sobre o debate a respeito da autenticidade do relato de Burman, acompanhado de uma análise histórica e filológica da *Conversação*, cf. Xavier Kieft (2009). Como lembra o autor, não devemos nos esquecer de que o manuscrito é "um caderno contendo a cópia da transcrição de uma discussão", o que lhe confere um caráter extremamente mediado.

328 Cf. Introdução de Charles Adam à edição do *Entretien avec Burman* (Descartes, 1975, p. x).

diretamente os *pensamentos* de seu autor, mas que os representa a linguagem oral do diálogo, o que o remete à situação paradigmática pela qual os filósofos geralmente explicavam a natureza da escrita, a saber: como uma representação dos sons articulados[329]. Independentemente da resposta à questão sobre sua autenticidade, o manuscrito de Göttingen costuma ser tomado – primeiramente pelo editor da edição canônica da obra de Descartes, Charles Adam, ainda no século XIX – *como se fosse* a reprodução escrita de um registro originalmente oral, o que faz dele um texto testemunhal que se estrutura justamente a partir da separação nítida entre texto e voz. Uma característica desse texto é o fato de ele não marcar sempre com total clareza as forneiras entre as citações dos textos de Descartes, as objeções ou perguntas de Burman e as respostas do primeiro – restando-nos, assim, um trabalho editorial a ser feito por nós, leitores. Também esse fato nos remeterá, mais do que impedirá, nosso acesso à teoria da escrita do próprio Descartes.

Na seção da *Conversação* dedicada às *Meditações*, há um trecho sobre a Primeira Meditação que é muitas vezes usado como evidência para uma certa interpretação da refutação cartesiana do ceticismo, através da prova da existência de um Deus veraz, a saber: para a interpretação segundo a qual o *problema* a ser respondido nas *Meditações* não está relacionado à fidelidade da memória, mas antes à confiabilidade das ideias do entendimento. Segundo a objeção formulada por Burman, Deus tenderia em direção ao nada ["*Et hinc Deus deberet ferri in nihil*"] "se minha faculdade de perceber, enquanto a tenho vinda de Deus, ou seja, enquanto faço bom uso dela, não assentindo a não ser ao que é claramente percebido, me iludisse e enganasse [*me deciperet et falleret*]" – pois, se fosse assim, "o próprio Deus me iludiria"[330], na medida em que ele é o criador de meu ser e de minhas faculdades. Além dessa dificuldade inicial apontada por Burman, há uma segunda, relacionada desta vez à confiabilidade de uma outra faculdade, a memória. Segundo Burman, mesmo que o primeiro problema fosse resolvido, restaria o segundo. Ele expressa-se, nesse ponto, exatamente como se reportasse as meditações do próprio "eu" solipsista:

329 Cf. Aristóteles, *De Interpretatione*, 16a 1-25.

330 AT V, 148; Descartes (1975), p. 8.

> Mas alguém dirá: depois que demonstrei a existência de Deus, e de um Deus não enganador, posso dizer, não que meu intelecto me engana [*non me quidem fallit ingenium*], com a retidão que Deus lhe deu, mas que minha memória me engana, porque parece-me que me recordo de uma coisa, da qual em verdade não me recordo, pois ela é fraca [*quia ipsa imbecillis est*][331].

A resposta de Descartes, ou do Descartes *de Burman*, é aquela que serve como um dos apoios textuais para a interpretação dominante do significado da crítica ao ceticismo, tal como ela aparece nas *Meditações*: "Sobre a memória, não posso nada dizer: a cada um [cabe] experimentar se se recorda bem: e se se duvida disso, é preciso a escrita ou coisas similares que o ajudem [*opus est scriptione et similibus, quæ ipsum juvent*]". Ou seja, se Descartes "não pode dizer nada", é porque essa é, aparentemente, uma experiência irrelevante para o argumento metafísico: não seria a memória, mas sim o entendimento, que estaria em questão. Ao contrário, é só porque a memória é confiável que é possível seguir a ordem das meditações; e, se Descartes as *escreveu* e publicou, foi para *ajudar* os outros, através desses signos impressos, a fazer o mesmo.

A conversa com Burman dirige-se, então, para a questão do "círculo cartesiano" identificado por alguns como a dificuldade central que a refutação do ceticismo proposta por Descartes, isto é, a prova da existência de Deus, deve enfrentar: a prova precisa partir de axiomas, diz Burman, e, no entanto, o autor não pode ainda estar certo, no momento em que os usa, de não se enganar com eles. A resposta de Descartes é a que ele recorrentemente dá quando confrontado com essa objeção: *durante o tempo* em que nossa atenção está fixada nos axiomas, não podemos nos enganar a respeito deles; há, segundo ele, uma mudança de estados cognitivos ao longo do trajeto das meditações, de tal modo que aquilo que concluímos a partir do uso de certos axiomas muda o estado mental em que nos encontrávamos durante o período em que nossa mente era dominada pelo pensamento da dúvida. Essa

331 AT V, 148; Descartes (1975), p. 8. Essa qualificação da memória ecoa uma passagem similar nas *Regras*, Regra XI: "É, de fato, da memória que depende, como vimos, a certeza das conclusões que abarcam mais termos do que podemos apreender em uma única intuição; ora, a memória é coisa instável e frágil ... [*cum labilis sit & infirma*]" (AT X, 408).

situação cognitiva dinâmica impede, segundo Descartes, que uma objeção puramente lógica a sua refutação do ceticismo (isto é, uma objeção *atemporal*, que diz respeito à relação estrutural fixa entre premissas e conclusões) seja válida. O ponto que mais nos interessa nessa resposta é a oposição que Burman passa a fazer entre "duração" e "instante": nossa mente só pode pensar em uma única coisa ao mesmo tempo, diz ele, e, portanto, qualquer prova mais longa, como o é a prova da existência de Deus, não pode ser retida na memória por tempo suficiente para assegurar seu sucesso. "Além do mais", continua ele, "todo pensamento se faz em um instante [*omnis cogitatio fit in instanti*], e nos vêm à mente muitos pensamentos nessa demonstração"[332]. Descartes nega as duas objeções: "não é verdade que nossa mente só possa conceber uma coisa ao mesmo tempo", pois, embora ela não possa conceber muitas coisas simultaneamente, pode, entretanto, conceber algumas (trata-se, portanto, de uma questão de *graus*[333] no exercício de uma faculdade). Também é falso que o pensamento se faça em um instante ["*quod cogitatio etiam fiat in instanti, falsum est*"], continua Descartes, pois todas as minhas ações se fazem no tempo ["*omnis actio mea fiat in tempore*"]. Na sequência do texto, fica claro que Descartes não se refere apenas ao tempo, medida arbitrária da duração[334], mas à duração mesma: nosso pensamento deverá certamente ser tomado como extenso e divisível, não quanto à sua natureza, mas quanto à sua duração ["*Erit extensa et divisibilis quoad durationem* [....] *sed non tamen est extensa et divisibilis quoad suam naturam*"]. A duração de nossa mente é, pois, passível de

332 AT V, 148; Descartes (1975), p. 8.

333 O próprio Descartes gabava-se de ter uma imaginação extremamente vívida, sendo capaz de formar mentalmente a imagem de figuras de muitos lados, enquanto a maioria dos homens comuns só consegue imaginar, no máximo, figuras de cinco ou seis lados.

334 Cf. *Princípios da filosofia*, I, Art. 57: "dessas qualidades ou atributos, há alguns que estão nas coisas mesmas e outros que só em nosso pensamento; assim, o tempo, por exemplo, que distinguimos da duração tomada em geral e que dizemos ser o número do movimento, não é nada além do que uma certa maneira pela qual pensamos nessa duração ..." (AT VIII, 26-27; IX, II, 50). Apesar de a distinção terminológica ser importante para evitar erros conceituais, manterei, neste texto o uso dos termos "tempo" e "temporal" para designar a duração, evitando, assim, o uso de termos pouco usuais como "duracional". O contexto esclarecerá, eu creio, que esses termos se referem indiretamente à duração, e não à sua medida arbitrária.

ser medida pelo tempo: "eu posso dizer que continuo e persevero no mesmo pensamento durante um certo tempo"[335].

Todo o esforço de J.-M. Beyssade, em seu livro *La philosophie première de Descartes*, é mostrar que a concepção do tempo como composição de instantes discretos, formulada – pelo menos tal como o parece à primeira vista – em seu tratamento das coisas extensas, deve ser corrigida pelas passagens em que se trata do pensamento, a partir das quais devemos concluir que a duração contínua faz parte da natureza não só do pensamento, mas também das próprias coisas espaciais. Contra J.-M. Beyssade, veremos que a duração do pensamento, entendida como um todo contínuo, não implica que o sujeito que pensa não possa existir (ou melhor, não possa ser *representado* como existindo) em um instante. Em outras palavras: quando Descartes afirma, na *Conversação com Burman*, que o "eu" continua e persevera no mesmo pensamento durante um certo tempo, porque nenhuma ação acontece em um instante, daí não se segue 1- que, *na natureza das coisas*, a duração à qual ele se refere não seja uma composição de instantes discretos; tampouco se segue 2- que, na *imagem* de autor que emerge do confronto entre o tempo da escrita e o tempo da meditação, a noção de instante não desempenhe qualquer papel. Ao contrário: como veremos, é justamente a uma sucessão de instantes discretos que devemos reduzir a ideia cartesiana de autoria textual.

J.-M. Beyssade, ao propor uma refutação da leitura, então tradicional – e hoje, graças em parte a ele, não mais tomada como evidente –, de que o tempo, para Descartes, é descontínuo, lista alguns comentadores que partilham dessa interpretação, segundo ele, equivocada[336]. Um texto importante para fundamentar a análise de J.-M. Beyssade é justamente a *Conversação com Burman*, no trecho destacado acima. Ao ir contra as interpretações tradicionais de sua época, J.-M. Beyssade

335 AT V, 148; Descartes (1975), p. 11.

336 Dentre esses, destacam-se Martial Gueroult, Jean Wahl, Étienne Gilson e Ferdinand Alquié. Para as referências às obras desses autores, ver Beyssade (1979), pp. 130-136. Ao criticar a atribuição da noção instântanea do tempo a Descartes, o livro de Beyssade constitui-se como um programa de releitura dos principais tópicos de sua metafísica, revendo, a partir desse ponto de partida, muitas interpretações tradicionais. Não percorreremos novamente todos os trechos desse longo caminho, limitando-nos aqui apenas a propor uma objeção *de princípio* – ou seja, uma objeção feita *ao próprio ponto de partida* de J.-M. Beyssade.

nos faz perceber que elas não se baseavam em nenhuma afirmação explícita de Descartes a favor do atomismo temporal, sendo, antes, derivadas de *outras* teses que, segundo os comentadores, implicariam o atomismo. Ora, segundo J.-M. Beyssade, essas teses afirmavam apenas a independência das partes temporais, no sentido em que cada parte existe contingentemente, não se seguindo, pois, de forma necessária, das partes anteriores – e não no sentido de que cada uma dessas partes seria ela mesma um instante indivisível. Em um artigo mais recente, que cita J.-M. Beyssade e segue, em linhas gerais, sua interpretação, Harry Frankfurt afirma que esses comentadores tradicionais erraram ao confundir dois sentidos distintos de "continuidade", erro esse derivado, por sua vez, da confusão entre um aspecto "formal" e outro "substantivo" das séries em geral: "A ideia de continuidade pertence às características *formais* de uma série", diz ele, enquanto "a ideia de independência que é pertinente aqui concerne às relações *substantivas* que podem ocorrer entre os elementos de uma série"[337]. Foi por não notarem que uma série pode conter elementos contínuos e independentes ou elementos descontínuos e dependentes que comentadores como Gilson atribuíram a Descartes a visão de que, ao defender que dois momentos do tempo são independentes entre si (existo agora, posso não existir em seguida), ele teria de defender também que eles são composições de instantes discretos do tempo. Ora, diz Frankfurt – e aqui ele repete J.-M. Beyssade –, Descartes não aceita a ideia de uma duração mínima de tempo[338], pois, para ele, os conceitos de duração e de existência são intercambiáveis, de tal modo que se deve afirmar que, se a existência é contínua, deve-se dizer analogamente que o tempo é "infinitamente divisível"[339]. O texto de Frankfurt tem o mérito de deixar claro um pressuposto problemático da interpretação compartilhada entre ele e J.-M. Beyssade acerca da natureza do tempo, a saber, a de que a determinação da natureza do tempo possa se seguir, sem mais,

337 Frankfurt (1991), p. 12.

338 Frankfurt (1991), p. 7.

339 Na Terceira Meditação, de fato, Descartes afirma a tese da continuidade: "... todo o tempo de minha vida [*tempus vitæ*] pode ser dividido em uma infinidade de partes [*in partes innumeras*]", mas, na sequência imediata, afirma a tese da independência: "cada uma das quais não depende de modo algum das outras". (AT VII, 49; IX, 39).

da determinação da natureza contínua do pensamento. Vejamos por que tal implicação não se sustenta.

Como mostrou J. E. Secada, a tese sobre a existência de eventos instantâneos deve ser cuidadosamente separada da tese sobre a natureza descontínua do tempo[340]. Outra distinção importante, segundo Secada, é a atribuição de densidade e continuidade ao tempo: a natureza do tempo pode ser tal que ele seja descontínuo e denso (uma certa quantidade ou natureza pode ser densa e discreta se, por exemplo, suas partes não são unidas por um "término" comum ou se houver infinitos átomos[341]. Lembremo-nos, por exemplo, da transmissão da luz que, para Descartes, ocorre em um instante sem duração[342]; *mutatis mutandis*, a tese de que o pensamento sempre ocupa uma certa duração contínua, defendida por J.-M. Beyssade e Frankfurt, não deve ser confundida com a tese de que a natureza do tempo é, ela também, contínua: pode ser o caso que o tempo seja composto por átomos instantâneos e que o pensamento ocorra (sempre ou, ao menos, algumas vezes) em uma certa duração sucessiva[343]. Lá onde J.-M. Beyssade vê uma disjunção exclusiva ("... as partes sucessivas da duração não podem nunca existir conjuntamente, *nec unquam simul existant*, enquanto que uma intuição se compreende inteiramente em um só momento e não sucessivamente, *tota simul et non successive*"[344]) a ser dissipada pela compreensão correta do conceito não-atomista de duração, Secada precisa apenas formular a distinção entre as naturezas do pensamento e do tempo: a natureza contínua de um não implica a natureza contínua do outro. Isso não quer dizer, porém, que Secada defenda uma concepção descontinuísta do tempo na filosofia de Descartes; para ele, os textos não

340 Secada (1990), p. 63.

341 Secada (1990), pp. 54-55.

342 Cf. a carta a Mersenne de 27 de maio de 1638 (AT II, 143).

343 Secada considera e responde a objeção segundo a qual fazer tal distinção implicaria ignorar que, para Descartes, a duração é separada da coisa que dura apenas por uma distinção de razão: "*The notion that the duration of my thought is composed of atomic instants is compatible with the claim that my thought could not exist during only one such instant*" (Secada, 1990, p. 64).

344 J.-M. Beyssade (1979), p. 347. Os trechos da obra cartesiana citados em latim acima correspondem, respectivamente, aos *Princípios* I, 21 (AT VIII, 13) e às *Regras* (AT X, 407, l. 17).

nos oferecem evidências suficientes para decidir entre o atomismo e a duração sucessiva como marca definitória da natureza temporal.

Ao tematizar o papel da memória na fundamentação do conhecimento tal como ela aparece na filosofia primeira de Descartes, é preciso dar um passo além de Secada, mostrando que *tampouco a natureza do pensamento*, para Descartes, pode ser concebida pela tese continuísta, ao contrário do que propõe J.-M. Beyssade. Ou seja, mostraremos que o modo como Descartes fundamenta o conhecimento verdadeiro acaba por desembocar na tese de que a intuição intelectual é dada "*tota simul et non successive*", no sentido forte em que tais expressões significam a ausência de continuidade. Daí não se segue que o pensamento *nunca* ocorra em uma duração sucessiva, mas apenas que ele algumas vezes se dá como uma intuição instantânea (ou seja, o pensamento não precisa ter uma natureza homogênea)[345].

Entre os comentadores mais recentes da obra de Descartes, parece haver certo consenso em torno de pelo menos um aspecto do significado a ser atribuído à dúvida metafísica formulada na Primeira Meditação, a saber: em torno da tese de que a dúvida não se dirige à confiabilidade da memória. De fato, segundo a maior parte dos comentadores, interpretar a dúvida dessa maneira eliminaria o significado essencial e a radicalidade do projeto cartesiano, o qual visaria pôr em questão os fundamentos da faculdade da razão, e não da faculdade da memória. Contra essa tendência generalizada de interpretação, veremos que o objeto próprio da dúvida metafísica são os dados da memória. Entretanto, no curso do desenvolvimento da argumentação, proporemos uma interpretação do significado da dúvida sobre a memória, mostrando que ela deve ser entendida como a expressão de uma postura cética e antirrealista com relação aos eventos passados, o que acaba por resultar em uma dúvida sobre a própria faculdade da razão ou, pelo menos, sobre seu uso em situações que constituem as condições mínimas do conhecimento. Neste ponto, será novamente mobilizado o "mínimo de interpretação" requerido para

345 Da mesma forma, nem todos os movimentos corporais são instantâneos (o movimento de meu corpo, por exemplo, sempre ocupa certa duração), embora alguns o sejam (a propagação da luz). Que o tempo, em si mesmo, abstração feita das coisas que estão no tempo, seja homogêneo, não é algo que tenha sido diretamente tematizado por Descartes. Cf. sobre esse ponto Ken Levy (2005), p. 634.

que nossa leitura não-hermenêutica da teoria da escrita de Descartes avance, tal como, acima o fizemos com a interpretação da teoria da vontade humana e divina.

Antes de abordar diretamente esse tema, recordemos brevemente algumas teses e problemas bem conhecidos presentes na obra de Descartes. O que deve ser interpretado para que se esclareça o significado da dúvida metafísica é a tese, explícita nos textos cartesianos, de que a dúvida visa as ideias claras e distintas do entendimento. A finalidade dos argumentos que conduzem a esse estado de dúvida, formulados na Primeira Meditação e baseados na hipótese do "Deus enganador" ou do "gênio maligno", é mostrar que os questionamentos de estilo cético, utilizados como prolegômenos do projeto de fundamentação da ciência, não se limitam apenas aos conhecimentos baseados em dados sensíveis (os quais já foram criticados pelo "argumento do sonho"), mas atingem até mesmo os dados do intelecto puro, como as verdades simples da matemática – por exemplo, a proposição de que dois mais três é igual a cinco. O que é posto em dúvida é nossa confiança espontânea, isto é, imediata e natural, nas regras e procedimentos racionais que indicam o modo como está constituída nossa mente e, portanto, o modo como pensamos e organizamos o mundo. O que significa, porém, propor uma dúvida racional sobre a razão? É racional, ou mesmo possível, utilizar procedimentos racionais de investigação para colocar em questão esses próprios procedimentos racionais? E, mesmo que isso seja possível há uma solução não-circular para o problema cujo enunciado diz respeito à possibilidade de fundamentar racionalmente a razão? Da maneira como Descartes explica o argumento do Deus enganador para seus objetores, ele parece pretender eliminar essas dificuldades fazendo a dúvida incidir sobre a faculdade da memória, e não propriamente sobre as evidências atuais da razão; assim, lemos na carta a "Hyperaspistes"[346] de agosto de 1641:

346 Sobre o nome "Hyperaspistes", cf. nota de Alquié em sua edição da obra de Descartes (Descartes (1967), p. 358). Trata-se, como informa Alquié, de um objetor desconhecido que, em sua carta a Descartes, enviada em julho de 1641 (AT III, 398), se autodenomina assim: "*nisi novos Hyperaspistes novus mundus emittat*". A palavra de origem grega "Hyperaspistes", continua Alquié, significa "protetor", usada aqui no sentido de "defensor de uma causa" – nas objeções em questão, de uma causa oposta à de Descartes. Ainda sobre o nome "Hyperaspistes", convém lembrar que ele é o título de uma obra de Erasmo, na qual ele respondia às críticas contra suas doutrinas expostas

> Eu certamente nunca neguei que os próprios céticos, enquanto concebiam claramente uma verdade, espontaneamente acreditassem nela, de modo que eles eram céticos apenas de nome, e talvez só por vontade e por doutrina persistissem na heresia em que se encontravam de duvidar de todas as coisas. Mas eu falei somente das coisas que nós nos recordamos ter outrora claramente concebido, e não daquelas que, no momento presente, concebemos claramente, como se pode ver na página 84 e na 344[347].

O critério distintivo de sua posição com relação aos céticos, que são caracterizados nessa passagem como impostores, é o fato de que Descartes limita o alcance de sua dúvida aos dados apresentados pela memória, enquanto os céticos pretendem poder duvidar das próprias evidências da razão durante o tempo em que elas se apresentam ao intelecto. Sempre que recapitula o significado da dúvida metafísica, e especialmente quando tenta mostrar que ela não envolve um círculo lógico, Descartes volta a essa mesma distinção. Assim, por exemplo, nas *Respostas às Segundas Objeções,* onde a memória é novamente invocada para explicar o que a existência do Deus veraz fundamenta, ele afirma que não podemos duvidar das coisas simples percebidas pelo entendimento, pois, para que pudéssemos duvidar, seria preciso pensar nelas, o que, porém, já é uma condição suficiente para que acreditemos em sua verdade, uma vez que elas são autoevidentes. Ele então continua:

> Há outras coisas que nosso entendimento também concebe muito claramente quando observamos de perto as razões de que depende seu conhecimento e, portanto, não podemos duvidar delas nessa ocasião; mas, porque podemos esquecer das razões e entretanto nos lembrar das conclusões que foram tiradas delas, pergunta-se se é possível ter uma persuasão firme e imutável sobre essas conclusões durante o tempo em que nos recordamos que elas foram deduzidas de princípios muito evidentes; pois essa lembrança deve ser suposta para que possam chamar-se conclusões[348].

por Lutero em *De servo arbitrio* – ou seja, é o título de uma obra que debate justamente a leitura renovada de Agostinho proposta por Lutero.

347 Descartes (1967), vol. II, p. 373. Descartes refere-se a textos da Quinta Meditação e das *Respostas às Quartas Objeções,* encontrados em AT VII, 69 e 245-246, segundo indicação de Alquié em nota na página citada de sua edição.

348 AT IX, 114-115; VII, 197-198.

Descartes responde afirmativamente essa questão: aqueles que conhecem Deus de tal maneira que sabem que sua faculdade de entender tem a "verdade como seu objeto" podem ter uma persuasão "firme e imutável" sobre as conclusões de seus raciocínios, eliminando assim as razões de duvidar. Uma dúvida sobre as evidências apresentadas pela memória afetaria nossa confiança natural na razão, ao passo que a prova da existência de um Deus veraz fundamentaria aquilo que a precariedade de nossa memória não seria capaz de garantir por si só.

Entretanto, como vimos acima, parece ser um consenso entre os comentadores mais recentes da obra de Descartes que a dúvida metafísica expressa pelo argumento do Deus enganador não pode ser interpretada como uma dúvida sobre a fidelidade da memória. Alquié, por exemplo, em uma nota na sua edição das obras de Descartes[349], comentando o trecho das *Respostas às Segundas Objeções* citado acima, confessa não compreender a explicação cartesiana. Se o objeto da dúvida fossem as evidências passadas, diz ele, a prova da veracidade divina deveria garantir a memória, e não o entendimento; mas, mesmo corrigindo assim o texto, ele não entende por que essa prova poderia servir de algum modo como garantia de que a faculdade da memória estaria sendo usada corretamente. A dificuldade de Alquié parece ser legítima, pois poderíamos nos perguntar como uma ideia qualquer, ainda que seja a ideia de Deus, e ainda que apareça como a conclusão de uma prova, pode remediar as eventuais falhas de nossa memória (seria como se, após a prova da existência de Deus, nossa faculdade de percepção se tornasse mais aguçada e potente, o que parece ser absurdo).

Bernard Williams, ao comentar o mesmo trecho das *Segundas Respostas,* explicita a perplexidade expressa por Alquié em termos de uma dificuldade conceitual mais precisa: se a prova da existência de Deus garantisse a memória, ela mesma teria de ser lembrada todas as vezes que um raciocínio estivesse em curso, o que geraria um novo círculo no projeto de fundamentação cartesiano. O próprio Williams confessa ter acreditado durante certa época que a dúvida metafísica tinha como objeto os dados da memória, até ser convencido do contrário, como ele mesmo narra[350] , pela leitura dos textos de Harry Frankfurt. Este

349 Descartes (1967), p. 571, nota 3.

350 Williams (1990), p. 193, nota 7.

último critica a interpretação de Willis Doney, um dos defensores[351] da interpretação de que a dúvida do Deus enganador incide sobre a memória. Frankfurt chama a atenção para o fato de que Doney parece algumas vezes se comprometer com a tese absurda de que a veracidade de Deus torna a memória infalível; em seguida, porém, ele passa a considerar a hipótese de que Doney talvez defenda apenas a tese mais fraca de que a memória não é uma faculdade inevitavelmente traiçoeira.

Frankfurt pretende mostrar, porém, que mesmo essa tese mais fraca é insustentável. Inicialmente, ele concede que tal tese livraria Descartes de um tipo de círculo lógico (relativo ao uso da razão para fundamentar a si mesma), na medida em que a prova da existência de Deus, sendo simples e suficientemente curta, não requer o uso da memória. Mas um novo círculo lógico surgiria imediatamente caso adotássemos a interpretação de Doney: "Seria obviamente circular", diz Frankfurt, "que Descartes validasse a memória baseado no fato de que ele lembra ter provado que Deus garante a memória"[352]. O círculo só seria evitado se, a cada nova ocasião em que se apresentasse uma dúvida sobre a confiabilidade da memória, refizéssemos toda a prova da existência de Deus novamente. Entretanto, além de ser contra os textos de Descartes, os quais afirmam recorrentemente que basta que nos recordemos de ter provado que Deus existe para eliminar a dúvida metafísica, esse artifício teria de ser refeito a cada vez que pensássemos algo, com exceção das ideias simples, uma vez que uma dúvida sobre a memória poderia interceder em qualquer passo de nossos raciocínios mais longos. A dificuldade lógica seria eliminada às custas de um tortuoso exercício intelectual, psicologicamente inviável. Segundo Frankfurt, porém, não precisamos comprometer Descartes com um projeto tão implausível, pois, apesar de a dúvida metafísica surgir em situações que envolvem a memória, ela não seria uma dúvida sobre a confiabilidade da memória. O problema de Descartes, afirma Frankfurt, não é "se a memória é confiável, mas se *o que* é lembrado – a saber, que algo foi deduzido de princípios que eram evidentes – é suficiente para

351 Doney afirma que, ao tratar de um enunciado que requeria uma prova, Descartes considerava a hipótese de que, nesse momento, "ele poderia lembrar-se de tê-lo provado, quando de fato não o tinha" (Doney, 1955, pp. 326-327). Além de Doney, Gilson é outro defensor das mesmas teses sobre a memória.

352 Frankfurt (1962), p. 508.

estabelecer a verdade da conclusão em questão"[353]. Ao contrário do que afirma Doney, conclui Frankfurt, a confiabilidade da memória deve ser *suposta* para que se possa enunciar a dúvida metafísica sobre a confiabilidade da razão, pois a dúvida incide sobre a validade intrínseca das evidências racionais, as quais, no entanto, devem ser *dadas no passado,* como um fato da razão, para que, refletindo sobre elas, possamos nos perguntar sobre seus fundamentos. O trecho citado das *Segundas Respostas,* um dos textos canônicos usados por alguns para interpretar a dúvida cartesiana como uma dúvida sobre a memória, seria na verdade uma evidência textual da falsidade dessa interpretação.

Como dissemos acima, essa crítica parece ter se tornado uma espécie de pressuposto da maioria das interpretações correntes da obra de Descartes, a tal ponto que mesmo J.-M. Beyssade, um dos comentadores que mais valorizou a questão do tempo como chave hermenêutica da filosofia cartesiana, não considere possível interpretar a dúvida metafísica como uma dúvida sobre a memória, reservando às relações temporais presentes em sua formulação o papel acessório de condição necessária da dúvida, e não de seu objeto privilegiado[354].

O que pensar da posição desses comentadores? A princípio, ela parece condizente não só com o espírito do cartesianismo, cujo cerne é um questionamento dos fundamentos da faculdade da razão, mas também com a letra de alguns de seus textos – assim, por exemplo, em um trecho da *Conversação com Burman,* Descartes recusa que o erro possa ser imputado à memória: "Sobre a memória, não posso dizer nada, cada um deve experimentar por si se se recorda bem, e quem tem dúvidas sobre esse ponto deve fazer uso da escrita e de outros auxílios semelhantes"[355]. Poder-se-ia concluir, a partir daí, que a referência ao

353 Frankfurt (1962), p. 510.

354 Beyssade (1979), p. 322 usa o mesmo trecho das *Respostas* que citamos acima como evidência para concluir que, "no que se chama impropriamente de recordação de evidência, é então a evidência passada que será preciso garantir, e não o fato de que, no passado, houve realmente evidência". Mesmo discordando de Beyssade nesse ponto, é preciso assinalar que uma compreensão adequada da função do tempo na metafísica de Descartes deve necessariamente utilizar suas análises sobre a distinção entre traço ("*vestigium*") e recordação ("*recordatio*") (sobre esse ponto, cf. Beyssade, 1979, pp. 323-325).

355 AT V, 148 (voltaremos a esse texto mais adiante). Ver também *Regras,* Regra XVI (AT X, 454-455). Que a memória tenha participação na origem do erro, porém,

passado na formulação da dúvida metafísica só seria necessária porque, durante o tempo em que está usando sua razão, o "eu" pensante não poderia duvidar daquilo que é evidente, já que a expressão "ter evidências" pode ser parafraseada como "ter evidências para crer", e que a crença é uma atitude mental incompatível com o estado da dúvida. Em outras palavras: suponhamos que, no momento t1, uma mente M está diante de uma ideia realmente (e não apenas *aparentemente*) evidente Ie; porque Ie é uma evidência real, M não pode duvidar de seu conteúdo, a não ser em t2, quando o estado de crença não estiver mais presente, outras razões levarem M a duvidar do conteúdo (i.e., a duvidar das justificações que a levaram a asserir o conteúdo) de Ie. A impossibilidade de duvidar das evidências presentes não seria, portanto, relativa ao fato psicológico de que não podemos pensar nas evidências racionais e nas razões para duvidar delas ao mesmo tempo, mas faria parte de exigências derivadas do caráter racional da dúvida metafísica. Ainda assim, tratar-se-ia de uma certeza momentânea, pois o conteúdo mental evidente presente no instante da persuasão pode tomar-se posteriormente duvidoso.

Entretanto, essa interpretação não explica suficientemente o vocabulário da dúvida, composto por termos contendo referências ao passado e aos dados da memória; não se trata apenas, como veremos a seguir pelo exame dos textos relevantes, de uma dúvida formulada usando o vocabulário sobre o passado, mas sim de uma dúvida sobre *o valor de verdade das proposições que enunciam fatos passados.*

Antes de expor positivamente essa visão alternativa sobre o significado da dúvida (levando em conta, naturalmente, as críticas mencionadas acima contra a interpretação da dúvida como uma dúvida sobre a memória), notemos que a interpretação que se tomou tradicional parece não poder explicar dois casos simetricamente opostos que, no entanto, teriam de ser explicados nesse contexto: (1)- por um lado, ela não explica por que a formulação da dúvida sobre as evidências passadas não afeta nossa crença atual nas evidências, eliminando assim o estado "natural" de persuasão presente apenas quando há razões inteiramente convincentes, ou seja, quando não há razões para duvidar dos conteúdos que estão sendo considerados. Se nos recordamos de ter

é afirmado em *Princípios* I, Art. 44 e nas *Meditações,* sempre que Descartes recapitula o significado da dúvida. Voltaremos a esses textos mais adiante.

duvidado de algo, *e se a memória não está em questão*, então a validade das provas racionais pode ser questionada no próprio momento em que elas estão sendo desenvolvidas – o que significa que não teríamos nem ao menos *persuasão* dessas coisas. (2)- Por outro lado, se, contra essa primeira objeção, for respondido que o estado de evidência atual é indubitável porque a presença de uma evidência elimina o estado de dúvida, *e se a memória não está em questão*, então tampouco seria possível duvidar das evidências passadas (o "eu" teria uma evidência presente sob duas modalidades: (a)- a evidência em ato no tempo presente; (b)- a evidência apresentada pela memória no tempo presente; em ambos os casos, o "eu" teria (tomaria posse de) uma evidência).

Contra a interpretação tradicional, parece-nos que a dúvida metafísica sobre a razão é o resultado da aplicação de uma dúvida cética geral sobre o passado ao caso particular das evidências racionais. Mas o que é posto em questão não é propriamente o exercício da faculdade da memória (no sentido em que podemos eventualmente cometer lapsos ao lembrar de eventos passados, o que poderia então ser tomado como a regra geral do funcionamento da mente), e sim a verdade das proposições sobre o passado. Se uma subclasse das proposições sobre o passado, a saber, aquelas que se referem à existência dos próprios atos mentais do sujeito pensante, for posta em questão, o resultado será, então, não uma dúvida direta sobre as evidências racionais (o que explicaria por que Descartes afirma que, no momento em que estão presentes na mente, elas são indubitáveis), mas, antes, uma dúvida sobre a utilização da razão em processos dedutivos mais longos, que envolvem a referência a etapas passadas.

O caso geral da dúvida sobre o passado deve ser formulado da seguinte maneira: um Deus enganador poderia ter feito com que percebêssemos as coisas de tal modo que tudo parecesse ter evoluído gradualmente de eventos passados, embora de fato tenhamos sido criados neste momento ou há poucos minutos atrás[356]. Aplicando essa suspeita cética ao caso particular das evidências passadas, concluiríamos que a dúvida metafísica conduz Descartes a uma espécie de solipsismo epistêmico, do qual só escapam as proposições enunciadas no presente sobre estados mentais do próprio sujeito pensante, além de algumas

356 Cf. Russell (1921), pp. 159-160), e Unger (1975), pp. 40-41.

verdades necessárias intuídas atualmente. Não haveria propriamente conhecimento científico no sentido em que esse último é usualmente entendido, pois ele envolve o encadeamento de razões e a construção de sistemas de proposições. A dúvida sobre o passado aproximar-se-ia, por analogia, da experiência ordinária de cometermos paralogismos ao raciocinar[357], não no sentido de ser uma dúvida baseada no fato de que eventualmente cometemos lapsos devido a falhas na memória, mas no sentido em que nada (a não ser a prova da existência de Deus) garante que de fato houve uma razão conclusiva para uma proposição, embora nos pareça ter havido uma prova e estejamos confiantes nisso. O paralogismo, como indica o nome, é uma pseudo-razão, a aparência de uma evidência que de fato nunca ocorreu. Por definição, paralogismos só se revelam como tais retrospectivamente. Se contemplamos em nossa mente uma ideia aparentemente evidente no tempo presente, podemos estar bastante certos de que ela nos conduz à verdade, mas, refletindo posteriormente sobre o que nos parece ter sido evidente, podemos encontrar novas razões que nos mostrem que as antigas razões não eram de fato boas evidências (ou melhor, não eram em absoluto evidências ou provas para nada). Nesse sentido, o objeto do paralogismo depende da distorção produzida por uma falsa memória, entretanto aparentemente indubitável, de que houve uma evidência no passado. Sendo assim, o que deve ser garantido pela prova da existência de um Deus veraz é a *existência* dos procedimentos racionais que conduzem a conclusões incorrigíveis, ou ainda, a correção dos dados de nossa memória que indicam ter havido boas razões para acreditarmos em certas proposições. Isso explica o caráter metateórico da dúvida do Deus enganador: ela não se dirige (ao menos, não prioritariamente) à existência passada de eventos materiais ou a verdades contingentes sobre entidades concretas e particulares existentes no mundo corporal, mas aos eventos mentais passados que constituíram uma prova qualquer – ou melhor, ao valor de verdade das proposições enunciadas no presente e referentes à *realização* de provas no passado. Não se trata diretamente, tampouco, dos conteúdos concluídos a partir das

357 Cf. Primeira Meditação (AT IX, 16) e *Discurso*, Parte IV (AT VI, 32). A palavra "paralogismo", como ensina Gilson (1987), p. 290, era usada na lógica da Escola para todo raciocínio errado, quer na matéria, quer na forma, e se opõe ao sofisma, na medida em que esse último não é um erro de boa fé.

evidências passadas (pois proposições matemáticas, por exemplo, não são modalizadas temporalmente e não se referem, portanto, ao passado, mas exprimem verdades eternas), e sim das proposições metateóricas que afirmam que houve uma evidência real (e não uma mera aparência de evidência) no passado para essas verdades enunciadas como eternas (o que garantiria *para nós* que elas são de fato verdades eternas é, obviamente, a existência de evidências reais no passado, as quais *sabemos* que sempre se manterão inalteradas). Vejamos os textos para comprovar se essa interpretação se sustenta.

No meio da Primeira Meditação, Descartes enumera as coisas que escaparam às razões de duvidar propostas pelo argumento do sonho e que serão postas em questão pela hipótese do Deus enganador; são elas: "a natureza corpórea em geral e sua extensão; juntamente com a figura das coisas extensas, sua quantidade, ou grandeza, e seu número; como também o lugar em que estão, *o tempo que mede sua duração [tempusque per quod durent]* e outras coisas semelhantes"[358]. Uma dúvida cética sobre o tempo em geral parece ser admitida aí. No entanto, com exceção da referência aos paralogismos, a hipótese do Deus enganador não usa diretamente qualquer aplicação particular de uma dúvida sobre o passado em sua formulação, o que parece desmentir a interpretação proposta acima. A referência ao tempo que apareceu na citação faria parte das verdades contingentes sobre os eventos físicos do mundo.

Ao *recapitular* (ou seja, rememorar) o significado da dúvida no início da Segunda Meditação, porém, Descartes o resume como tendo por objeto os dados da memória: "Suponho, portanto, que todas as coisas que vejo são falsas; persuado-me de que nada jamais existiu de tudo quanto minha memória repleta de mentiras [*mendax memoria]* me representa ..."[359]. Entretanto, é só nas recapitulações oferecidas no início da Terceira Meditação e no meio da Quinta Meditação que o papel da dúvida sobre o passado aparece mais claramente[360]. Na Terceira Meditação, ao contrário do que ocorria na Primeira Meditação, a hipótese do Deus enganador

358 AT VII, 20; IX, 15; grifo acrescentado na tradução.

359 AT VII, 24; IX, 19.

360 O fato de esses dois trechos apresentarem mais explicitamente uma referência ao tempo não é casual, mas obedece à lógica da "ordem das razões", como veremos no caso da Quinta Meditação.

é formulada como uma dúvida sobre eventos mentais passados[361], mas é na Quinta Meditação (e, veremos adiante, não por acaso) onde Descartes mostra de modo mais explícito qual é a conexão entre a dúvida metafísica e as hipóteses céticas sobre o passado:

> ... ainda que eu seja de tal natureza que, tão logo perceba algo bastante clara e distintamente, não posso não acreditar que ele é verdadeiro; no entanto, já que sou também de tal natureza que não posso sempre focar o olhar da mente em uma mesma coisa, para percebê-la claramente, e que amiúde me recordo de ter antes julgado, quando deixo de considerar as razões que me fizeram julgá-la dessa maneira, pode acontecer que outras razões se me apresentem, as quais, se ignoro que há um Deus, me fariam facilmente mudar de opinião, e, assim, eu jamais teria uma ciência verdadeira e certa de qualquer coisa que seja, mas somente opiniões vagas e inconstantes[362].

Após oferecer um exemplo para ilustrar a possibilidade do erro nessas condições relativas ao tempo da percepção, Descartes conclui, no parágrafo seguinte, que a principal causa da dúvida reside na referência equivocada ao passado, pois "...lembro-me ["*je me ressouviens*" / "*meninerim me*"] haver frequentemente estimado muitas coisas como verdadeiras e certas, as quais depois outras razões me levaram a julgar absolutamente falsas". Ele explica em seguida, no final da Quinta Meditação, como a prova da existência de um Deus veraz elimina essa razão de duvidar relacionada à memória:

> ... após ter percebido haver um Deus, porque ao mesmo tempo entendi também que todas as coisas dependem dele e que ele não é enganador, e que, em seguida a isso, julguei que tudo quanto percebo clara e distintamente necessariamente é verdadeiro: ainda que não mais atente às razões pelas quais julguei tal ser verdadeiro, desde que me recorde de tê-lo percebido clara e distintamente, ninguém pode apresentar-me razão contrária alguma que me faça colocá-lo em dúvida; e, assim, tenho dele uma ciência certa e verdadeira. E não somente disso, mas também de todas as outras coisas que me lembro [*memine*] ter outrora

361 AT VII, 35-36; IX, 28.

362 AT VII, 69; IX, 55. O início do texto latino apresenta algumas variações importantes, principalmente na frase: "*... quia tamen ejus etiam sum naturae ut non possim obtutu. mentis* in *eandem rem semper defigere ad illam clare percipiendam ...*"; nesse trecho, a clareza da ideia é conectada diretamente a sua presença.

> demonstrado, como da Geometria e outras semelhantes. Pois o que me poderão objetar? Dir-me-ão que sou feito de tal maneira a frequentemente me enganar? *Mas agora sei* [*At jam scio*] que, nas coisas que entendo perspicuamente, me não posso enganar...[363]

O raciocínio de Descartes neste ponto pode ser esclarecido da seguinte maneira: após ter reconhecido, através de duas provas *a posteriori*, formuladas na Terceira Meditação, que Deus existe e não é enganador, ele retoma, na Quinta Meditação, a demonstração da existência de Deus, agora segundo uma prova *a priori*, mostrando que a ideia de Deus é a única que inclui em si a existência necessária[364]. É curioso que Descartes tenha oferecido, nas *Meditações*, não uma, nem duas provas da existência de Deus, mas três: a multiplicação de provas não visava, evidentemente, tornar essa verdade "mais" certa, mas desempenha uma função precisa, qual seja, a de partir de uma prova elaborada a partir do conteúdo representacional da ideia de Deus, passando então para uma segunda prova, realizada a partir da existência do "eu" pensante que tem a ideia de Deus e, finalmente, chegando a uma intuição direta da essência de Deus[365]. Na passagem da primeira para a segunda prova, Descartes consegue unir a primeira intuição intelectual da obra ("eu sou, eu existo") a uma conclusão retirada o mais diretamente possível dela. Na terceira prova, uma segunda intuição intelectual ("Deus

363 AT VII, 70; IX, 55-56; grifo acrescentado na tradução.

364 Deve-se notar que, já na Terceira Meditação, uma das objeções consideradas por Descartes contra suas duas provas *a posteriori* da existência de Deus tinha como centro uma questão ligada à memória: "E, certamente, não há nada em tudo o que acabei de dizer que não seja muito fácil de conhecer pela luz natural [*lumine naturali manifestum*] a todos os que quiserem pensar nisso cuidadosamente; mas, quando relaxo um pouco minha atenção, minha mente encontrando-se obscurecida, e como que cega pelas imagens das coisas sensíveis, não me recordo facilmente [*non ita facile recordor*] a razão por que a ideia que tenho de um ser mais perfeito do que o meu deve necessariamente ter sido colocada em mim por um ser que seja de fato mais perfeito" (AT VII, 47-48; IX, 38).

365 O quinto Postulado da *Exposição Geométrica* enuncia a necessidade de o leitor deter-se *longamente* na contemplação da natureza de Deus ["*ut diu multumque in naturâ entis summe perfecti contemplandà immorentur*"]. Dessa simples contemplação, sem necessidade de nenhum raciocínio ["*absque ullo discursu*"], produz-se um conhecimento auto-evidente ["*per se notum*"], tão certo quanto que "dois é um número par, ou que três é ímpar, e outras coisas semelhantes" (AT VII, 163-164; IX, 126-127).

existe") é visada diretamente. Tendo descoberto essa verdade dedutivamente, ela se torna finalmente então o objeto de uma intuição ou, pelo menos, aparece de modo tão certo quanto as verdades intuitivas, desde que a reduzamos, por um procedimento de *enumeração*[366] dos elementos da prova, a suas conexões essenciais. Se não fossem os prejuízos, não haveria nada mais fácil de ser conhecido do que Deus[367], de tal modo que, embora, "para bem perceber isso, eu tivesse necessitado de uma atenta consideração, agora, todavia, não estou mais certo dela do que de tudo quanto o que me parece o mais certo"[368]. Assim como nas *Regras para a direção do espírito,* nas quais a distinção entre dedução e intuição deveria ser, senão eliminada, pelo menos atenuada através da aplicação da categoria de enumeração, pela qual a verdades deduzidas se aproximam idealmente das intuições instantâneas[369], também na metafisica é preciso garantir a verdade das conclusões deduzidas em cadeias de raciocínios muito longas, o que se faz mostrando quais são os fundamentos eternos dos eventos temporais. A descontinuidade dos instantes sucessivos do tempo[370] só não gera uma dúvida cética sobre

366 Sobre a regra de enumeração, que encerrava a lista dos quatro "preceitos" do *Discurso*, cf. a Parte II (AT VI, 19): "E o último, de fazer sempre enumerações tão completas e revisões tão gerais que eu me tornasse assegurado de nada omitir". Que a enumeração não seja suficiente, antes da prova da existência de Deus, no contexto metafísico das *Meditações*, é o que veremos mais adiante.

367 Cf. *Respostas às segundas objeções*, quinto Postulado V (AT VII, 163-164; IX, 126-127.

368 AT Vll, 69; IX, 55. Na edição brasileira, Gérard Lebrun (Descartes, 1979, p. 127, nota 144) afirma, ao contrário da interpretação aqui proposta, que a prova ontológica tem a função de tornar a existência de Deus "psicologicamente" certa, poupando o constante recurso às outras provas mais complexas. Se minha interpretação estiver correta, não se trata aqui apenas de um fato psicológico, mas da solução logicamente correta para uma dúvida sobre o passado.

369 Cf. particularmente a Regra VII (AT X, 387): "A observação dos preceitos propostosta na presente regra é necessária para promover ao número das verdades certas aquelas das quais falamos mais acima, as quais não se deduzem imediatamente dos princípios primeiros e conhecidos por si mesmos. De fato, ocorre que tal dedução se faça por um encadeamento tão longo de consequências que, uma vez chegando a essas verdades, temos dificuldade de nos lembrar da totalidade do caminho que nos conduziu a elas; também dizemos que é preciso prestar às fraquezas da memória o socorro de uma espécie de movimento contínuo do pensamento". Sobre as relações entre enumeração e instante, cf. Beyssade (1979), pp. 274-275.

370 *Princípios* I, 21 (AT VIII, 13; IX, II, 34): considerando a "natureza do tempo", vemos que ele é tal que "suas partes não dependem umas das outras e não existem

o passado uma vez que tenhamos provado que Deus existe e que a teoria da criação contínua[371] de todos os seres no tempo repousa sobre a vontade desse ser eterno e não-enganador; evidentemente, um requisito adicional é que essa prova tenha se incorporado a nosso saber de modo intuitivo[372]. No início da Terceira Meditação, Descartes já havia mostrado que a hipótese do Deus enganador não atinge as evidências atuais; agora, na Quinta Meditação, tal hipótese é definitivamente refutada, restabelecendo-se, assim, a verdade das evidências passadas. O objetivo primordial da Quinta Meditação é, assim, o de induzir o leitor, através da demanda para que realize um ato de introspecção, a chegar a uma intuição ainda mais evidente do que a de seu próprio "eu", a saber: à intuição da essência de Deus. O título da Quinta Meditação é precisamente "Da essência das coisas materiais; e novamente de Deus, que ele existe": partindo das ideias de essências dos corpos e de Deus, as quais são "imutáveis e eternas"[373], Descartes prova "novamente" que Deus existe[374], uma vez que sua essência implica sua existência. Ele mostra, além disso, que as essências dos corpos dependem de Deus tanto quanto sua existência.

Ao contrário do que ocorre nas *Regras*, porém, o texto das *Meditações* não define de maneira precisa o verbo "*intueor*", embora o *use* de

jamais conjuntamente". Cf. sobre esse ponto Wahl (1953), p. 14. Como vimos acima, a descontinuidade temporal afirmada em passagens como essa não implica necessariamente que o tempo seja composto por instantes discretos.

371 A teoria da criação contínua de todos os entes por Deus – ou seja, a tese de que o ato de criar é o ato mesmo de conservar os entes na existência – é exposta nos seguintes textos: AT VII, 48-52 (*Meditações*); AT VI, 35-36; 45 (*Discurso*); AT VIII, 13 (*Princípios* I, 21); AT VII, 109-110 (*Respostas às Primeiras Objeções*) e AT VII, 165 (*Respostas às Segundas Objeções*).

372 "...quando me converto em mim mesmo, [....] entendo também, ao mesmo tempo [*simul*], que aquele do qual dependo [...] é Deus" (Terceira Meditação (AT VII, 51; IX, 41)).

373 AT VII, 64; IX, 51.

374 Provar *mais uma vez* que Deus existe não é, entretanto, conforme já observamos, uma redundância: após já ter provado duas vezes que Deus existe, na Terceira Meditação (cada uma das quais desempenhando uma função distinta no argumento mais geral), a prova da Quinta Meditação só é uma repetição na medida em que, após sua realização, nenhuma repetição de uma evidência atual será mais necessária para que estejamos seguros de sua verdade. Se Pedro negou Deus três vezes, Descartes o afirmou o mesmo número de vezes.

maneira razoavelmente frequente ao longo da argumentação. De fato, ele é empregado sete vezes no texto, em quatro das quais no sentido da visão física dos olhos[375] e, nas três ocorrências restantes, no sentido definido nas *Regras*, indicando como seu objeto as essências eternas[376]. É esse segundo uso que é relevante para se compreender o objetivo da Quinta Meditação, ainda que o verbo não apareça nela.

Como vimos acima, a interpretação tradicional da dúvida metafísica parece limitar dogmaticamente o escopo do que é duvidado ao que não é atualmente percebido, de modo que, se ela pretendesse usar o conceito de intuição para evitar o círculo lógico na fundamentação da razão por si mesma, poderíamos suspeitar que nada além do que uma impossibilidade empírica (psicológica) nos impediria de estender as razões de duvidar às próprias evidências presentes, uma vez que seria possível mostrar que não temos evidências perfeitas no presente quando podemos duvidar das evidências passadas e que, portanto, a suposta conexão lógica entre "ter evidências" e "acreditar" não

375 A primeira ocorrência se dá na Primeira Meditação (AT VII, 19): "*Atqui nunc certe vigilantibus oculis* intueor *hanc chartam* ..."; as outras três, na Sexta Meditação (AT VII, 70-72): "*Nempe, exempli causa, cum triangulum imaginor, non tantum intelligo illud esse figuram tribus lineis comprehensam, sed simul etiam istas tres lineas tanquam praesentes acie mentis* intueor, *atque hoc est quod imaginari appello. Si vero de chiliogono velim cogitare, equidem aeque bene intelligo illud esse figuram constantem mille lateribus, ac intelligo triangulum esse figuram constantem tribus, sed non eodem modo illa mille latera imaginor, sive tanquam praesentia* intueor"; "*adeo ut hic modus cogitandi in eo tantum a pura intellectione differat, quod mens, dum intelligit, se ad seipsam quodammodo convertat, respiciatque aliquam ex ideis, quae illi ipsi insunt; dum autem imaginatur, se convertat ad corpus, et aliquid in eo ideae vel a se intellectae, vel sensu perceptae conforme intueatur*".

376 Todas as três vezes em que ocorre nesse sentido, o verbo aparece na Terceira Meditação (AT VII, 25-26): "*Quid vero cum circa res Arithmeticas, vel Geometricas aliquid valde simplex et facile considerabam, ut quod duo et tria simul juncta sint quinque, vel similia, nunquid saltem illa satis perspicue* intuebar, *ut vera esse affirmarem?*"; e logo em seguida, ainda em AT VII, 25-26: "*Sed quoties haec praeconcepta de summa Dei potentia opinio mihi occurrit, non possum non fateri, siquidem velit; facile illi esse efficere ut errem, etiam in iis quae me puto mentis oculis quam evidentissime* intueri". Em ambos os casos, o contexto mostra que os objetos intuídos são aquilo que, na Quinta Meditação, será identificado como as essências matemáticas. Finalmente, em AT VII, 52, o verbo tem por objeto a essência de Deus: "... *placet hic aliquandiu in ipsius Dei contemplatione immorari, ejus attributa apud me expendere, et immensi hujus luminis pulchritudinem, quantum caligantis ingenii mei acies ferre poterit,* intueri, *admirari, adorare*". A língua francesa, como se sabe, não preservou do latim o verbo "intuir", mas a tradução francesa das *Meditações* não utiliza nunca o substantivo ou o adjetivo "*intuition*" e "*intuitif*".

é instanciada nesses casos. Segundo nossa interpretação, ao contrário, Descartes não está propondo uma dúvida direta sobre o conteúdo das evidências, mas sobre o fato de que, no passado, houve evidências. Nesse caso, o apelo a intuições presentes, que seriam como que aquisições permanentes de nosso estoque de conhecimentos adquiridos, não limita arbitrariamente o escopo da dúvida, pois ela não se dirige às evidências em geral, mas apenas às evidências passadas.

Essa interpretação da dúvida metafísica elimina o círculo lógico sem comprometer Descartes com o projeto pragmaticamente inviável de repetir, a cada nova demonstração racional, a prova da existência de Deus, de modo a estar certo de que cada procedimento racional efetivamente realizado é confiável[377]. Como observa Frankfurt[378], o problema do "círculo cartesiano" não é tanto um problema lógico, no qual se trataria de investigar se o autor cometeu uma petição de princípio em sua argumentação, pois a decisão nesse caso seria simples e não teria gerado tantos debates entre os filósofos ao longo de séculos de comentários (se fosse apenas um problema lógico, a decisão consistiria simplesmente em se mostrar que uma certa propriedade formal se aplica a esse raciocínio), mas trata-se, antes, de um problema de interpretação envolvendo o significado da dúvida. Como entender, segundo nossa interpretação, esse significado? Usando uma categorização proposta por Michael Dummett[379], ainda que correndo o risco de anacronismo (o que, na presente discussão sobre o tempo, seria um erro imperdoável), propomos que Descartes estava comprometido com uma posição anti-realista em relação a eventos mentais[380] passados, o que reflete sua postura geral de crítica ao realismo dogmático em prol de um

377 Cf. Bolton (1985). Segundo ela, a interpretação spinozana da dúvida cartesiana elimina o "círculo lógico" denunciado por alguns através da distribuição de dois estados cognitivos qualitativamente diferentes ao longo do tempo: *antes* da prova da existência de Deus, podemos duvidar de todas as evidências racionais; *depois* da prova da existência de Deus, adquirimos um conhecimento que nos faltava anteriormente, de tal forma que, nesse novo contexto cognitivo, não é mais possível duvidar das evidências racionais.

378 Frankfurt (1962), p. 504.

379 Dummett (1978).

380 No caso de Dummett, o anti-realismo sobre o passado não se restringe a eventos mentais, abarcando também coisas como, por exemplo, a derrota de Napoleão em Waterloo.

tipo de idealismo "construtivista". Segundo uma posição anti-realista nesse domínio, as proposições contendo referência a eventos mentais passados só têm sentido quando nós aprendemos a reconhecer certas situações como justificando a asserção dos enunciados expressos por tempos verbais no passado – ou seja, a justificação presente de que algo ocorreu no passado é essencial para compreendermos o sentido das proposições enunciadas no passado[381].

Evidentemente, o anti-realista não precisa ser reducionista: as provas presentes de que proposições passadas são verdadeiras ou falsas podem ser impossíveis sem que se use, em sua formulação, verbos no tempo passado[382]. A verdadeira dificuldade de aplicar um argumento anti-realista em relação ao passado encontra-se em outro de seus aspectos, a saber, no fato de que ele parece ir contra nossas crenças fundamentais de que há uma espécie de "conexão dos valores de verdade" dos diferentes enunciados compostos por diferentes tempos verbais, mas relativos aos mesmos estados de coisas[383]. Se os leitores deste texto, por exemplo, proferirem agora o enunciado "Estou lendo este livro", ele torna-se, por isso mesmo, verdadeiro. Logo, o enunciado "Li este livro há um ano atrás", proferido daqui a exatamente um ano, é também ele verdadeiro. (Podemos facilmente imaginar um exemplo que diga respeito a eventos mentais). A dificuldade aumenta se considerarmos que o realista pode até mesmo conceder que, geneticamente, as condições de assertabilidade precedem a apreensão das condições de verdade dos enunciados sobre o passado[384]. Uma resposta possível do anti-realista (e esse é o espírito da solução de Descartes para o problema da dúvida metafísica), segundo Dummett, é aquela que mantém a tese da "conexão dos valores de verdade" graças à combinação de sua posição com relação aos eventos passados com uma atitude realista com relação ao presente (ou a um tempo futuro, quando uma

381 Cf. Dummett (1978), p. 363.

382 Dummett (1978), p. 361.

383 Descartes parece ter querido preservar essa noção comum – por exemplo, na Terceira Meditação (AT VII, 36; IX, 28): um Deus enganador jamais poderá fazer "que algum dia seja verdade que eu não tenha jamais existido, sendo verdade agora que eu existo". Deve-se observar que, ainda assim, uma evidência presente tem de ser dada.

384 Dummett (1978), p. 367.

proposição sobre o passado for enunciada[385]). Admitindo a sugestão de que a perspectiva antirrealista sobre eventos mentais passados – ou seja, sobre a *natureza* mesma do pensamento, na medida em que ele pode ser composto por instantes discretos contínuos ou descontínuos ou por um fluxo denso contínuo ou descontínuo – exprime adequadamente a posição de Descartes, podemos entender o problema suscitado pela dúvida metafísica da seguinte maneira: se várias histórias alternativas do mundo são compatíveis com o que agora é o caso[386], elas são indecidíveis; pela hipótese do Deus enganador, seria possível supor até mesmo uma história do mundo composta por uma rede consistente de memórias ostensivas inteiramente falsas[387] (os estados conscientes presentes seriam os únicos absolutamente certos), de tal modo que as evidências para a atribuição de valores de verdade às proposições sobre eventos mentais passados seriam colocadas em questão. Em suma, a posição de Descartes seria a do anti-realista que exigiria evidências para a validação da memória, o que, conjugado ao projeto de fundamentação da razão e à consequente formulação de uma dúvida de estilo cético sobre a natureza temporal do pensamento, desembocaria na suspensão da atribuição de verdade às proposições sobre o passado. O realista gostaria de descrever o mundo – e, no caso que nos interessa, a mente humana – como ele foi ou é ou será, enquanto o anti-realista levaria a sério o fato de que todas as evidências se dão no tempo (os eventos mentais passados existindo como traços deixados no presente, e não como passado em si mesmo, tal como ele era quando presente). A descrição do mundo do ponto de vista da eternidade pretende reunir todas as posições temporais em um único olhar de conjunto[388], discriminando essas posições entre si sem relacioná-las temporalmente à posição do próprio ponto de vista descritivo. Com a prova da existência de Deus, isto é, de um ser eterno criador de todas

385 Essa última ampliação do domínio das evidências mostra que não é necessário admitir apenas as evidências efetivamente presentes e disponíveis para o sujeito no momento da enunciação, mas que ainda assim é preciso conectar o significado das ideias sobre o passado a *algum tipo* de evidência em *algum momento* do tempo, no qual essa evidência será presente.

386 Dummett (1978), p. 367.

387 Unger (1975), p. 130.

388 Dummett (1978), p. 369.

as coisas (incluindo o tempo), Descartes pretendia ter chegado a uma verdade (tornada intuitiva na Quinta Meditação) que fornecesse evidências presentes (pelo fato de se tratar da ideia de um Deus não-enganador) para a verdade das proposições sobre os eventos mentais passados. Essa seria uma posição bastante similar à almejada pelo realista, mas seria objeto de evidências presentes que correlacionariam cada momento presente da mente finita à eternidade de Deus. A intuição imediata e instantânea de Deus permitiria uma espécie de "ponto de vista de lugar nenhum", revelando assim que todos os eventos mentais, presentes e passados, são copresentes na eternidade da mente divina.

Por que, entretanto, teríamos de aceitar que a intuição intelectual de Deus tenha a forma de um evento temporal instantâneo, e não a breve *duração* de um momento? Ou ainda: mesmo que a Quinta Meditação pretenda reduzir a longa série de deduções a uma ideia apreendida de forma simples, a intuição não poderia ser apenas a *tendência* a que devemos visar, reconhecendo, porém, que nosso pensamento sobre a eternidade sempre ocorre no tempo?

Para eliminar essa possibilidade, é preciso provar que a metafísica, porque lida com os "primeiros princípios" – ou seja, porque é "filosofia primeira" –, não pode se contentar com o mero movimento *tendencial* rumo à intuição, mas deve chegar a uma primeira intuição indubitável, único fundamento possível da ciência. Ora, se a interpretação do significado da dúvida metafísica exposta acima for aceita, a ideia de um movimento tendencial parece ser inaceitável – aceitá-la significaria afirmar que a verdade possui graus. Já sabemos que a dúvida metafísica não formula uma *questão de fato* – sobre a confiabilidade psicológica da memória –, mas sim uma *questão de princípio* – a saber, sobre se as distorções causadas pela passagem do tempo e os defeitos da memória poderiam ser eliminados como razões céticas para duvidar da razão. Logo, a resposta ao problema da fundamentação pela ideia de Deus exige que toda duração, por menor que ela seja, tenha sido reconduzida ao presente eterno de uma intuição intelectual imediata. A eternidade de Deus só pode ser adequadamente representada por um pensamento finito na medida em que ele "participa", ainda que imperfeitamente, da eternidade[389]. Nesse sentido, o projeto das *Meditações* realiza o que

389 Sobre a noção de "participação", que desempenha um papel importante nas *Meditações*, uma frase da tradução francesa da Terceira Meditação (retomada no Resumo)

havia sido preconizado pelas *Regras*; de fato, na Regra XI, Descartes adverte que a oposição entre intuição intelectual e enumeração (ou indução), que havia sido exposta nas Regras IX e X, deveria ser agora eliminada de tal modo que "essas duas operações se ajudem e se completem mutuamente [*perficiant*], até parecerem se fundir em uma só [*coalescere*], graças a um movimento do pensamento que, de uma só vez [*simul*], toma de cada termo uma intuição atenta [*singula attente intuentis*] e passa em direção às outras" [*et ad alia transeuntis*]. O "movimento contínuo e não-interrompido do pensamento" [*continuo et nullibi interrupto cogitationis motu*], indica, é verdade, o percurso de uma duração temporal; entretanto, tal duração só deve ser percorrida para melhor ser eliminada: a "fusão" das duas operações da mente se dá, de modo claro, com o privilégio da intuição sobre a enumeração. É preciso, em suma, reduzir a enumeração a uma intuição "compreendida inteiramente em um só momento, e não sucessivamente" [*ut tota simul et non successive intelligatur*][390]. Se esse é apenas um ideal regulador nas ciências matemáticas e naturais, a redução à intuição pura é parte constitutiva da metafísica. De fato, "a principal utilidade desta regra [*i.e.*, da Regra XI] consiste em que tomemos o hábito, ao refletir sobre a dependência mútua das proposições simples, de distinguir imediatamente [*subito distinguendi*] o que é mais ou menos relativo,

explica a noção de "graus de realidade objetiva" através da noção de "participação no ser da coisa representada": as ideias "que me representam substâncias são, sem dúvida, algo a mais e contêm (por assim dizer) mais realidade objetiva, isto é, participam por representação em mais graus de ser ou de perfeição, do que aquelas que me representam somente modos ou acidentes" (AT IX, 31-32). No latim, a noção de participação aparece na Quarta Meditação, em AT VII, 54. Tais "graus" de participação estendem-se, na verdade, para além dos dois limites assinalados nesse trecho: para além das ideias de substâncias finitas, há a ideia que nos representa a substância infinita; para aquém das ideias de acidentes, há a ideia que nos "representa" o nada (na verdade, a ideia do nada é um nada de ideia). Nessa série de graus contínuos, a ideia mais primitiva, ao contrário do que pensa o senso comum, é a ideia de infinito, elemento mais simples e mais absoluto. Deve-se notar que o projeto cartesiano de fundamentar a verdade no absoluto dado pela ideia de Deus – que supõe uma noção não-gradativa, não-probabilística, de verdade – só pode ser consumado ao se introduzir a noção de graus em outro ponto da teoria, a saber: na caracterização das ideias que representam os objetos dos juízos (são apenas esses últimos, como se sabe, que Descartes afirma serem passíveis de receber as qualificações de "verdadeiros" ou "falsos").

390 AT X, 407-409.

e por quais graus pode-se conduzi-lo ao absoluto" [*quid sit magis vel minus respectivum, et quibus gradibus ad absolutum reducatur*][391]. Como sabemos pela Regra VI, os termos relativos e absolutos de uma série são assim classificados, nesse livro, não a partir da natureza das coisas mesmas, mas sim a partir do contexto mental daquele que a elabora – é assim que o exemplo para ilustrar a "principal utilidade" da Regra XI é a proporção contínua entre magnitudes. Entretanto, no caso da metafísica das *Meditações*, trata-se de um objeto que é o mais simples e absoluto: princípio absoluto de todas as séries, Deus é, em si mesmo, e não apenas em relação a meu intelecto, o termo absoluto de todos os demais objetos cognoscíveis[392]. Assim como o "eu" intuído na Segunda Meditação escapa às razões céticas para "duvidar de tudo" porque o conteúdo do *cogito* é mais simples e evidente do que qualquer outro conteúdo, inclusive o das verdades simples da matemática (na medida em que o *cogito* não apresenta nenhum conteúdo distinto do próprio ato de pensar), o conteúdo da ideia de Deus, mais do que garantir, através de sua representação, o conteúdo das demais ideias claras e distintas, garante a confiabilidade de um aspecto formal do pensamento, a saber: a "memória das conclusões" (na medida em que a intuição instantânea da essência de Deus sintetiza em si a totalidade dos demais atos mentais criados por ele). Tanto quanto a verdade do *cogito*, a função da ideia de Deus é fornecer um fundamento *causal* para os pensamentos humanos[393], a saber, a essência de Deus (a qual não se distingue de sua existência).

Mas em que sentido, nesse caso, a dúvida metafísica ainda seria uma dúvida sobre a razão? Em primeiro lugar, a dúvida sobre o passado

391 AT X, 409.

392 É assim que, na Terceira Meditação, após ter demonstrado, por duas provas *a posteriori*, que Deus existe, Descartes elimina uma objeção que poderia ser feita a sua prova, a saber: que a ideia de Deus foi causada por várias perfeições diversas que encontramos na natureza. "Pois ao contrário", ele conclui, "a simplicidade ou a inseparabilidade de todas as coisas que estão em Deus é uma das principais perfeições que concebo estarem nele [....] Pois ela não mais pode ter-me feito compreender simultaneamente unidas [*simul junctas*] e inseparáveis, sem fazer ao mesmo tempo [*nisi simul effecerit*] que eu soubesse o que elas eram" (AT VII, 50).

393 "... porque toda concepção clara e distinta é sem dúvida algo de real e de positivo ["*est aliquid*" / "*quelque chose de réel et positif*"], e, portanto, não pode ter sua origem no nada, mas deve ter necessariamente Deus como seu autor" (AT VII, 62; IX, 49).

torna impossível qualquer uso da razão quando ela se aplica a deduções mais longas, pois poderíamos suspeitar de que aquilo que nos aparece como tendo sido provado de forma evidente não o foi realmente. Em segundo lugar, a própria ideia de inferência, segundo a qual derivamos uma proposição de um conjunto de proposições dadas, ou seja, segundo a qual, da verdade de certas premissas, segue-se necessariamente a verdade das conclusões, estaria comprometida. Ora, o exercício da faculdade da razão pode ser definido, em grande parte, como a realização de inferências nas quais a verdade é transmitida ao longo de cadeias de razões. Portanto, uma dúvida de estilo cético que colocasse em questão essa ordem de razões questionaria a própria razão em seus termos definicionais. Podemos então, concluir retornando à interpretação do trecho das *Segundas Respostas* citado acima. De acordo com nossas análises anteriores, Frankfurt afirmava que, longe de enunciar uma dúvida sobre a memória, Descartes supunha aí a validade da memória para poder formular sua dúvida. A frase mais relevante para suportar essa conclusão é a seguinte:

> ... porque podemos esquecer [*oblivisci*] as razões e, nesse ínterim, nos lembrar das conclusões que foram deduzidas delas, pergunta-se se é possível ter uma persuasão firme e imutável sobre essas conclusões durante o tempo [*quandiu*] em que nos recordamos que elas foram deduzidas de princípios muito evidentes; pois essa recordação deve ser suposta para que possam chamar-se de conclusões[394].

O que esse texto afirma, ao contrário do que propõe Frankfurt, não é a validade da memória de modo categórico, mas antes a proposição hipotética segundo a qual, se quisermos garantir para certas proposições o estatuto de conclusões, deveremos supor a validade da memória. Nada garante, nessa formulação, que já dispomos de provas metafísicas suficientes para fundamentar tal suposição sobre a natureza temporal dos eventos mentais e sobre o valor de verdade das ideias da memória. Porque podemos esquecer os conteúdos das premissas que garantem a verdade de uma conclusão, podemos suspeitar de que elas não tenham de fato existido ou que, tendo existido, não sejam adequadamente representadas pela memória, de onde se gera a suspeita de que podem ser

394 AT VII, 146; IX, 115.

falsas todas as (aparentes) conclusões que se apresentam a nossa mente com pretensão a serem verdadeiras. Mesmo quando o conteúdo dessas conclusões for constituído por verdades eternas, como é o caso das proposições matemáticas, podemos duvidar não propriamente de que esse conteúdo se refere corretamente a estados de coisas passados, mas sim de que, no passado, existiram premissas que garantiriam essas conclusões.

Resta ainda conjugar essa conclusão com a ideia de autoria das *Meditações*, mostrando como um problema de interpretação pode ser traduzido em um procedimento discursivo. Veremos, então, que o "eu" meditativo, substância pensante que se apreende a si mesma em uma intuição instantânea, é, simultaneamente, uma condição da escrita e algo que se lhe opõe como um limite – como veremos adiante, não porque seria um elemento "fora" da série, como Deus, mas, ao contrário, justamente porque, como primeiro elemento da série metafísica, é *inteiramente* compreensível. A natureza corporal da escrita engaja o leitor em um tempo mental contínuo que, entretanto, só se realiza plenamente quando remetido à instantaneidade de uma intuição para além do texto[395].

No "Apêndice" às *Segundas Respostas*, na Proposição Primeira, após provar a existência de Deus considerando os atributos que constituem sua natureza (exatamente do mesmo modo que se formula a prova da existência de Deus na Quinta Meditação), Descartes acrescenta a seguinte observação: a conclusão desse silogismo "pode ser conhecida sem prova pelos que se acham isentos de todos os prejuízos, como foi afirmado no quinto postulado. Mas, como não é fácil chegar a tão grande clareza de espírito, procuraremos provar a mesma coisa por outras vias". Essas "outras vias", como se sabe, são as provas *a posteriori*, que, nas *Meditações*, vêm em primeiro lugar, na Terceira Meditação (cf. Proposições Segunda e Terceira)[396]. O quinto postulado do "Apêndice" enuncia a seguinte demanda:

> Em quinto lugar, postulo que *se detenham longamente* em contemplar a natureza do ser soberanamente perfeito; e, entre outras coi-

395 É essa tensão que explica o interesse de Samuel Beckett por Descartes – e não é demais lembrar que Beckett *começou* sua obra publicando um poema sobre Descartes, *Whoroscope*.

396 A prova *a posteriori* desempenha um papel fundamental na interpretação de Beyssade, e está diretamente ligada a sua negação do atomismo temporal em Descartes. Cf. Beyssade (1979), pp. 297-301.

sas, que considerem que, nas ideias de todas as outras naturezas, a existência possível encontra-se de fato contida, mas que, na ideia de Deus, não só a existência possível está contida, mas além disso a necessária. Pois, daí só, e sem qualquer raciocínio, conhecerão que Deus existe; e não lhes será menos claro e evidente, sem outra prova, que lhes é manifesto que dois é um número par, e três um número ímpar, e coisas semelhantes. Pois há coisas que são assim conhecidas sem provas por alguns, enquanto outros só as entendem por *um longo discurso* e raciocínio[397].

Esse trecho é ambíguo: por um lado, é demandado aos leitores que adotem uma determinada atitude, ou seja, que realizem, na duração, um certo ato mental de atenção ("que *se detenham longamente* em contemplar a natureza do ser soberanamente perfeito"); por outro lado, a conclusão afirma que um "longo discurso" é destinado apenas àqueles que não podem ter um acesso intuitivo aos primeiros princípios da filosofia. O "longo discurso e raciocínio" não deve ser assimilado às palavras escritas ou ouvidas, como nos advertem as *Regras*: as deduções são, tanto quanto as intuições de que são compostas, realidades *mentais*. Mas todo discurso verbal envolve duração e continuidade. A duração manifesta-se em dois domínios distintos, um mental e outro corporal: a contemplação da mente deve interromper a leitura das palavras impressas e imiscuir nelas seu próprio ultrapassamento em direção ao pensamento puro[398]. O pensamento, por sua natureza, *pode*

397 Citamos aqui a tradução da versão francesa do texto de Descartes; mais adiante, na nota 588, voltaremos a esse mesmo trecho, desta vez considerando o original em latim. AT IX, 126-127; grifo acrescentado na tradução.

398 Seria preciso, em outro estudo, associar essa compreensão cartesiana da leitura com a difusão da leitura silenciosa, que conheceu, justamente no século XVII, uma grande expansão (graças não só ao desenvolvimento de novas tecnologias de impressão, mas também à difusão do hábito da escrita vernacular, a qual tem justamente em Descartes uma de suas figuras centrais). Ao permitir que as pessoas lessem para si mesmas, sem pronunciar as palavras em voz alta, o hábito leitura silenciosa estabelece, como mostra Alberto Manguel em sua *História da leitura*, uma nova relação com o tempo: "com a leitura silenciosa, o leitor finalmente pôde estabelecer uma relação irrestrita com o livro e as palavras. As palavras não precisavam mais ocupar o tempo requerido para pronunciá-las. Elas podiam existir no espaço interior, avançando rapidamente ou mal começadas, decifradas inteiramente ou só balbuciadas, enquanto os pensamentos dos leitores as inspecionavam sem pressa, retirando delas novas noções, permitindo comparações com a memória ou com outros livros deixados abertos para

ser dado em um instante sem duração – tal como ocorre com o intelecto de Deus ou dos anjos –, enquanto a extensão, também por sua natureza, *deve ser* divisível ao infinito e, por isso, *só pode* ser pensada através da duração. No caso específico do pensamento do "eu" por si mesmo, a contemplação mental requerida é aquela que escapa da duração pelo próprio ato em que se separa dos signos escritos sobre o papel. A escrita *não pode* reproduzir o instante e, no entanto, só é possível porque pretende reproduzi-lo[399].

consultas simultâneas" (Manguel (1997), p. 41). Mais do que a origem desse hábito, porém, textos como o *Discurso* e as *Meditações* só foram possíveis por causa deles, uma vez que dependiam da lógica de leitura silenciosa para conduzirem o leitor, no interior de sua mente, até o "eu" que lê. Nesse sentido, pode-se consultar a análise de Roger Chartier, quando ele mostra que a leitura silenciosa foi considerada perigosa na medida em que dá "uma força de persuasão inédita às fábulas dos textos de ficção" – e, podemos acrescentar, às "ficções" cartesianas que levam o leitor a tomar como se fossem verdadeiros o "argumento do sonho" e o "argumento do Deus enganador". Cf. Chartier (1997), p. 347 (no item intitulado justamente "*Lire à haute voix, lire em silence*"). Não é impossível que Descartes tenha lido o trecho das *Confissões* no qual Agostinho narra a prática de leitura de Santo Ambrósio: "Mas quando Ambrósio costumava ler, seus olhos eram arrastados através das páginas, enquanto seu coração procurava por seu sentido; entretanto, sua voz e sua língua ficavam quietas" (Livro VI, Capítulo 6).

399 "O instante é já a solidão", diz Gaston Bachelard, "... o tempo apresenta-se como o intante solitário, como a consciência da solidão" (Bachelard (1932), p. 12). De maneira apenas aparentemente paradoxal, poderíamos citar aqui também Henri Bergson, quando ele diz, nas primeiras frases do *Ensaio sobre os dados imediatos da consciência*, e talvez com a mesma reserva que caracteriza a relação de Descartes com a escrita, que "exprimimo-nos necessariamente por palavras, e pensamos o mais frequentemente no espaço. Em outras palavras, a linguagem exige que estabeleçamos entre nossas ideias as mesmas distinções nítidas e precisas, a mesma descontinuidade que há entre os objetos materiais. Essa assimilação é útil na vida prática, e necessária na maior parte das ciências. Mas poder-se-ia se perguntar se as dificuldades insuperáveis que certos problemas filosóficos levantam não viria do fato que se se obstina a justapor no espaço os fenômenos que não ocupam o espaço, e se, fazendo abstração das imagens grosseiras em torno das quais o combate se desenrola, não se daria a elas um fim. Quando uma tradução ilegítima do não-extenso em extenso, da qualidade na quantidade, introduziu a contradição no próprio coração da questão formulada, é espantoso que a contradição se reencontre nas soluções que se lhe dá?" (Bergson (1970), p. 7). Se podemos colocar aqui lado a lado Bachelard e Bergson, é porque a natureza do pensamento, quer ele se exerça em um instante ou em uma duração, opõe-se à natureza extensa das palavras, as quais, no entanto, devem, de alguma maneira, exprimi-lo.

Portanto, pelo menos no caso do ato de pensar-se a si mesmo sob a forma do "eu" e no caso de pensar seu fundamento infinito em Deus, o pensamento assume a forma de um evento instantâneo. Duas das verdades que Descartes pretendeu estabelecer nas *Meditações* – "eu existo", "Deus existe" – são apreendidas por intuições intelectuais que não deixam de apresentar relações entre si: a primeira delas diz respeito à "realidade formal" do pensamento, enquanto a segunda apresenta a "realidade objetiva" mais simples e primitiva, origem causal de todos os demais objetos mentais. Forma e conteúdo têm, assim, uma expressão intuitiva, imediata.

Como esse tipo de evento se manifesta na relação de *expressão* entre a escrita e o pensamento – ou seja, entre um tipo de "coisa extensa" intimamente ligada à expressão do pensamento? Não pode haver, é certo, segundo Descartes, uma conexão necessária qualquer entre extensão e pensamento – por mais intimamente que a primeira esteja ligada à segunda. Entretanto, há um tipo de fato – justamente aquele que é a "primeira verdade" da metafísica para Descartes – que pode ser o modelo para descobrirmos um tipo de *necessidade condicional*, a saber: a proposição "eu sou, eu existo", na medida em que é pronunciada ou pensada – e também a proposição que a traduz de maneira mais célebre, escrita na Quarta Parte do *Discurso*: "eu penso, logo eu existo". As investigações metafísicas tratam justamente de narrar o percurso temporal de uma alma em busca da verdade, a qual só pode ser encontrada quando um ponto sem extensão temporal – primeiramente, o "eu" intuído, e, em segundo lugar, o Deus da Quinta Meditação, o qual, conforme já notamos, é a garantia da memória na medida mesma em que concentra em si o percurso meditativo, reduzido a uma memória intelectual não ligada aos traços cerebrais, e aproximando-a, assim, de uma intuição da existência do criador de nossa faculdade de entender – é determinado para além de qualquer dúvida possível. Se o "eu" escapa às "razões de duvidar" expostas na Primeira Meditação e na Quarta Parte do *Discurso*, é justamente na medida em que é um ente simples, isento de partes e de divisões; no caso de Deus, também ele, com suas inúmeras propriedades, deve ser conduzido à sua compreensão como ente simples e fixado como tal na memória. A narrativa escrita, por sua vez, temporaliza o processo meditativo, pois mostra como "inventar" esses objetos simples – ou seja, como descobri-los *dados* lá onde os preconceitos da imaginação os encobriam.

Tal temporalização relaciona-se, por sua vez, à memória. Na entrevista que manteve com Burman, como vimos acima, esse último formula uma objeção relativa ao alcance da prova da existência de Deus: "depois que demonstrei a existência de Deus, e de um Deus não enganador, posso dizer, não que meu entendimento me engana [....] mas que minha memória me engana, porque parece-me que me recordo de uma coisa, da qual em verdade não me recordo"[400]. A resposta de Descartes, também já citada acima, é: "Sobre a memória, não posso nada dizer: a cada um de experimentar se se recorda bem: e se se duvida disso, é preciso a escrita ou coisas similares que o ajudem". Com esse breve comentário, ele parece ter querido dispensar categoricamente qualquer importância de uma dúvida sobre a memória após a prova da existência de Deus. Mas essa primeira leitura não é inteiramente correta: ao legitimar a confiabilidade da memória pela prova da existência e veracidade de Deus, *todas* as ideias claras e distintas do entendimento tornam-se imunes à dúvida cética, mas nem todas as ideias da memória desfrutam do mesmo privilégio. O que a intuição intelectual de Deus garante é que a memória não é *sistematicamente* enganadora, e não que nunca mais teremos problemas particulares de memória[401].

Ainda na conversa com Burman, Descartes aceita a distinção, proposta por esse último, entre dois tipos de memória, uma "intelectual" e outra "corporal"[402]. O que explica que não possuamos lembranças de nenhum desses dois tipos datadas da época de nossa primeira infância, diz Descartes, é, em primeiro lugar, o fato de que a mente infantil está inteiramente à mercê do corpo [*corpus, ut semper mentem in cogitando impedit, sic illud maxime fecit in juventute*][403], o que a desvia dos objetos inatos puramente intelectuais, tal como a ideia de Deus. Em segundo lugar, a ausência de lembranças de coisas sensíveis deriva do fato de que os traços cerebrais não foram impressos na mente das

400 AT V, 148.

401 "A memória é coisa instável e frágil" ["*labilis sit et infirma*"], afirmou Descartes nas *Regras* (AT X, 408).

402 Descartes já havia proposto essa distinção em carta a Mersenne, 1 de abril de 1640 (AT III, 48).

403 AT V, 150.

crianças, assim como muitas informações sobre o dia de ontem não foram impressas em nossos cérebros adultos[404]. Ainda assim, insiste Burman, é preciso aceitar a existência de uma memória intelectual, já que tanto anjos quanto almas separadas do corpo recordam-se de seus pensamentos; ora, *algo* retido por esse tipo de memória deveria ter permanecido ao longo de toda nossa vida. Descartes admite essa consideração de Burman, mas explica que, como a memória intelectual tem por objeto sobretudo universais, e não particulares ["*hæc memoria intellectualis magis est universalium quam singularium*"], os fatos singulares de nossa história mental não são retidos por ela[405]. O que deve ser notado nessa resposta é, sobretudo, o exemplo usado por Descartes para ilustrar a ideia mesma de memória intelectual:

> ... quando escuto que a palavra R-E-I significa o poder supremo e quando envio isso a minha memória, e depois recupero pela memória essa significação, isso certamente é feito pela memória intelectual, pois não há nenhuma afinidade entre essas três letras e sua significação, da qual a haurisse; mas, pela memória intelectual, recordo-me que tais letras denotam isso[406].

A escrita é, portanto, o resultado dos dois tipos de memória: por um lado, nosso cérebro é marcado pelos traços corporais das letras, retendo-as corporalmente[407]; por outro lado, o significado das pala-

404 Descartes não explica suficientemente nesse trecho, porém por que *nenhum* traço é impresso na mente de crianças muito pequenas. Para uma explicação mais completa dessa ausência, ver o *Tratado do Homem* (AT XI, 177-179).

405 A dúvida metafísica sobre a memória, tal como foi interpretada acima, incide sobre a memória corporal, sobre a intelectual, ou sobre ambas? O ato mental pelo qual me recordo de ter feito uma certa dedução é, sem dúvida, um evento particular; por outro lado, a dúvida metafísica é expressa como um questionamento sobre toda e qualquer memória passada, de tal modo que seu alcance é universal; finalmente, ela parece abarcar tanto as lembranças de atos puramente mentais quanto lembranças que envolvem o composto de mente e corpo. O mais provável é que a dúvida incida, portanto, sobre os dois tipos de memória, sem distinção.

406 AT V, 150.

407 A memória, como qualquer outra explicação fisiológica em Descartes, exprime-se em termos mecânicos: quando ativados, os filetes (ou fibras nervosas), que funcionam como cordas retesadas conectando as partes interiores do cérebro aos órgãos sensíveis, acabam se dispondo de tal maneira que se formam poros entre eles. A partir dessa configuração, fixa-se *um padrão* poroso pelo qual fluem os espíritos animais, de

vras – isto é, as ideias, consideradas em sua "realidade objetiva"[408] – é associado aos signos através da memória intelectual. Mais do que ser o resultado do uso da memória, porém, a escrita é um *instrumento* para auxiliá-la: é justamente porque os dois tipos de memória se associam na sua produção que os signos escritos podem ser usados como forma de reter longas deduções sobre o papel. Como um martelo ou uma bússola[409], a escrita é a manifestação concreta de um método.

A linguagem tem, porém, uma peculiaridade frente a todos os outros instrumentos; de fato, enquanto esses últimos mantêm sua absoluta exterioridade em relação ao quadro teórico que ajudam a construir, a linguagem, e principalmente a escrita (na medida em que é ela, e não a fala, que funciona como auxiliar da memória na ciência)[410], confunde-se com ele de tal modo que ambos se tornam, no

tal modo que as figuras desenhadas sobre a glândula podem ser reativadas sem que os órgãos sensíveis tenham de ser atingidos por partículas externas. Cf. *Tratado do Homem* (AT XI, 177). Alguns anos mais tarde, Descartes acrescentará, a essa explicação, a tese de que as ideias corporais impressas sobre as partes interiores do cérebro e, daí, sobre a glândula, também podem ser impressas diretamente nos músculos (carta a Meyssonier de 29 de junho de 1640 (AT III, 20) e carta a Mersenne de 1 de abril de 1640 (AT III, 48). Nessas duas cartas, o exemplo dado por Descartes para essa "memória muscular" é o hábito adquirido pelo tocador de alaúde, que recebe diretamente no músculo de suas mãos as ideias que se encontravam originalmente no cérebro. Mas nada impede estender essa mesma explicação para a criação do hábito da escrita nas mãos das crianças. Para uma apresentação da fisiologia cartesiana, cf. *La philosophie médicale de Descartes* (Aucante, 2006).

408 Cf. *Respostas às Segundas Objeções*, "Exposição geométrica", Definição II: "Pelo nome de ideia, entendo esta forma de qualquer um de nossos pensamentos por cuja percepção imediata somos conscientes desses mesmos pensamentos. De tal modo que nada posso exprimir por palavras, ao compreender o que digo, sem que daí mesmo seja certo que possuo em mim a ideia da coisa que é significada por minhas palavras. E assim não dou o nome de ideia às simples imagens que são pintadas na fantasia; ao contrário, não lhes dou aqui esse nome, na medida em que se encontram na fantasia corporal, isto é, na medida em que são pintadas em algumas partes do cérebro, mas somente na medida em que informam a própria mente, enquanto essa se aplica a esta parte do cérebro" (AT VII, 160-161).

409 Os regimes de inscrição histórica de coisas como máquinas, experimentos científicos e utensílios domésticos certamente não é homogêneo no século XVII; se os tratamos aqui homogeneamente, isso se deve ao fato de crer que, para Descartes, ao menos em certo nível de generalidade, todos eles correspondem a isso que chamei de método corporificado.

410 E aqui Descartes é exemplar em sua encarnação da tese central de *A escritura e a*

limite indistinguíveis. Essa confusão perigosa aparece muitas vezes no próprio momento em que Descartes expõe sua visão positiva sobre a escrita. Assim, na Regra XVI, lemos:

> De resto, como dissemos, dentre as dimensões inumeráveis que podem se pintar em nossa fantasia, não se deve contemplar mais de duas diferentes em uma só e mesma intuição, quer se trate de intuição visual ou de intuição intelectual; também importa reter todas as outras, a fim de que elas se apresentem facilmente a nós cada vez que for preciso; e é a este fim, parece, que a natureza institui a memória. Mas essa última é frequentemente fugidia; e, para que não sejamos forçados a imobilizar uma parte de nossa atenção para lhe dar seu frescor, enquanto se vaga em outros pensamentos, a arte acrescentou-lhe de modo muito feliz o uso da escrita; graças à ajuda dessa última, *não confiaremos aqui absolutamente nada à memória*, e preservaremos inteiramente nossa fantasia livre para *as ideias presentes*, inscrevendo sobre o papel tudo o que for necessário reter; e isso por signos muito concisos, a fim de *os poder passar distintamente em revista um após o outro*, conformemente à nona regra, e *percorrê-los todos seguidamente por um movimento muito rápido do pensamento*, conformemente à décima-primeira, e tomar do maior número possível dentre eles uma intuição simultânea[411].

Nessa oposição clássica entre natureza e arte, dois pontos especificamente cartesianos merecem ser destacados. Em primeiro lugar, a eliminação total da memória do contexto dedutivo, sendo ela substituída pela escrita. O que é percorrido "por um movimento muito rápido do pensamento" não são as ideias da memória, mas os signos inscritos sobre o papel. Em segundo lugar, os signos escritos vêm deixar a atenção livre para que ela seja dirigida apenas às ideias presentes. Nesse momento, a oposição entre a intuição visual e a intuição intelectual opera de modo mais forte do que nunca: há uma dimensão mental que é irredutível à linguagem, da qual ela se nutre e que ela é incapaz de exprimir. O "eu" puramente intelectual continua, como um fantasma na máquina, operando os modos da substância extensa sem nunca se

diferença, de Derrida.

411 AT X, 454-455; grifo acrescentado na tradução.

reduzir inteiramente a ela. Esse "resto" não-exprimível é o elemento essencial da escrita.

Na confusão parcial entre pensamento e linguagem, essa última *retorna como problema* insolúvel ao interior do quadro teórico que ela tenta em vão exprimir inteiramente. A explicação cartesiana para os instrumentos em geral não permite considerá-los como objetos teóricos *por si mesmos*. Só nos séculos XIX e XX, com a antropologia e a sociologia, tais objetos serão elevados plenamente à categoria de tema relevante para a ciência[412], justamente na medida em que serão pensados não mais como produtores de inteligibilidade, mas antes como resultados de uma certa ordem produtora de inteligibilidade – ou seja, na medida em que forem pensados puramente como *signos*. Mas a escrita, para Descartes, é, *ao mesmo tempo*, um instrumento e um signo. Como tal, ela, por um lado, não apenas não é como *não pode* ser o objeto de uma *teoria* da linguagem; sendo a condição da emergência de um quadro teórico, ela permanece invisível a ele como tema possível de investigação, permanecendo como um problema ou como um obstáculo inteiramente *opaco*. Por outro lado, ela *deve* aparecer como um problema a ser tematizado, justamente na medida em que é o registro, na extensão, desse mesmo quadro teórico. Estranha duplicidade: a de ser um objeto teórico ao mesmo tempo impossível e necessário.

Dessa ambiguidade nasce uma constatação importante: *em certo sentido*, a memória intelectual, legitimada pela prova da existência de Deus na Quinta Meditação, depende da memória corporal. A primeira não se subordina à segunda em seu exercício mesmo, pois a faculdade intelectual pode se dar, a princípio, sem o corpo; no entanto, do ponto de vista da realização da ciência, a utilidade da memória intelectual para a constituição de longas cadeias dedutivas precisa supor o registro escrito. O mais curioso nesse processo é que, como vimos acima, a própria atividade de dar sentido aos signos falados ou escritos necessita, por sua vez, ela mesma, da memória intelectual, uma vez que não

412 Poder-se-ia objetar que tal promoção das máquinas e demais instrumentos à nobreza dos objetos da ciência já se manifestava no século XVIII – basta pensar, por exemplo, nas páginas e páginas dedicadas a elas pela *Enciclopédia*. Mais do que como signos pertencentes a um certo horizonte cultural, no entanto, as máquinas da *Enciclopédia* desempenham o duplo papel de instrumentos técnicos e de instrumentos políticos de disseminação dos "segredos" das corporações.

há qualquer semelhança natural entre um grafismo e seu significado mental. Temos assim que a memória intelectual e a memória corporal são ao mesmo tempo dois elementos absolutamente distintos e, no entanto, interdependentes. Novamente aqui, a noção confusa da união entre mente e corpo será convocada para explicar como esses dois tipos de memória se relacionam para produzir o ato da escrita.

A mistura inextricável entre alma e corpo explica a natureza das sensações e das paixões da alma: estando sediada em uma parte específica do cérebro – a glândula suspensa em seu interior, exatamente no meio da massa encefálica –, a mente está distribuída por todo o corpo, unida com ele por inteiro[413]. A "terceira noção primitiva", qualitativamente distinta das duas outras – corpo e mente –, é dada, clara e distintamente, pela consciência obscura e confusa das sensações e das paixões da alma[414]. É verdade que, além do testemunho da experiência, Descartes recorre a um argumento racional para provar que a alma não está unida apenas a uma parcela do corpo, mas ao corpo por inteiro. Partindo da premissa (auto-evidente) de que a alma é una (porque é simples e indivisível), daí se seguiria que ela só pode estar unida a algo que também seja uno (ainda que sua unidade seja definida não pela simplicidade nem pela indivisibilidade, mas pela unidade funcional das suas partes componentes, como é o caso do corpo)[415]. Entretanto, esse argumento racional depende da verdade de uma premissa anterior, a de que *há união* entre alma e corpo, para poder nos levar à conclusão desejada. A verdade dessa premissa é estabelecida por um "ensinamento da natureza", isto é, de uma verdade inscrita de forma inata na mente dos homens[416], verdade essa acessada pelo contato empírico com o mundo. Assim, na Sexta Meditação, Descartes retoma a metáfora

413 *Paixões* (AT XI, 351). As diversas partes do corpo próprio de cada um são, assim, mediatamente presentes a sua mente (pela mediação da glândula pineal), embora estejam inteiramente unidas a ela.

414 *Princípios* (AT VIII, 22-23; IX, II, 45).

415 *Paixões* I, Art. 30: "Que a alma está unida a todos as partes do corpo conjuntamente" (AT XI, 351). O corpo pode perder partes e continuar sendo uno; é apenas ao perder as partes que são essenciais para garantir a unidade funcional que a multiplicidade do corpo elimina sua união com a alma.

416 O que mostra que nem tudo o que é inato pertence ao intelecto puro, uma vez que o "composto" alma-corpo também tem inclinações inatas. Cf. AT, VII, 82-83; IX, 65-66.

platônica do "piloto em seu navio" - metáfora que, no contexto de *A república*, ilustrava a relação de dominação política da cidade[417], e que aqui não deixa de projetar esse modelo político da soberania e esse modelo econômico da posse sobre a relação entre a alma e *seu* corpo - para mostrar, negativamente, como *não se deve entender* tal relação:

> A natureza ensina, também, por esses sentimentos de dor, fome, sede, etc., que não somente não estou alojado [*me non tantum adesse*] em meu corpo como um piloto em seu navio [*ut nauta adest navigio*], mas que lhe estou conjugado muito estreitamente e como que misturado [*quasi permixtum*], que componho com ele um único todo. Pois, se assim não fosse, quando meu corpo é ferido, eu, que não sou senão uma coisa pensante, não sentiria por isso dor alguma e apenas perceberia esse ferimento pelo intelecto puro, como um piloto percebe pela vista se algo se rompe em seu navio; e quando meu corpo tivesse necessidade de comer ou de beber, perceberia expressamente apenas isso, sem ter sentimentos confusos de fome e de sede. Pois, certamente, esses sentimentos de sede, de fome, de dor, etc., nada são exceto certos modos confusos de pensar, que provêm da união e como que da mistura [*quasi permixtione*] da mente com o corpo[418].

Porém, essa "união íntima", "como se fosse" - sem, no entanto, literalmente *ser* - uma mistura homogênea de duas qualidades, deixa conviver, em seu interior mesmo, e precisamente porque não é literalmente uma mistura, *uma outra relação*, na qual a mente dirige "seu" corpo como um piloto comanda seu navio. Assim, na Quinta Parte do *Discurso*, precisamente quando introduz, no último parágrafo, a questão da relação da mente com o corpo, lemos um trecho que apenas em aparência é contraditório com o trecho da Sexta Meditação citado acima; escreve aí Descartes:

> Eu descrevi, após isso, a alma racional e fiz ver que ela não pode ser derivada da potência da matéria, assim como as outras coisas das quais falei, mas que ela deve ser criada expressamente; e como não basta que ela esteja alojada [*logée*] no corpo humano assim como um piloto em seu navio, *a não ser talvez para mover seus membros*, mas que é necessário que ela esteja conjugada e unida mais estreitamente

417 *A república*, 488a. Para uma descrição literal da alma como habitante de seu "veículo", cf. *Timeu*, 69c-d.

418 AT VII, 81; IX, 64.

com ele para ter, além disso, sentimentos e apetites semelhantes aos nossos, e assim compor um verdadeiro homem[419].

Se a ressalva à tese da "união íntima" entre mente e corpo ("a não ser talvez para mover seus membros") passou muitas vezes desapercebida pelos comentadores, isso se deve, sem dúvida, porque, além de breve, vem modalizada ela mesma por uma reserva ("talvez") que parece adiar para uma outra ocasião o exame dessa possível exceção. É, no entanto, significativo que a interação causal entre mente e corpo seja caracterizada sem hesitações quando a causa se situa do lado corporal, como produzindo ideias obscuras e confusas, enquanto gere dúvidas quando a causa se situal do lado mental. As paixões da alma são afecções passivas pelas quais a vontade é determinada, mas as ações – ao menos as ações intencionais[420] – do corpo são produzidas pela vontade livre e indeterminada. Vemos, portanto, que a consideração das ações corporais voluntárias (dentre as quais certamente se inclui o ato da escrita) reintroduz, no interior da união entre mente e corpo, um princípio de separação. Ou seja, no próprio cerne do que constitui a "confusão" da mente com o corpo, permanece um elemento que promove sua distinção, elemento esse que é suficiente para nos lembrar de que não há efetivamente uma "mistura" entre mente e corpo, mas apenas um grau tal de união que as afecções do corpo *parecem* ser sentidas diretamente pela alma. As ações voluntárias mostram, na verdade, que não tem sentido supor que há "graus" de união: quando afirmamos que a alma está "mais" unida ao corpo quando sente dor do que quando somente constata ter uma parte

419 AT VI, 59; grifo acrescentado na tradução.

420 Quanto às ações não-intencionais, tais como o batimento cardíaco ou o movimento disgestivo, suas causas são puramente corporais, e destas a causa primeira remete, em última instância, à vontade de Deus, uma vez que, no conceito de extensão não encontramos a explicação do movimento da matéria (cf. *Princípios*, Parte II, Art. 36: "Que Deus é a causa primeira do movimento, e que ele confere sempre uma sua igual quantidade no universo" (AT VIII, 61; IX, II, 83)). Deve-se notar que, no caso das ações voluntárias, não apenas a causa primeira – a vontade racional dos homens, e não a de Deus – é caracterizada como um princípio ativo, mas seu "preposto" corporal – a glândula pineal, única parcela do corpo a ser movida diretamente pela vontade – herda algo da função de fundamento unificado e ativo das ações. Com efeito, a glândula, situada no meio da massa encefálica, é o único elemento do cérebro que não se encontra duplicado e espelhado em seus dois hemisférios, emulando a unidade simples da alma.

do corpo ferida, isso não pode significar que ela está mais próxima do corpo no primeiro caso do que no segundo, uma vez que "proximidade" é uma relação que ocorre entre coisas extensas, e não entre uma coisa pensante e uma coisa extensa. Mas qual seria, então, o princípio de distinção entre esses dois casos? A resposta de Descartes é sempre a mesma: não há acesso teórico ao fundamento dessa distinção; podemos apenas saber, por experiência, que somos afetados por ideias obscuras e confusas das sensações e das paixões, o que não seria o caso se estivéssemos alojados em nossos corpos apenas como pilotos em seu navio.

A escrita, portanto, como toda ação voluntária em que a mente move os membros do corpo ao qual está diretamente unida, é sempre um testemunho que nos faz recordar da diferença que existe entre alma e corpo, tanto mais que sua natureza é a de ser um instrumento de registro material dos pensamentos. Como notamos acima, a característica estilística da escrita cartesiana que mais encarna a ambiguidade da linguagem é sua prosa em primeira pessoa do singular[421]. Descartes não é o primeiro nem o último a escrever livros em primeira pessoa e, na verdade, a maior parte de seus escritos não porta essa marca característica – livros como as *Paixões da alma* ou os *Princípios da filosofia*, por exemplo, alternam o uso do "eu" com o do "nós" ou mesmo o impessoal "se". Ainda assim, é na peculiaridade do uso cartesiano do "eu" que encontraremos sua marca mais notável, principalmente no *Discurso* e nas *Meditações*, a tal ponto decisivo que poderemos reconhecê-lo mesmo nos textos em que ele não é onipresente.

Mantenhamos, porém, nosso foco, por ora, nas *Meditações*, pois este livro radicaliza o uso da primeira pessoa do singular já presente no *Discurso*, uma vez que faz dele o fio condutor para a descoberta de todas as "verdades" aí deduzidas. O "eu" do meditador é naturalmente tomado pelo leitor como se referindo ao autor do livro, cujo nome encontra-se em sua capa – as *Meditações* não foram, como o *Discurso*, publicadas anonimamente. Mais do que um uso anafórico, porém, o "eu" das *Meditações* deve ser caracterizado pela função que a linguística denomina "dêixis catafórica". De fato, ao invés de representar uma entidade previamente

421 Denis Kambouchner (2013) e Pierre-Alain Cahné (1980) enfatizam outro aspecto marcante do estilo cartesiano de escrita, sua frase longa e abrangente. Veremos adiante como esse aspecto é, na verdade, derivado desse outro, mais fundamental, aqui assinalado.

mencionada no texto – e a capa de um livro já é, evidentemente, parte de seu discurso –, o "eu" meditante *não foi* mencionado anteriormente: ele *não é* "René Descartes". Sua verdadeira referência é identificada e determinada apenas na sequência do discurso. Se a natureza dos pronomes em geral – e não apenas a dos pronomes pessoais – é a de reduzirem a zero os detalhes da representação, limitando-se à mera indicação de um referente, então todo o seu "significado" é variável e depende do contexto, como notou Louis Hjelmslev em um artigo de 1937[422]. Hejlmslev afirma, adotando a tese de Jacobus van Ginneken, que os usos da linguagem supõem, para além de percepções e representações, uma dimensão de adesão (ou seja, de assentimento ou de reconhecimento da realidade de uma representação); ainda segundo a divisão proposta por van Ginneken, Hjelmslev distingue a adesão "indicativa" da "significativa": nos pronomes, a adesão significativa desaparece em favor da indicativa. Ora, é uma espécie de radicalização hiperbólica dessa caracterísitica geral dos pronomes no uso específico do pronome pessoal "eu" o que está em jogo nas *Meditações* cartesianas: a Primeira e a Segunda Meditações desvinculam progressivamente o uso desse pronome de sua função inicial de designar o autor do livro para reduzi-lo à pura função de denotação de uma "coisa que pensa" [*res cogitans*]: o "eu" é reduzido a ser *apenas* aquele que pensa "eu". É verdade que, na sequência imediata dessa operação de esvaziamento semântico, Descartes formula para si mesmo a pergunta "*Sed quid igitur sum?*"[423] – ou: o que sou eu, eu que estou certo de que sou *algo?* A resposta surge tanto na forma de uma enumeração de nomes – sou "uma mente, ou seja, uma alma, um intelecto, uma razão"[424] – quanto na forma de uma enumeração de ações – sou "uma coisa que duvida, que intelige, que afirma, que nega, que quer, que não quer, que também imagina e que sente"[425]. Ao formular a resposta em termos nominais, fica mais claro que se trata de chegar a um enriquecimento semântico do

422 "A natureza do pronome" (Hjemslev, 1997). Nesse artigo, Hjelmslev procura uma definição da categoria de pronome que seja intralinguística, isto é, totalmente funcional ou estrutural. Não nos deteremos nesse aspecto de seu artigo, limitando--nos a reter apenas suas premissas gerais.

423 AT VII, 28; IX, 22.

424 AT VII, 27; IX, 21.

425 "*Sed quid igitur sum? Res cogitans. Quid est hoc? Nempe dubitans, intelligens, affirmans, negans, volens, nolens, imaginans quoque, & sentiens*" AT VII, 28; IX, 22.

termo "eu", inteiramente esvaziado pelas dúvidas enunciadas na Primeira Meditação e pela "primeira verdade" descoberta no início da Segunda Meditação: sou "uma mente, ou seja, uma alma, um intelecto, uma razão, que são termos cuja significação me era anteriormente desconhecida [*voces mihi priùs significationes ignotæ*]". O emprego catafórico do "eu" faz com que seu significado venha a ser determinado pelo contexto posterior da "ordem das razões". Essa representação mais robusta do "eu", no entanto, não elimina o fato de que a "primeira verdade" da metafísica, a partir da qual todas as demais serão derivadas, é um "eu" puramente indicativo[426]. Do ponto de vista textual, porém, esse ponto inicial não coincide com a figura do autor do texto, a partir da perspectiva do qual os demais elementos escritos encontrarão seu registro. Ou seja, a *origem* do texto (o "eu" puramente intelectual, que aparece no quarto parágrafo da Segunda Meditação) é distinta de seu *começo* (o "eu" que registra por escrito seu percurso intelectual, desde as primeiras linhas da Primeira Meditação – desde a capa do livro, na verdade). Há uma ambiguidade instituinte que é condição de inteligibilidade do texto como um todo.

Para que isso fique ainda mais claro, pensemos no vocabulário passional ("espanto", "desejo", "medo", etc.) que, como, Lisa Shapiro[427] chamou a atenção em um artigo recente, perpassa as *Meditações*. Tal vocabulário mostraria – pelo menos em uma leitura "forte" dessa terminologia passional, sem a reduzir a um mero recurso retórico externo ao conteúdo do texto – que esse "eu" não denota um "puro intelecto" desprovido de sentimentos. Segundo essa leitura "forte", "o projeto das *Meditações* envolve a regulação das paixões tanto quanto envolve o estabelecimento de um fundamento metafísico"[428]. Ou seja,

426 "Não se trata de uma questão de sentido, nem de realidade, incidindo sobre *o que* ocorre, sobre *o que* isso significa. Antes de se perguntar o que isso significa, antes do *quid*, é necessário que, por assim dizer, 'ocorra' *quod*. Que ocorra 'antecede' sempre, de algum modo, a questão que incide sobre o que ocorre. Ou seja, a questão antecede-se a ela própria. 'Que ocorra' é a questão enquanto acontecimento, 'em seguida', a questão passa a tratar do acontecimento que acaba de ocorrer. [....] Um acontecimento, uma ocorrência, [....] é infinitamente simples; contudo, essa simplicidade só se pode tornar próxima na privação". Jean-François Lyotard (1997), p. 96. Para o desenvolvimento de uma abordagem similar à de Lyotard ao caso específico de Descartes, cf Alquié (1950).

427 Shapiro (2005).

428 Shapiro (2005), p. 25.

"meditar" seria um "empreendimento revolucionário"[429], o qual teria como meta conduzir o meditador a um estado passional dominado pela "generosidade", entendida como a paixão da alma que é o remédio contra os "desejos vãos" – dentre os quais ganha destaque o desejo desmedido de conhecimento[430]. Ao pretender construir uma resposta determinada para explicar a presença do vocabulário passional nas *Meditações*, porém, Shapiro não considera a hipótese segundo a qual o que está em jogo nesse léxico é uma *ambiguidade ineliminável* entre o "eu" meditador e o "eu" narrador do texto, designado pelo nome próprio "René Descartes": o segundo reconta as peripécias do primeiro e, mesmo se as narra no presente do indicativo, há entre eles – entre o "eu" que medita e o que registra sobre o papel sua experiência – uma diferença que institui o registro textual. Ou seja, por mais que, ao longo das deduções que se seguem nas meditações seguintes, o "eu" seja progressivamente determinado – primeiramente, já o estabelecemos mais acima, como "substância pensante" e, na Sexta Meditação, como "homem", isto é, "união entre mente e corpo" –, a função de autoria é estabelecida no ponto de partida, em uma espécie de cisão "recalcada" pela aparente unidade do "eu" – da *grafia* do "eu", para ser mais preciso –, pois é aí que a *questão* do livro é formulada, e é através da referência ao formulador da questão – o "eu" meditante e o "eu" narrador – que sua resposta pode ter critérios de correção – no caso do "eu" meditante, a "regra geral de verdade", exposta, na Terceira Meditação, a partir da reflexão sobre as condições que permitiram a enunciação da "primeira verdade" e, no caso do "eu" narrador, a "regulação das paixões" conquistada ao final do percurso. Para a cultura clássica do Seiscentos, a *função autoral* é precisamente a de estabelecer a distinção e a identidade relativas entre a origem e o começo do texto, bem como os parâmetros de seu desenvolvimento progressivo – isso pelo menos até o Romantismo no século XIX, quando o questionamento das origens[431] será a marca de uma autoria anônima. Portanto, apesar das determinações ulteriores acerca da natureza desse "eu" nas *Meditações*, a função autoral é estabelecida no momento originário do texto, e permanecerá

429 Shapiro (2005), p. 24.

430 Shapiro (2005), p. 28.

431 Questionamento esse que não coincide necessariamente com sua negação ou destruição.

inalterada através dele. Entenda-se bem: o "autor", compreendido como uma função textual, não se reduz ao "homem" Descartes, no qual estão envolvidos elementos como papel, tinta, mãos e olhos, modos da substância extensa[432], para poder existir. Esses entes, tomados isoladamente, não respondem pela função autoral enquanto tal, ainda que possam ser uma sua condição necessária; a autoria do texto refere-se *também* ao "eu" puro que se distingue progressivamente do "eu" narrador. É nessa *distância* que a perspectiva do texto encontra sua formulação. Devemos notar, aliás, que o retorno do "eu" à crença de ser um homem e de haver outros homens, na Sexta Meditação, é a descoberta de um *novo sentido* de humanidade, explicada, a partir de então, pelo dualismo substancial e pela tese da união entre mente e corpo. Ainda no caso dessa nova antropologia, seus fundamentos só são determináveis a partir do processo de desidentificação entre o começo passional do texto e a origem puramente indexical da autoria.

Não é esse "eu" o que encontramos no *Discurso* – pelo menos, não até sua Quarta Parte. Caberia perguntar se, a partir dessa última, o resto do *Discurso* já não passa a se submeter ao registro autoral das *Meditações*, transformando, em sua metade, o que era até então uma autobiografia intelectual em um *outro gênero* de prosa e introduzindo, no interior do texto, uma estranha anomalia. Antes, porém, de examinar em que medida o que foi dito do "eu" das *Meditações* pode ser estendido a outros textos de Descartes, é preciso chamar a atenção para outro aspecto comum a todos os pronomes, mas que recebe, no "eu" meditativo, uma dimensão radical. Trata-se de sua natureza temporal.

O momento de enunciação – ou de pensamento – do pronome pessoal "eu" estabelece a dimensão temporal essencial para a determinação de seu significado: "eu" designa aquele que diz "eu" no momento em que o diz. "Enfim, é preciso concluir e ter por constante [*statuendum sit*] que esta proposição [*hoc pronuntiatum*] *Eu sou, eu existo* é necessariamente verdadeira todas as vezes que eu a pronuncio [*quoties a me profertur*] ou que eu a concebo em meu espírito [*vel mente concipitur*]"[433]. Nessa frase, é notável como o caráter pontual e instantâneo da evidência que

432 Vale a pena notar que a escrita do "eu" é um registro, para a memória corporal, da memória intelectual legitimada por Deus.

433 AT VII, 25; IX, 19. A hesitação entre os verbos "pronunciar" e "conceber" ilustra, ainda uma vez, a duplicidade entre origem e começo assinalada acima.

garante a "primeira verdade" da "ordem das razões" (*quoties*) passa a ser o objeto de uma *conclusão*, ou seja, de uma ideia "constante" (*statuendum sit*)[434]: o que se descobre então ser *sempre* verdadeiro é que, *a cada vez* que eu penso existir, posso afirmar que eu existo. Há também aqui uma espécie de duplo aspecto presente na conclusão que Descartes retira do que foi dito antes – ou talvez fosse melhor dizer que se trata de duas conclusões distintas. A primeira delas é uma verdade atemporal que diz respeito à conexão necessária entre o ato de pensamento e a existência do "eu" pensante, enquanto a segunda é a conclusão indexicada temporalmente "eu existo". É verdade que a primeira se reduz à enunciação de um axioma que não se qualifica, enquanto tal, para o lugar da "primeira verdade", na medida em que diz respeito a uma conexão essencial desprovida de conteúdo existencial. Entretanto, é só ao ser lida como instância desse axioma – até o momento, a única que pode ser demonstrada diante da hipótese cética do Deus enganador – que a verdade existencial pode ser tomada como uma "conclusão". Ao invés de um conflito entre dois referentes do pronome "eu", o que está em jogo aqui é a necessidade de remeter o "eu", de sua existência instantânea, para um contexto proposicional que, retido na memória, poderá ser parte de uma demonstração que provará, entre outras coisas, que o "eu" tem uma existência contínua no tempo. A memória, que encontra na palavra escrita um auxiliar importante – indispensável, dirá pouco depois Leibniz –, domina o registro textual e impõe ao "eu" a forma (o destino) de uma *conclusão*.

Nessa posição peculiar do "eu" autoral, tal como a encontramos nas *Meditações*, podemos derivar conclusões sobre a totalidade dos escritos filosóficos e científicos de Descartes, na medida mesma em que o "eu", sendo o começo da metafísica, é o começo de todo o resto do saber. A imagem da "árvore da sabedoria" usada na Dedicatória à princesa Élisabeth dos *Princípios da filosofia* mostra justamente que, sendo a raiz, o começo da metafísica coincide com o começo de toda ciência. A tensão presente nas relações de Descartes com a palavra escrita radica-se, portanto, em última análise, em sua concepção da extensão e do pensamento: eles são "naturezas ou essências" "realmente distintas"

434 Sobre o estatuto das conclusões na ciência cartesiana, no contexto da qual elas devem ser "constantes", isto é, necessárias e eternas, cf. J.-M. Beyssade (1979), especialmente a Conclusão (pp. 339-358).

umas das outras – ou seja, são naturezas que entretêm uma relação contingente –, relação essa que é, ainda assim, factualmente necessária para o exercício efetivo da ciência. Em outras palavras: por ser o único instrumento indispensável, o mais básico e primitivo, e o mais universalmente presente na elaboração de teorias científicas, a escrita tem esse seu privilégio transformado ele mesmo em problema teórico. Essa ambiguidade aparece de forma nítida quando, para além de elaborar considerações gerais sobre a linguagem, o autor relaciona-se com sua própria obra escrita e reconhece nela um obstáculo. O texto das *Meditações* testemunha tal fato como nenhum outro: toda sua dinâmica retórica conduz o leitor a ultrapassar as palavras impressas no papel em direção à intuição intelectual do "eu" que escreve (e, por analogia, do "eu" que lê); a escrita é, ao mesmo tempo, condição e impedimento para essa experiência de ultrapassamento[435].

A diferença metafísica entre pensamento e extensão, e os entraves que essa última causa ao interagir com o primeiro, devido à "união íntima" em que ambos se encontram no homem, é necessária, mas não suficiente, porém, para explicar o "ódio" que Descartes testemunha sentir pela escrita – afinal, o corpo, embora seja caracterizado por Descartes, seguindo assim a tradição platônica-cristã, como o principal obstáculo ao conhecimento, não é, certamente, odiado. Não só não há nada de intrinsecamente odioso na extensão, como as paixões alegres também nascem da interação corpo-mente. Será preciso, portanto, entender como essa paixão fundante da escrita surge a partir de outros contextos, ativada por outra mecânica. É um ódio à escrita como um todo, mais profundo do que o que é associado às resistências pontuais diante das demandas – externas e internas – para escrever sobre temas teológicos que importará explorar a partir de agora. Veremos, então, que a escrita em geral, assim como a teologia em particular, sendo uma espécie de monumento que manifesta o autor no mundo – ou, mais precisamente, na "República das Letras" –, é odiada não porque fracassa, mas, ao contrário, porque é bem-sucedida.

435 Lembremo-nos aqui do "suplemento" de Rousseau descrito por Derrida na *Gramatologia*. Diferentemente de Descartes, porém, a linguagem em Rousseau fará um uso ativo de seu paradoxo constitutivo, antecipando (e constituindo), justamente por isso, o Romantismo.

CAPÍTULO IV

O ódio como estilo

"Eu insisto que se pense que, se o que escrevi sobre isso [*a circulação sanguínea*], ou sobre as refrações, ou sobre qualquer outra matéria que eu tenha tratado em mais de três linhas no que fiz imprimir, for falso, todo o resto de minha Filosofia não vale nada". Descartes, carta a Mersenne de 9 de fevereiro de 1639.

"Como, nessas condições, faço para escrever, considerando desta amarga loucura apenas o aspecto manual? Não sei. Poderia saber. Mas não saberei. Não desta vez. Sou eu que escrevo, eu que não consigo levantar a mão do joelho. Sou eu que penso, apenas o bastante para escrever, eu cuja cabeça está longe". Samuel Beckett, *O inominável*.

O contexto específico no qual o "ódio" que Descartes diz ter sempre sentido pela atividade de escrever, a ponto de constituir nele uma "inclinação" permanente, é dado pelo confronto, figurado no interior de seus textos, com os limites do que pode ou deve ser pensado clara e distintamente e/ou expresso publicamente; as fronteiras entre a filosofia e a teologia naturais são o local privilegiado onde essa batalha propriamente *linguística* é travada. Mas, no último Capítulo, antecipamos que o inimigo está alojado dentro das fronteiras do pensável e do dizível, pois é o "eu" que pensa, bem como seu representante na escrita que, vimos, geram alguns dos impasses de Descartes frente à publicação de seus pensamentos. Mas tais impasses ainda não parecem ser suficientes para explicar uma disposição tão forte quanto o "ódio à escrita". Concentrando-nos, por ora, no primeiro elemento dessa inclinação de Descartes contra seus próprios escritos, vimos de que forma as hesitações de um autor diante de temas teológicos espinhosos nos permitiram entender a autoconstituição da própria figura da autoria no interior de sua obra, embora outros textos, apenas aparentemente sem relação com esses primeiros, também tenham sido mobilizados ao longo de nossa análise. Notamos que, quando a hesitação diz respeito ao ato de escrever e de publicar seus escritos, ela torna-se uma disposição estilística privilegiada, pois permite vários desdobramentos a respeito das vantagens e desvantagens ligadas à publicação de certo *conteúdo*, além de introduzir, também, um questionamento sobre a *forma* como ele deve ser tratado – ou seja, o modo como será exposto ou omitido. Ao tornar progressivamente indiscerníveis as questões de forma e de conteúdo, a hesitação, a resistência, mas também seu inverso, o orgulho de exprimir a "novidade" – esse último funcionando como se fosse o sintoma de algo recalcado –, tornam-se marcas textuais importantes para determinar o espaço da autoria, o qual está indissociavelmente ligado tanto àquilo que é dito e calado quanto ao estilo da expressão. O caso de Descartes vem sendo, assim, apresentado a partir desse ponto de vista que associa o estilo ao pensamento; na verdade, é um certo *estilo do pensamento* que está sendo examinado.

O exemplo privilegiado e, simultaneamente, o objeto inicial que foi aqui utilizado para explorar dessa região cinzenta na qual a escrita é ora convocada, ora abjurada, foi a relação da filosofia com a questão teológica da graça, uma vez que, nela, o conhecimento natural, tanto filosófico quanto teológico, que pode ser distintamente apreendido em um texto, é contraposto a um tipo de conhecimento sobrenatural e, em grande medida, inefável[436]. Um dos resultados desse exame foi reconhecer que as reservas expressas por Descartes quando era levado – por ele mesmo, muitas vezes – a tratar de certos temas não precisam

436 Como já observamos anteriormente, teria sido possível explorar também as relações entre a filosofia teórica e a filosofia prática, pois Descartes nunca escreveu sobre a moral e a política sem antes deixar claro sua relutância em fazê-lo. Assim, por exemplo, a carta a Chanut de 20 de novembro de 1647 começa com a seguinte advertência: "É verdade que tenho o costume de recusar escrever meus pensamentos referentes à moral ...". As relações entre a filosofia e a teologia, porém, prestam-se melhor à elucidação da ideia de autoria, na medida mesma em que elas são, para Descartes, o tópico no qual a filosofia *como um todo* opõe-se a sua alteridade.

ser necessariamente explicadas como o sinal psicológico de um excesso de prudência pessoal – muitas vezes interpretado como covardia e acomodação à ordem vigente. A resistência à escrita não precisa, tampouco, ser lida apenas como o resultado da prudência epistêmica diante do que ultrapassa os limites do conhecimento "claro e distinto", embora esse seja um dos elementos envolvidos em sua posição. Afinal, como vimos acima, o silêncio relativamente a temas da teologia era explicado menos pela impossibilidade absoluta de um estudo racional nesse domínio do que pelo desperdício de tempo e energia que tal tarefa demanda[437] (nesse último caso, o desperdício de tempo não decorre de uma suposta incognoscibilidade dos temas teológicos, mas, bem ao contrário, de sua cognoscibilidade, objeto de uma teologia racional). Podemos mesmo afirmar que os limites do que é clara e distintamente percebido nunca são *ultrapassados*: eles são algumas vezes ampliados, de maneira a incluir o que, antes, havia sido excluído. É verdade que a discussão sobre as virtudes epistêmicas envolvidas na determinação do que poderia ser conhecido com certeza nunca estiveram totalmente ausentes dos limiares (introduções, avisos, protestos) das investigações teológicas de Descartes, ainda que com certa ambiguidade. Mas Descartes parece estar sendo bastante tradicional nesse momento: ao lado da admissão de que há mistérios da *fé* que ultrapassam os limites da inteligência humana, convive a atribuição de um papel positivo para a filosofia e para a teologia racional, capazes de elucidar certos problemas e eliminar dificuldades conceituais que poderiam ser obstáculos para a crença cristã, especialmente se fornecessem argumentos para os céticos e ateus[438]. Se há uma resistência à teologia, ela manifesta-

437 Na *Carta a Dinet*, como vimos, Descartes afirma que, no que se refere a questões teológicas, "não estimo que elas valham a pena que se empregue nelas muito tempo" (AT VII, 580).

438 Em uma carta a Mersenne de 1630 já citada mais acima, Descartes afirma que "Com relação à vossa questão de teologia, ainda que ultrapasse a capacidade de minha mente, ela não me parece, todavia, fora de minha profissão, porque ela não toca no que depende da revelação" (AT I, 143). É importante lembrar que o problema cognitivo envolvido no confronto da filosofia com a teologia é mais um capítulo da antiga tensão existente no interior da filosofia cristã entre fé e razão – embora, no século XVII, tal embate ganhe novos contornos. Saber se a filosofia é uma serva da teologia ou se, ao contrário, a primeira é independente dessa última é um tema constitutivo da ideia mesma – e, talvez, da impossibilidade, particularmente na modernidade – de

-se sobretudo no caso da teologia racional e das fronteiras imprecisas que a demarcam da filosofia. Tal aparência de conformidade à posição complementar tradicionalmente atribuída à filosofia em relação à teologia revelada, porém, só se manteria intocada se não levássemos em conta a doutrina – geralmente oculta nos escritos publicados em vida – da livre criação das verdades eternas por Deus. Como essa tese é a principal novidade introduzida por Descartes no campo teológico, a expressão pública de seu conteúdo certamente modificaria a maneira de se apresentar a relação entre teologia e filosofia, pois a incompreensibilidade radical de Deus que ela implica colocaria o objeto da teologia – Deus – fora da alçada do conhecimento humano.

Assim, as *Respostas às Segundas Objeções* podem conviver dialeticamente com a *Carta a Dinet* – segundo a qual as verdades da teologia são objetos de ideias claras e distintas da filosofia natural. Nas *Segundas Respostas*, é estabelecida uma distinção entre o objeto da fé – que é "obscuro e confuso" – e aquilo pelo qual cremos nele – que é "claro" (na verdade, "é mais claro do que qualquer luz natural"), de tal modo que apenas a iluminação da graça divina daria a tal conhecimento a clareza

uma "filosofia cristã". Por muitas vezes, a defesa da prioridade da teologia sobre a filosofia assumiu a forma da defesa do "aristotelismo", cuja compatibilidade com as doutrinas da fé cristã era amplamente aceita, contra toda teoria filosófica revisionista ou inovadora, ainda que o aristotelismo não fosse uma unanimidade entre os ortodoxos (cf. Verbeek, 1992, p. 7). Segundo Gouhier (1924), Descartes, no que diz respeito às relações entre fé e razão, era mais tomista do que agostiniano; Tomás representava para muitos – inclusive para um dos maiores críticos do cartesianismo, Voetius – o "senso comum" que, juntamente com a lógica (aristotélica), serviria de base para as investigações teológicas. A teologia deveria, portanto, demonstrar a coerência fundamental das verdades reveladas da fé, e a filosofia seria um seu instrumento auxiliar. Não pretendemos, porém, neste estudo, traçar a longa história dessa disputa entre teologia e filosofia, nem ao menos, de forma mais modesta, situar o pensamento de Descartes sobre esse tema no contexto holandês do século XVII, mas apenas descobrir, no interior de suas doutrinas, os elementos que permitiram que ela fosse inserida nesse debate. Já estabelecemos que o que é "interior" a uma doutrina não pode ser tomado, de forma ingenuamente realista, como um dado factual; ao contrário, ele emergirá como o resultado de procedimentos textuais de representação da unidade da "obra", correlata à constituição de sua "autoria". Assim, quando examinamos seu confronto com Voetius, por exemplo, é menos importante decidir se as suspeitas lançadas contra sua filosofia são justas – ou seja, saber se Descartes se aproximava de uma heresia qualquer, como o Pelagianismo, o Socianismo, o Arminianismo, o Anabatismo – do que entender, em seus próprios termos, as relações entre o conhecimento das verdades da fé e da razão.

necessária para dotá-lo de evidência e certeza. Entre o *objeto* e as *razões* que nos levam a afirmar algo sobre ele, haveria uma diferença que não se encontra nos domínios da luz natural da razão. De fato, nesses últimos, as razões que nos levam a atribuir uma propriedade a um objeto são tão claras e distintas quanto a clareza e distinção das percepções do próprio objeto. Os objetos da fé, ao contrário, são conhecidos apenas obscuramente pelos homens em seu estado decaído[439]. Nesse último caso, o que está em jogo é mais do que aquilo que ocorre quando conhecemos clara e distintamente algo sobre um objeto que, em si mesmo, é obscuro e confuso – como quando conhecemos certas propriedades das sensações, por exemplo. Que as sensações possam ser objetos de um conhecimento seguro é explicado pelo fato de que podemos ter delas *ideias* claras e distintas, essas sim sendo os verdadeiros objetos de nossas afirmações *sobre* as sensações. Ora, no caso dos objetos da fé, há neles algo que é intrinsecamente opaco à luz natural.

Assim, na revisão das disciplinas que lhe haviam sido ensinadas em La Flèche, no início do *Discurso*, em um trecho já citado mais acima, a teologia é mencionada com reverência para logo em seguida ser descartada:

> tendo aprendido, como coisa muito segura, que o seu caminho não está menos aberto aos mais ignorantes do que aos mais doutos e que as verdades reveladas que para lá conduzem estão acima de nossa inteligência, não ousaria submetê-las à fraqueza de meus raciocínios, e pensava que, para empreender o seu exame e lograr êxito, era necessário ter alguma extraordinária assistência do céu e ser mais do que homem[440].

A desimportância da teologia está ligada, nesse trecho, ao fato de que ela é essencialmente uma atividade *incompleta*: seu estudo depende

439 Há inúmeras passagens em que Descartes reconhece que os limites do conhecimento humano são muito estreitos, em particular no que se refere aos desígnios de Deus e à causalidade divina. Cf. as *Respostas às Quartas Objeções*, especialmente quando ele afirma que "tenho por muito certo e creio firmemente que Deus pode fazer uma infinidade de coisas que não somos capazes de entender" (AT IX, 192). Tenhamos sempre em mente também o Artigo 41 dos *Princípios* I (AT VIII, 20; IX, II, 42), no qual a "liberdade de nossa vontade" é conciliada com a "preordenação de todas as coisas por Deus" através do recurso à incompreensibilidade necessária da essência infinita desse último.

440 AT VI, 8.

da iluminação pela fé, não sendo ele suficiente, por si mesmo, para conduzir a seus objetivos finais, a graça e a salvação. Por mais que a teologia racional seja algo que pode ser realizado apenas com os instrumentos fornecidos pela luz natural da razão, os mistérios da fé dão os objetivos aos quais ela deve se conformar e se submeter. O autor de um escrito filosófico é *apenas um homem*; sem essa limitação essencial, a autoria absoluta de sua atividade não pode ser estabelecida. É como se aqui não fossem permitidos graus: ou se é a causa adequada de uma obra, ou ela não é digna de ser empreendida e, tampouco, é *inteiramente sua*. Um autor só surge, assim, de um ato que lhe pertence por completo. A auto-suficiência da "luz natural da razão"[441], que levou alguns a suspeitar do "molinismo" de Descartes, aparece aqui, de maneira mais fundamental, como a condição da escrita.

Já no caso da teologia racional, referida de modo exemplar na *Carta a Dinet*, Descartes sugere que os objetos da teologia racional – *todos* os objetos da teologia racional – poderiam ser clara e distintamente apreendidos ("Creio já ter dado um exemplo notável disso no final de minhas respostas às quartas Objeções, que versam sobre uma questão na qual é notoriamente difícil conciliar a filosofia com a teologia. E estarei ainda pronto a fazer a mesma coisa sobre *todas as outras questões*, se tal fosse necessário")[442], de tal modo que seria possível elaborar sem dificuldade uma teoria sobre eles. A teologia, na carta, é desconsiderada não devido a sua obscuridade intrínseca, mas por causa de sua inutilidade: o dispêndio de tempo que tal tarefa requereria seria um desperdício ao qual não poderíamos nos dar o luxo, diante da urgência das tarefas da vida – um *excesso*, mais do que uma impossibilidade. Essa é a razão por que, no momento mesmo em que afirma abertamente poder expor de modo claro e distinto as verdades da teologia, suas hesitações permanecem operando. De fato, ao colocar veladamente, no centro da teologia racional, a tese da livre criação das verdades eternas por Deus, Descartes arrisca toda

441 No final da Terceira Meditação, como vimos, a intuição intelectual parece ser suficiente, se não para a salvação, ao menos para a contemplação amorosa de Deus, o maior bem de que podemos fruir "nesta vida".

442 AT VII, 580; grifo acrescentado na tradução. O final das *Respostas às Quartas Objeções* (AT VII, 246-256; IX, 191-197) seria, portanto, segundo Descartes escreve a Dinet, apenas um exemplo de uma teoria muito mais ampla.

a operacionalidade e a funcionalidade de seu sistema teológico, na medida em que seu motor é uma pura atividade arbitrária.

Portanto, em dois dos textos tomados como paradigmáticos neste estudo – a *Carta a Dinet* e as *Segundas Respostas* –, notamos a menção constante a percepções claras e distintas: embora as verdades da fé, objetos da teologia revelada, sejam obscuras e confusas do ponto de vista da luz natural, elas são *claríssimas* quando dadas diretamente por Deus através da graça, nos dizem as *Segundas Respostas*; ainda que as verdades da teologia racional sejam demonstráveis de modo *claro e distinto* pela luz natural, o esforço exigido para chegar a proposições certas nesse domínio não vale seu esforço, afirma Descartes na *Carta a Dinet*, pois, primeiramente, elas não garantem que alcancemos os objetivos estabelecidos pela fé revelada e, em segundo lugar, encontram um fundamento incapaz de fornecer um critério de ação na opacidade luminosa do Deus criador das verdades eternas. Em ambos os textos, notamos também uma mesma atitude a ser evitada: a dedicação excessiva aos sentidos nos desvia da contemplação de Deus, nas *Segundas Respostas*, assim como o exagero na aplicação aos estudos teológicos nos distrai do que nos é mais útil nesta vida, na *Carta a Dinet*[443] – em um caso a falta, e em outro o excesso de clareza nos cega e nos desvia do reto caminho da razão. A "distração" [*distractio*] é, bem sabemos, um dos elementos conceituais mais importantes da filosofia cartesiana. Essa inclinação mental explica, por um lado, o erro epistêmico e moral: se os homens erram, isso se deve ao fato de eles não usarem sua "atenção" para conter suas afirmações nos limites estreitos daquilo que é clara e distintamente conhecido. A atenção contemplativa é também a marca da graça: se a teologia passou a ser, para Descartes, uma terra inabitável, isso se deve ao fato de ela nos distrair do mais importante, da tarefa que *apenas a luz natural da razão* pode realizar *nesta vida* – tarefa que, para poder ser levada a cabo, deve ser uma sua *exclusividade*. A tarefa em questão é a de justificar racionalmente a

443 Notemos que o desvio envolvido nos dois casos é o mesmo: trata-se de não perceber que a contemplação de Deus é nosso sumo bem. Cf. Terceira Meditação: "Pois, como a fé nos ensina [*fide credimus*] que a soberana felicidade da outra vida [*alterius vitæ*] não consiste senão nessa contemplação da Majestade divina, assim perceberemos, desde agora, que semelhante meditação, embora incomparavelmente menos perfeita, nos faz gozar do maior contentamento de que sejamos capazes de sentir nesta vida [*in hac vita*]" (AT VII, 52).

própria racionalidade. Tanto as considerações sobre o que ultrapassa o que podemos conceber clara e distintamente quanto as considerações sobre a inutilidade de formar ideias claras e distintas sobre o que não é alcançável apenas por nossos méritos identificam as principais causas da "incontinência" diante do que deve ser nosso objeto de contemplação: são elas a distração e a precipitação, dois fenômenos mentais que remetem igualmente para a deficiência da atenção. Os obstáculos que a palavra escrita interpõe ao pensamento só seriam desculpáveis se a disseminação pública das novas ideias, daquela tarefa que só a razão poderia exercer, fosse de tal forma imprescindível que seus desvios seriam compensados por sua utilidade.

A autorrepresentação do autor emerge dessa atividade de traçar os limites do que pode ser pensado e do que pode ser escrito. Se o "eu" que narra é o ponto sem extensão que se situa aquém do texto, o movimento de subtração que o revela deixa espaço para a visão inteiramente determinada das ideias claras e distintas. O olho não se encontra no campo visual, mas, por isso mesmo, esse último mostra-se inteiramente[444]. Ora, a contrapartida desse "eu" é justamente o surgimento de um campo visual limpidamente distinto – e o autor situa-se em todos os pontos de seus limites. O "eu" só se revela quando se retira, e quando deixa a totalidade do campo visual ser ocupada por objetos inanimados, pelo mundo desabitado de almas. Mas esse "eu" puro que conduz a narrativa das *Meditações* e da Quarta Parte do *Discurso*, que se confunde com um puro olhar imaterial, duplica-se em um outro "eu", o do autor que o constrói justamente no cálculo entre o que é dito e o que é omitido, ou apenas entredito. Não vale a pena repetir aqui mais uma vez que o autor é ele mesmo um objeto construído na narrativa, e não o homem concreto, René Descartes. Ainda assim, faz parte de sua representação o fato de ele ser dotado de um corpo, ter nascido em certo lugar e ter estudado em tal colégio.

444 Cf. Wittgenstein, *Tractatus logico-philosophicus*, 5.633, 5.331 e 5.634 – mas, especialmente, 5.64: "Aqui se vê que o solipsismo, levado às últimas consequências, coincide com o puro realismo. O eu do solipsismo reduz-se a um ponto sem extensão e resta a realidade coordenada a ele". Que o solipsismo inicial das *Meditações* transforme-se, no seu final, no mais duro realismo é, então, claramente inteligível: na Sexta Meditação, o "eu" deve se retrair para deixar que o mundo extenso e suas estruturas matemáticas emerjam.

Sendo assim, a Sexta Meditação é, de certa forma, o ponto mais importante das *Meditações*, não apenas porque se situa no final do livro, sendo, pois, o desaguadouro de todas as argumentações desenvolvidas anteriormente, mas também porque é em torno da reformulação do conceito de mundo corporal que todos os outros tópicos são desenvolvidos. Embora a prova da existência de Deus e a intuição intelectual do "eu" ocupem boa parte do texto das *Meditações*, é a imagem de um mundo cuja natureza comporta a "*res extensa*", com suas propriedades inteiramente representáveis pelas ideias claras e distintas da matemática, exposto na Sexta Meditação, que completa o projeto metafísico cartesiano. A destituição da metafísica do corpo proposta pelo aristotelismo era, afinal, desde o primeiro momento, o alvo da dúvida cética enunciada como o *problema* a ser resolvido pelo livro. Após a realização da tarefa da "filosofia primeira", todo o tempo restante deveria ser dedicado ao cultivo da ciência e à promoção do bem-estar do "composto" de mente e corpo; é isso o que ele narra para a princesa Élisabeth, em carta de 28 de junho de 1643, já citada como uma das epígrafes do Capítulo I deste nosso estudo:

> E os pensamentos metafísicos, que exercitam o entendimento puro, servem a nos fazer a noção de alma familiar; e o estudo da matemática, que exercita principalmente a imaginação na consideração das figuras e dos movimentos, acostuma-nos a formar noções bem distintas dos corpos; e, enfim, é usando somente a vida e as conversações ordinárias, e abstendo-me de meditar e estudar as coisas que exercitam a imaginação que se aprende a conceber a união da alma e do corpo. Tenho quase medo de que Vossa Alteza pense que não falo seriamente, mas isso seria contrário ao respeito que lhe devo, e que jamais deixarei de lhe prestar. E posso dizer, com verdade, que a principal regra que sempre observei em meus estudos, e aquela que creio me ter mais servido para adquirir algum conhecimento, foi que nunca empreguei a não ser algumas horas, por dia, aos pensamentos que ocupam a imaginação, e muito poucas horas, por ano, àquelas que ocupam o entendimento apenas, e que empreguei todo o resto de meu tempo ao relaxamento dos sentidos [*au relâche des sens*] e ao repouso do espírito [*au repos de l'esprit*]; conto mesmo, entre os exercícios da imaginação, todas as conversações sérias, e tudo aquilo para o qual é preciso ter atenção. É isso que me fez retirar-me ao campo; pois, ainda que, na cidade mais ocupada do mundo, eu pudesse ter muitas horas para mim, que emprego agora ao

estudo, não poderia, entretanto, empregá-las tão utilmente quando meu espírito estivesse fatigado pela atenção que requer o embaraço da vida. O que tomo a liberdade de escrever a Vossa Alteza, para lhe testemunhar que admiro verdadeiramente que, entre os negócios e cuidados que não faltam nunca às pessoas que são, conjuntamente, de grande espírito e de grande nascimento, ela tenha podido vagar nas meditações que são requeridas para bem conhecer a distinção que existe entre a alma e o corpo[445].

A "principal regra que sempre observei em meus estudos" trata, então, da *repartição do tempo* entre diversos exercícios das faculdades da alma. É curioso observar que Descartes tenha de advertir a leitora da seriedade de suas palavras; o autorretrato que Descartes envia para a princesa Élisabeth assemelha-se muito ao de um libertino, que dedica sua vida aos prazeres sensíveis e às conversações nos salões[446]. Note-se que as "conversações" – tanto as "ordinárias" quanto as "sérias" –, isto é, o uso da linguagem falada, pertence ao domínio da imaginação e dos sentidos. Mas como conciliar a imagem de um Descartes libertino com a do solitário que se refugiou no campo para melhor poder dedicar-se à ciência? A resposta a essa questão encontra-se no mesmo trecho da carta a Élisabeth transcrito acima: os prazeres sensíveis são só um *meio* para melhor progredir nos estudos; Descartes adota, assim, uma espécie de libertinagem instrumental, submetida à busca da verdade. A "noção primitiva" da união da alma e do corpo só pode ser pensada através dos sentidos, e é a dedicação a esse pensamento que torna a mente mais apta para o exercício bem-sucedido de suas outras faculdades. A inutilidade da teologia ("...empreguei todo o resto de meu tempo...") compreende-se melhor por esse regime temporal que, longe de corresponder a uma inclinação natural, parece manifestar o exercício de uma disciplina – um verdadeiro *exercício* espiritual. Além de não nos garantir a salvação, que depende de um dom gratuito de

445 AT III, 692-693.

446 Essa "regra primitiva" deve ser contrastada com a "quarta máxima" da moral provisória do *Discurso*, na qual Descartes anuncia sua intenção de "empregar toda a minha vida em cultivar minha razão, e adiantar-me, o mais que pudesse, no conhecimento da verdade" (AT VI, 27). Longe de serem contraditórias, a última regra pressupõe a primeira.

Deus, a teologia racional ainda nos desvia do repouso necessário à conquista das verdades úteis para *esta* vida. Mas a necessidade de cultivar essa disciplina e esse abandono da teologia racional já mostra como ela lhe aparecia como uma demanda interna, demanda a um só tempo de completude do sistema filosófico e de instrumento da apologética cristã.

Tampouco a teologia revelada, que ultrapassa os limites do que pode ser pensado pela luz natural da razão, oferece um abrigo seguro no qual a razão pudesse enfim descansar e se calar. Quando contemplamos as coisas manifestas pela luz sobrenatural das verdades reveladas, podemos ficar ofuscados por sua excessiva clareza, tornando inúteis quaisquer tentativas de compreensão. Algumas décadas depois da morte de Descartes, na Introdução a seu *Ensaio sobre o entendimento humano*, Locke afirma que o objetivo do livro é estabelecer "a origem, a certeza e a extensão do conhecimento humano"[447]. Dentre esses três objetos de investigação, o terceiro, cujo propósito é determinar os limites do que pode ser conhecido, sobrepõe-se visivelmente, ao longo dessas primeiras páginas introdutórias, aos demais. Decerto, seria uma "impertinência pueril" ['*Childish Peevishness*'], nos adverte Locke, desprezar o pouco que podemos conhecer e nos recusar a aperfeiçoar o entendimento que nos foi dado apenas porque há certas coisas "que estão situadas fora de seu alcance" – seria a mesma a desculpa do "servo preguiçoso", que não cumpre com suas obrigações porque dispõe apenas da luz de velas, e não da do sol. As crianças e os servos estão errados: é preciso cultivar o intelecto, apesar de suas limitações, porque o grau de certeza que podemos atingir é suficiente para tudo o que nos pode ser útil *nesta vida*. Mas o aperfeiçoamento do intelecto, fruto da compreensão adequada de sua natureza, tem por fim último, esclarece Locke, advertir os homens quanto ao perigo de tentar ultrapassar esses limites:

> Se, por esta investigação em direção à natureza do entendimento, eu puder descobrir seus poderes; *quão longe* eles alcançam; a que coisas eles são, em qualquer grau, proporcionais; e onde eles nos faltam, suponho que isso possa ser útil para persuadir a mente ocupada do homem a ser mais cautelosa ao intrometer-se em coisas que excedem sua compreensão; a parar, quando ela chega à maior extensão de suas

447 *Ensaio* I, i, 2.

amarras; e a assentar-se em uma quieta ignorância daquelas coisas que, sob exame, são descobertas como estando para além do alcance de nossas capacidades"[448].

Foi esse desígnio de estabelecer os limites do entendimento, nos informa Locke, "que deu o primeiro impulso ['*Rise*'] a este Ensaio sobre o entendimento". Até que tais limites fossem traçados, diz ele, "eu suspeitaria que começamos no ponto errado ['*at the wrong end*'], e em vão buscávamos por satisfação em uma posse quieta e segura das verdades que mais nos concerniam, enquanto deixávamos nossos pensamos se perderem no vasto oceano do ser"[449].

Locke segue claramente a tradição cartesiana ao atribuir à filosofia a tarefa de assinalar os limites do entendimento humano. Que Deus seja conhecido positivamente e que, no entanto, seja, ao mesmo tempo, incompreensível, é uma das teses centrais a animar o cartesianismo difuso em circulação na segunda metade do século XVII. Não deixa de ser irônico notar, porém, que o impulso gerador do *Ensaio* vise sobretudo certos cartesianos que, diante dos limites da razão, não hesitaram em alargá-lo cautelosa, mas obstinadamente, indo em direção – pelo menos na visão de seus críticos, como Locke – a uma experiência inefável cada vez mais indiscernível da própria filosofia[450]. Que impulso seria esse que, no ato mesmo de cuidar de traçar limites, os ultrapassa? É essa questão que Locke se propõe a responder ao final de seu *Ensaio* quando derivar as implicações que o traçado rígido dos limites do conhecimento humano tem sobre a adesão a teses místicas e "entusiastas". Ele chegará até mesmo ao ponto de apresentar os signos para reconhecermos a presença do entusiasmo[451]. Entendemos finalmente, aqui, que, se tivéssemos de escolher uma rubrica sob a qual classificar o *Ensaio sobre o entendimento humano*, essa seria antes o da filosofia

448 *Ensaio* I, i, 4; grifo do autor.

449 *Ensaio* I, i, 7. "Aqui deposito entre vossas mãos o que foi a diversão de algumas de minhas horas ociosas e difíceis ..." [*I here put into thy Hands, what has been the diversion of some of my idle and heavy hours*], diz Locke no início de seu *Ensaio*, A Carta ao Leitor.

450 Os "cartesianos" em questão eram, sobretudo, os seguidores do padre Malebranche.

451 Esse tópico é desenvolvido no *Ensaio* IV, xix, 10: "Entusiasmo, como ser descoberto" [*Enthusiasm how to be discovered*].

política do que o da epistemologia. Que a natureza do livro seja elusivamente anunciada na sua introdução e explicitamente visível apenas em suas páginas finais faz parte da estratégia retórica de "convencimento"[452] empregada por um autor eminentemente político.

Poder-se-ia suspeitar que os elementos que denunciavam a presença do "entusiasmo" tão arduamente combatidos por Locke conseguiram se infiltrar, porém, na filosofia de Descartes, corrompendo seu o espírito mais legítimo e crítico e introduzindo clandestinamente nela aquilo que seu impulso mais genuinamente "iluminista" havia banido dos domínios da "luz natural da razão". Esses elementos teriam, assim, progressivamente apagado as linhas que delimitavam o território do conhecimento seguro, até que, inteiramente desfeitas, elas não oferecessem nenhuma resistência às visões mais exaltadas, aos profetas mais radicais – assim como, costumeiramente, as ondas do mar reclamam das costas construídas artificialmente pelo homem seus direitos de posse. Locke viria, então, reivindicar o direito legítimo de um terreno já conquistado por Descartes, recuperando, dessa forma, o espírito de modéstia e de circunspecção que o inspiraram.

Mas as coisas não são tão simples. Esse ultrapassamento dos limites, Descartes mesmo já o havia prefigurado em sua própria filosofia. Ao traçar fronteiras fixas para o que poderia ser pensado de forma clara e distinta e o que deveria permanecer no território das ideias obscuras, ele fora forçado a explorar esses limites, a habitar essa zona cinzenta, essa terra de ninguém, que é o próprio limite[453]. A reserva prudente transforma-se algumas vezes – como nas relações conflituosas com Voetius, mas também na cordialidade filosófica com Arnauld (ou seja, em momentos de extrema oposição ou grande concordância) –, e rapidamente, em entusiasmo transgressor ("E afirmo até mesmo", lembremos dos termos da *Carta a Dinet*, "que não há questão religiosa que não possa ser explicada tão, ou até mais facilmente, por meus

452 Ver trecho da Introdução citado acima (I, i, 4): "suponho que isso possa ser útil para persuadir a mente ocupada do homem...".

453 Um tema comum da filosofia pós-cartesiana – presente, por exemplo, em Malebranche, Locke e Berkeley – é a negação da intuição intelectual clara e distinta do "eu", remetendo-o à zona das ideias obscuras e confusas. A opacidade do autor a si mesmo e à própria obra, cuja fortuna no Setecentos tem em Diderot e em Rousseau seus mais notáveis exemplos, alcançará o Romantismo no século XIX – e, através dele, nos afetará de forma irreversível hoje.

princípios, em vez dos que são vulgarmente aceitos"[454]). Embora, em tais casos, ele pretenda referir-se exclusivamente ao desenvolvimento da parte racional da teologia, o fato de essa última ser ela mesma o objeto de uma interdição e de um silenciamento auto-impostos força Descartes a marcar enfaticamente a suspensão do silêncio. Há como que um duplo ocultamento em jogo na atitude cartesiana de recusa de tratar de temos teológicos: a tese polêmica – para não dizer herética – da livre criação das verdades eternas por Deus é eludida sob a elusão da teologia revelada. Ou ainda: uma reserva sincera – a incapacidade da razão humana de dar conta da revelação divina – esconde uma reserva insincera que se dirige à tese racional da livre criação das verdades. Nessa duplicidade ambígua, o ato de anunciar a suspensão do silêncio só poderia ser ele mesmo contaminado pela ambiguidade inicial, fazendo, assim, do pensamento dos limites da razão, um lugar instável e obscuro, no qual, de fato, aquilo em direção ao qual se deveria avançar e falar e escrever não poderia excluir com precisão *nada*. Em suma, não é *apesar* de ter traçado limites, mas justamente *porque* os traçou, que Descartes se viu obrigado, aqui e ali, a desobedecer a suas próprias proibições, assimilando verdades da teologia revelada aos domínios da teologia racional. "Descartes, inútil e incerto", dirá Pascal pouco após sua morte; a necessidade de caracterizar o autor que pretendeu estabelecer um terreno firme para as ciências úteis ao homem pelas qualidades contrárias às de seus pretendidos resultados deve ser tomado menos como um juízo de valor, diante do qual deveríamos nos posicionar favorável ou desfavoravelmente, do que como o sintoma de uma percepção difundida entre parcela importante dos membros da "República das Letras" da época, que viam Descartes como que através de um espelho que refletia sua imagem invertida[455].

É importante reconhecer, porém, que os limites do conhecimento não foram *sistematicamente* ultrapassados por Descartes; caso o fossem,

454 AT VII, 581.

455 Seria um tema apropriado, neste momento, mostrar como a imagem que um Pascal faz de Descartes funciona propriamente como um mecanismo de *denegação* (no sentido psicanalítico do termo): ao apontar em direção ao inefável, a escrita pascaliana paradoxalmente amenizará a incompreensibilidade radical do cartesianismo, traçando limites precisos para o silêncio contemplativo. Certos movimentos teológicos, como o jansenismo, vão, ao contrário, caminhar lado a lado com o cartesianismo, explorando essa sua abertura para o místico.

seus textos não seriam apenas rigorosamente ambíguos, mas trivialmente contraditórios. Em outras palavras, era essencial que, ao estabelecer como regra que o domínio do discurso deveria ser restrito às ideias claras e distintas do intelecto puro úteis para esta vida, as infrações cometidas contra essa norma fossem *raras*, tangenciais. O próprio Descartes não deixa de assinalar explicitamente, sempre que for *forçado* a escrever sobre algo que, rigorosamente, não deveria ser objeto de uma ocupação útil, a concessão que fará ao correspondente ou ao objetor, em um tom que varia entre a reclamação educada à irritação manifesta. É verdade que ele mesmo, quando se via compelido a desrespeitar as normas auto-impostas, não estava, com isso, ultrapassando o domínio do que é clara e distintamente percebido, limitando-se apenas aos objetos da teologia racional – ou, no máximo, a discorrer claramente sobre o que é visto de modo obscuro na revelação divina; mais abaixo, voltaremos a examinar o quão justo é esse diagnóstico feito por Descartes a respeito de sua própria situação. Por ora, cabe lembrar mais uma vez que não estamos sugerindo que ele foi "forçado" a ultrapassar os limites legítimos do que poderia ser pensado e-ou escrito apenas devido às pressões sociais e culturais de um ambiente impregnado de teologia – embora tampouco exclua essa explicação, que não é incompatível com a nossa. Para o que nos importa aqui, porém, é mais relevante pensar *ao contrário* desse tipo de consideração historiográfica: se Descartes tinha de falar sobre teologia, isso ocorria *porque* ele tematizou os limites do conhecimento humano. Foi esse *tema* que o "forçou" a discorrer sobre matérias que o desagradavam, e as discussões teológicas que agitaram o século XVII foram apenas um pretexto – um forte pretexto, é verdade – para consubstanciar essa tendência *interna* de sua escrita[456].

456 Em sua influente proposta hermenêutica, Leo Strauss toma certos textos como sendo permeados por uma duplicidade estruturante: sendo fruto de uma arte da escrita em tempos de perseguição política e religiosa, haveria uma doutrina esotérica do texto, a ser descoberta por uma leitura "entre as linhas", que revelaria sua verdadeira dimensão. Tal como faz em seus comentários da filosofia antiga, da filosofia judaica medieval, da filosofia moderna ou em sua própria teoria política, a ideia de que devemos lidar com discursos duplos em política, devido à natureza conflitante das exigências racionais do filósofo e da vontade não esclarecida do povo, é o traço distintivo mais marcante da interpretação de Spinoza proposta por Strauss. Por mais engenhosa que seja, a estratégia hermenêutica de Strauss pode ser questionada tanto no que

Há, pois, momentos em que a obra de Descartes foi sendo conduzida por si mesma a ultrapassar os limites inicialmente traçados para o conhecimento legítimo ou útil[457]. Mas o tema dos limites do conhecimento em que eles se inserem é tão amplo, tão onipresente, perpassa de tal modo quase todas as considerações filosóficas de Descartes, que ele se torna como que desfocado e dificilmente identificável – como quando olhamos para um objeto muito de perto, sem conseguir traçar seus contornos totais. Ou seja, o que é difícil não é propriamente identificar as infrações consentidas de Descartes a sua própria auto-exortação de não se dedicar à pura curiosidade intelectual desprovida de utilidade – normalmente, é em torno de argumentos religiosos e teológicos que as encontramos e, como vimos, Descartes encarrega-se ele mesmo de as anunciar explicitamente –, mas entender com exatidão o que está contido na ideia mesma de limite. Foi em torno desse propósito que estabelecemos as bases de nosso estudo. Resta compreender a etiologia que o próprio Descartes propõe – ou supõe[458] – para sua "disposição" em relação à escrita.

Antes de avançar mais na determinação da gênese afetiva da resistência à escrita, façamos um novo resumo parcial das conclusões alcançadas até agora[459]. O resultado parcial deste estudo é até agora duplo,

diz respeito a alguns de seus pressupostos metodológicos quanto no que diz respeito a sua adequação aos textos examinados por ele. Além da dificuldade de determinar um critério para identificar com clareza quais teses pertenceriam ao nível esotérico e quais ao nível exotérico, devemos assinalar duas outras pressuposições questionáveis de sua teoria hermenêutica: a noção de que uma interpretação deve buscar, em um texto, a intenção oculta de seu autor, e a ideia associada de que há um sentido verdadeiro do texto a ser recuperado. Sem essa dupla ambivalência (as palavras escritas e as intenções que a animam; o texto e seu sentido unívoco) a teoria da interpretação de Strauss não se sustenta. Para a exposição da "hermenêutica da suspeita" straussiana – a expressão é de Paul Ricoeur – cf. Strauss (1988).

457 Dois qualificativos que, como vimos, se sobrepõem no caso da teologia racional.

458 Na verdade, sendo uma condição da escrita, a luta contra tal "disposição" não é tematizada explicitamente pelo próprio autor, mas, conforme estabelemos desde a Introdução, emerge, como um sintoma, em certos momentos de seu texto.

459 Segundo Descartes, a regra da enumeração prevê que essa última seja repetida várias vezes, até que seu propósito – reduzir deduções complexas a intuições simples – seja alcançado. Ver *Regras*, Regra VII: "Assim, vou percorrê-las [as proporções entre grandezas dadas] várias vezes [*aliquoties*] por um movimento contínuo da imaginação, que vê cada termo por intuição ao mesmo tempo [*simul*] que passa

mas tal duplicidade não se apresenta como duas conclusões distintas, e sim como dois aspectos do mesmo objeto – ou, se quisermos nos manter no campo semântico da "autoria", como duas perspectivas da mesma face retratada. Primeiramente, no que se refere às hesitações de Descartes quanto a escrever e/ou publicar textos sobre questões teológicas, tentamos, tanto quanto possível[460], abandonar toda pretensão de síntese interpretativa, detendo-nos, antes, nas tensões não resolvidas, para entendê-las como condições de possibilidade do "sistema" cartesiano. Na verdade, o objetivo dessa análise foi o de colocar em questão a ideia mesma de um tal "sistema", que funcionaria como o ideal regulador das diversas "interpretações" que pretenderiam *revelar* sua coerência última. Contra essa teologia textual, da qual tentamos nos abster tanto quanto Descartes evitou a teologia cristã, mostramos que as hesitações de Descartes desempenham um papel constitutivo em sua concepção de autoria – a qual, por isso mesmo, permanece necessariamente como um problema em aberto. Nesse sentido, foi mais importante apresentar as tensões subjacentes no conceito cartesiano de liberdade, por exemplo, do que resolvê-las em uma doutrina unificada.

Em segundo lugar, a questão da autoria do texto foi abordada – e como poderia ser diferente? – *no interior* do próprio texto, pelo exame de dispositivos textuais, sejam eles estilísticos ou conteudísticos – já notamos que essa distinção é irrelevante –, que situavam o autor como o exterior ou o "fora" do próprio texto. Nesse ponto, foi preciso adotar o "mínimo de interpretação" mencionado na Introdução, pois apenas uma leitura que marcasse a diferença entre o "tempo da escrita" e o "tempo da meditação" – com a consequente necessidade de interpretar o significado da meditação como forma privilegiada da metafísica – seria capaz de elucidar a tensão interna a um certo conjunto de textos que produzia a figura do autor. O resultado dessa análise conduziu-nos, porém, a uma dupla recusa de seus *aparentes* pressupostos: por

aos outros, até que eu tenha aprendido a passar tão rapidamente [*tam celerter transire*] da primeira proporção à última que não deixo quase mais nenhum papel para a memória, e que me pareça ter uma intuição simultânea do todo [*rem totam simul videar intueri*]". Tudo é uma questão de aumentar a *rapidez* desse movimento imaginativo: além de ser um substituto da memória, a enumeração também nos ajuda a aprimorar nossos raciocínios, remediando a "lentidão do engenho" [*ingenii etiam tarditas emendatur*]" (AT X, 388).

460 Ver a primeira epígrafe de nosso Capítulo II.

um lado, a noção de autoria foi reconduzida de uma leitura realista (psicológica, sociológica, histórica) para o nível das *representações* construídas pelos textos[461]; por outro lado, foi retirado desses últimos qualquer vestígio de uma unidade *dada*. Ou seja, o resultado metodológico aqui alcançado suspende, como indecidível, qualquer fronteira nítida entre o "interior" textual e a "interioridade" autoral. O autor é uma representação no interior do texto, mas o interior do texto não existe – ou, pelo menos, não é determinável. Nesse caso, teríamos de ser sensíveis àquilo que, nas palavras mesmas de Descartes, dizem o contrário ou, pelo menos, algo de diverso do que ele explicitamente enunciou na maior parte das vezes.

A conclusão parcial da dialética entre esses dois movimentos pode ser enunciada melhor se analisarmos algum trecho em que Descartes trate explicitamente da ideia de autoria. Há uma passagem das *Regras* (mais precisamente em seu início, na Regra III) em que a representação do "autor de livros" é mencionada abertamente:

> Deve-se ler as obras dos Antigos, pois é para nós de um imenso proveito poder tirar partido dos esforços de um tão grande número de pessoas [....] Deve-se, porém, muito temer que talvez certos germes de erros, contraídos a partir de uma leitura por demais assídua de suas obras, não se cole em nós ainda que não as compartilhemos, e não obstante todas as nossas precauções. Os autores, de fato, são habitualmente inclinados, a cada vez que lhes ocorre, por um ato de fé irracional, tomar partido em um sentido ou em outro sobre qualquer opinião controversa, a tentar sem trégua nos levar para o mesmo lado pelos argumentos mais sutis; inversamente, a cada vez que eles se deparam, por um acaso feliz, com algo de certo e de evidente, eles não o fazem nunca aparecer senão em diversas torções enigmáticas, seja porque temem que a simplicidade do argumento diminua a importância de sua descoberta, seja porque por maldade eles nos recusam a verdade absolutamente franca[462].

461 Por quais textos precisamente, os de Descartes? Isso nos conduziria a uma óbvia circularidade. Sobre a delimitação do corpus deste estudo, ver sua Introdução e as linhas que se seguem a esta nota.

462 AT X, 366-367. Na Regra IV (AT X, 373), Descartes voltará a essa crítica, identificando seu alvo principalmente nos "antigos geômetras", que "usaram um tipo de análise que estenderam à resolução de todos os problemas, ainda que a tenham ciumentamente escondido de sua posteridade".

Reconhecemos, nessa passagem, para além das críticas aos "Antigos", as reticências de Descartes em relação a seus próprios textos, e ao perigo que eles poderiam representar (a "obstinação" característica dos autores remete à "precipitação" dos que, sem ter ideias claras e distintas, lançam-se, ainda assim, a emitir juízos sobre qualquer coisa que se lhes apresente). A Regra II, como se sabe, opõe "o que os outros pensaram, ou o que nós mesmos entrevemos" àquilo de que "podemos ter uma intuição clara e evidente, ou que podemos deduzir com certeza". O privilégio da intuição intelectual, *para aquém* da linguagem – nossa ou dos outros –, estabelece a necessidade de nos posicionarmos diante da longa tradição escrita que trata de problemas semelhantes.

A escrita é representada aí, portanto, como um peso a ser suportado, como objeto de uma *suspeita* fundamental. Ainda assim, as reticências de Descartes em relação à linguagem estão ligadas menos a essa atitude de suspeição do que à confiança em seu sucesso. Neste momento, a análise estilística dos textos cartesianos ajuda-nos a entender sua relação com a linguagem em geral. Um dos aspectos estilísticos mais notáveis da escrita de Descartes é a brevidade de alguns de seus textos, especialmente daqueles que tratam mais diretamente do fundamento da ciência, o *Discurso* e as *Meditações*. O texto do *Discurso* desenvolve-se numa progressão vertiginosa – pelo menos até sua Quinta Parte, na qual, diz Descartes, a utilidade do Método é ilustrada de maneira apenas genérica, pois uma exposição detalhada envolveria "questões controvertidas entre os doutos, com os quais não desejo indispor-me" ("creio que será melhor que eu me abstenha..."[463]). Também a Sexta Parte alarga-se em considerações contra e a favor da publicação de seus escritos científicos. É verdade que a brevidade do *Discurso* se explica em parte pelo fato de o texto ser um prólogo aos tratados científicos que o acompanham; entretanto, como já vimos, é notável a discrepância entre suas primeiras quatro Partes e as duas partes finais, que tratam do livro abortado (*O Mundo*) e das razões do aborto, ou seja, do que *não foi publicado*. O próprio Descartes admitirá, pouco depois de o livro ser posto à venda[464], que o texto tem um caráter muitas vezes "obscuro" e "pouco elaborado" (especialmente na enunciação da dúvida

463 AT VI, 40. "Eu preferiria não" [*I would prefer not to*], como diria Bartleby ("*je crois qu'il sera mieux que je m'en abstienne*", disse Decartes).

464 Carta ao padre Vatier de 22 de fevereiro de 1638 (AT I, 558-565).

metafísica e na prova da existência de Deus). Tal caráter lacunar é fruto de uma decisão: porque o texto foi escrito e publicado em uma língua vulgar (o francês) – uma língua que "até as mulheres poderiam entender"[465] –, o exercício radical de pensamento que ele deveria conter foi substituído por um percurso menos perigoso para os "espíritos fracos"[466], pouco prevenidos contra a extensão indevida da dúvida cética para domínios como a política e a religião, o que favoreceria o ateísmo e a insubordinação. Já a brevidade das *Meditações* não tem a desculpa de seu gênero literário: elas apresentam-se como uma obra em si mesma, e não como o prefácio de outros escritos. Há, entretanto, uma razão interna para sua concisão: as meditações religiosas que lhe serviram de molde formal são, em geral, também elas mesmas curtas, e isso ocorre pelas mesmas razões que explicam a brevidade do texto cartesiano. É preciso percorrer as cadeias dedutivas que estruturam o texto com um movimento único de atenção, que reduza as diversas etapas à unidade de uma intuição. A "conversão" é um resultado que se encontra para além do livro, no momento mesmo em que ele foi deixado de lado, e esse momento deve chegar o mais rapidamente possível[467]. Em suma, a brevidade como estilo de escrita é, simultaneamente uma forma de evitar, contornar ou escapar da dimensão comunicacional da linguagem, reduzindo-a a seu mínimo necessário, mas, também – ou melhor, sobretudo – uma forma de usá-la ao máximo na sua função

465 Carta ao padre Vatier de 22 de fevereiro de 1638 (AT I, 558-565). Ver também *Discurso* (AT VI, 77-78).

466 Carta a Mersenne de 27 de fevereiro de 1637 (AT I, 350).

467 Lembremo-nos de que os exercícios de Loyola requeriam a figura externa do diretor espiritual, diante do qual a leitura era feita. Para a ideia de "rapidez" associada à dedução dos fundamentos da filosofia, cf. a famosa fórmula do cartesiano Spinoza, no *Tratado da correção do intelecto*, ao expor a superioridade do "quarto modo de conhecimento" – o mesmo que, na Ética, será denominado "ciência intuitiva": "Só o quarto modo compreende a essência adequada da coisa e sem perigo de erro, e por isso há de ser maximamente usado. Portanto, cuidaremos de explicar de que modo ele há de ser usado para que coisas desconhecidas sejam por nós inteligidas com tal conhecimento e para que, ao mesmo tempo, isso se faça o mais brevemente [*compendiosè*] possível..." (G II, 365); Spinoza (2015), p. 42. Notemos que, na Ética, "o mais brevemente possível" ocorreu em dez Proposições; é apenas na Proposição 11 da Parte I que a desconstrução dos preconceitos imaginativos se encerra, e que a "ideia verdadeira dada" é objeto de uma demonstração que se assemelha, por sua brevidade, a uma intuição intelectual.

taquigráfica de "auxiliar da memória". Na Segunda Meditação, Descartes interrompe a ordem da meditação para advertir-nos de que, "ainda que *sem falar* eu considere tudo isso em mim mesmo, *as palavras detêm-me*, todavia, e sou quase enganado *pelos termos da linguagem comum* [*uso loquendi*]"[468] – ou seja, pela linguagem usada no comércio entre os homens. Mas essa linguagem suspeita é a mesma linguagem que nos conduz através dos exercícios espirituais. Nos dois casos, a linguagem (especialmente a linguagem escrita) nos leva a ocultar e criar tanto o autor dessas palavras quanto seu tema principal (Deus), os quais, ausentes, escondem-se atrás delas, invisíveis e indivisíveis. Esse ideal de brevidade e de concisão manifesta-se, no entanto, de forma aparentemente paradoxal, nas longas e tortuosas frases de Descartes, repletas de vírgulas, de ponto-e-vírgulas, de travessões e dois-pontos. É como se ele quisesse dizer de um só fôlego tudo o que tinha de ser dito: há uma espécie de ansiedade de terminar que faz com que inúmeros pensamentos e raciocínios e digressões e ressalvas devessem ser comprimidos no espaço entre a letra maiúscula que dá início à frase e o ponto-final que a encerra. Ao comprimir as "ordens de razões" em frases longuíssimas – a tal ponto que poderia levar um eventual leitor que se dispusesse a lê-las em voz alta a perder o fôlego –, o estilo da escrita de Descartes encarna ao mesmo tempo a regra da enumeração e a vontade de terminar um pensamento, reconduzindo-o à dimensão das ideias instantâneas no interior da mente. Ou seja, a extensão das frases é inversamente proporcional à concisão das ideias.

Mais do que hesitação e suspeita, portanto, é o sucesso da linguagem que melhor explica o ódio que Descartes disse sempre ter devotado à escrita e à publicação de seus textos. Os signos sobre o papel servem, basicamente, a duas funções: auxiliar a memória e comunicar os pensamentos. É sobretudo a essa última função que está associado o ódio, na medida em que ela se refere ao *futuro*, às próximas gerações. Contra a resistência a deixar um legado, contrapunha-se a *obrigação* de servir o público, tema recorrente na Sexta Parte do *Discurso*. A atividade de escrever é, portanto, uma imposição moral, algo que é feito em contraposição às tendências egoístas de busca de tranquilidade, solidão e recolhimento, longe das disputas escolásticas. Se o passado da escrita,

468 AT VII, 32; IX 25; grifo acrescentado na tradução.

sob a forma dos infinitos livros entre os quais a tradição científica e filosófica se encontra perdida, é percorrido com certo tédio na Primeira Parte do *Discurso*, o futuro parece também ser o objeto de uma distopia peculiar: a meditação presente ocupa todo o espaço mental e a escrita tem a tendência a ser reduzida a sua função mnemônica, destituída de sua potência comunicativa.

Essa imagem do autor como uma espécie de mártir e da escrita como um sacrifício poderia se chocar, entretanto, com o evidente orgulho –uma paixão que, segundo Descartes, inclui entre suas notas características o ódio – de ser o criador de uma nova filosofia. Sugerimos, na Introdução deste estudo, que se tratava aí de uma estratégia para buscar a justa medida entre o silêncio e o discurso que evitasse a *calúnia* dos guardiões intolerantes de uma tradição morta. Encaminhando-nos para o final de nosso percurso, porém, podemos identificar, nessa dupla atitude de modéstia reservada e de afirmação orgulhosa uma característica mais relevante do que a conquista da virtude mediana: não é apesar de odiar "o ofício de fazer livros" que Descartes busca, ao mesmo tempo, a glória do reconhecimento – ao contrário, é *por causa* desse ódio que ele a procura. O autor nasceu de uma batalha contra fortes inclinações, e deve triunfar sobre seus oponentes em nome desse esforço. Da mesma maneira, o ódio à escrita não impede, mas possibilita a elaboração de um *estilo*.

Nesse sentido, é importante notar que o ódio à escrita mencionado na Sexta Parte do *Discurso* não foi *o efeito* da decisão de suspender a publicação do *O Mundo*, diante da condenação de Galileu. Ao contrário, o "caso Galileu" vem se somar a uma inclinação já existente ("O que me bastou para me obrigar a mudar a resolução que eu tomara de publicá-las. Pois, embora as razões, pelas quais eu a adotara anteriormente, fossem muito fortes, minha inclinação, que me fez *sempre* odiar o ofício de fazer livros, me levou incontinenti a achar *muitas outras* para me escusar dela"[469]). Essa inclinação permanente está, certamente, associada ao desejo de recolhimento silencioso, mas a segunda função da escrita – a de ser um auxiliar da memória – merece ser igualmente enfatizada. De fato, embora seja a função comunicativa que imediatamente salta aos olhos como o objeto do ódio, dado que ela

469 AT VI, 60; grifo acrescentado na tradução.

expõe o autor à incompreensão e à malícia do público[470], a fraqueza da memória intelectual, e a consequente necessidade de recorrer aos signos visuais, faz dessa espécie de auxiliar ocular um incômodo, na medida em que, servindo para fixar *seus próprios* pensamentos sobre o papel, o autor, por isso mesmo, se produz nela, tornado-se, assim, parte da tradição que combatia. O ódio à escrita dirige-se para o fato de que a escrita é o instrumento mnemônico que o estende para o futuro, fazendo com que o presente puro da intuição intelectual se transforme imediatamente no passado desse futuro. A interpretação do projeto de fundamentação da ciência como uma justificação da memória, exposta acima, encontra-se aqui, por vias oblíquas, com o tema da relação de Descartes com a palavra escrita: a memória intelectual, fundamentada pela existência do Deus veraz, é justamente aquilo que correlaciona as palavras faladas ou escritas a seu significado, permitindo, pois, que o pensamento vivo se solidifique em letras mortas.

Com esse último movimento, as reservas em relação à publicação de seus pensamentos teológicos levam Descartes a uma atitude de suspeita e de rejeição à totalidade de seus escritos, quer exprimissem ou não temas ligados à teologia. Essa espécie de contaminação manifesta-se, como não podia deixar de acontecer, como um estilo de escrita, que incorpora tais tensões internas na superfície do papel. Ora, a elucidação de tal estilo só será completada se percorrermos o estilo em que Descartes registrou seus pensamentos sobre o ódio, uma vez que eles, como todo material dedicado à publicação, não estão isentos de tal paixão. Ou seja, o estudo de Descartes sobre o ódio reúne exemplarmente o objeto e o estilo de escrever sobre ele em um único ato. Não se trata, convém repetir, de um estudo estilístico tradicional, como o proposto por Kambouchener, que se dedica às figuras, à sintaxe e à prosódia cartesianas, mas, antes, de investigar a lógica e a economia de seus discursos na produção das figuras do texto e de seu autor. Veremos, então, que tratar dos limites do que deve ser escrito e divulgado é

470 Descartes, em uma longa carta a Mersenne datada de 9 de fevereiro de 1639, na qual aborda os mais variados assuntos (física, ótica, anatomia, química, música) e os debates com numerosos interlocutores, constata que "as boas razões têm muito pouca força para persuadir da verdade, o que me faz quase resolver a esquecer totalmente de escrever, e só estudar sempre mais para mim mesmo" (AT II, 501).

compreender os requisitos, as prerrogativas e o *pathos* (a patologia) da própria escrita em geral.

A Sexta Parte do *Discurso* é, como vimos, inteiramente constituída por uma sucessão de razões contra e a favor da publicação de *O Mundo* e, por extensão, do próprio *Discurso*[471]. A maior parte das razões que pesam contra a publicação de seus escritos está relacionada, como também já examinamos, à busca da tranquilidade da alma, longe das polêmicas inférteis[472]; entretanto, um outro tipo de razão apela para considerações distintas. Ainda que a utilidade pública gerada pela divulgação escrita de suas descobertas aparentemente compensasse os inúmeros aborrecimentos trazidos pela fama[473], diz Descartes a certa altura do texto, a "comunicação de meus pensamentos" não seria realmente útil nem para si nem para "os outros", não apenas porque o autor já antecipou todas as objeções que lhe poderiam ser feitas[474], mas porque "não se saberia conceber uma coisa, e torná-la sua, tão bem quando

471 O texto da Sexta Parte é inteiramente estruturado pela sucessão dessas razões a favor e contra a publicação do texto sobre os "fundamentos de minha física" (AT VI, 74), de tal modo que, contrapostas umas às outras, as razões finais prevaleçam. Mais perto do final do texto, a sucessão incessante de tais contraposições chega a tal ponto que o leitor é tomado por uma certa vertigem. Assim, por exemplo, logo após enunciar o que parecia a decisão final dessa balança de oposições ("Todas essas considerações juntas foram a causa, há três anos, de que eu não quisesse divulgar o tratado que eu tinha entre as mãos, e mesmo que adotasse a resolução de não deixar ver nenhum outro ..."), Descartes desconcerta o leitor com uma reviravolta final: "Mas em seguida houve *mais uma vez* duas *outras razões* ..." (AT VI, 74; grifo acrescentado na tradução). Sobre a alternância entre "razões para duvidar" e "razões para crer" nas *Meditações*, cf. a Quinta Meditação: "pode acontecer durante esse tempo que outras razões se me apresentem, as quais me fariam facilmente mudar de opinião ..." (AT Vll, 69; IX, 55).

472 A resolução de não se envolver em polêmicas chega a assumir a forma de um discurso quase paranóico em AT VI, 71: "... eu posso dizer que esses últimos [*os filósofos escolásticos*] têm interesse que eu me abstenha de publicar os princípios da filosofia da qual me sirvo ...". Rousseau, com seu sistema paranóico de escrita, será um dos herdeiros da suspeição doentia de Descartes, especialmente em sua última obra, os *Devaneios do caminhante solitário.*

473 "Pois, ainda que eu não ame excessivamente a glória, ou mesmo, se ouso dizê-lo que eu *a odeie*, na medida em que a julgo contrária ao repouso ..." (AT VI, 74; grifo acrescentado na tradução). A principal raiz do ódio à escrita reside, pois, na recusa das desvantagens ligadas à glória.

474 "... a experiência que tenho de objeções que se pode me fazer me impede de esperar delas qualquer lucro ..." (AT VI, 68).

ela é aprendida de outrem como quando se a inventa por si mesmo"[475]. "Embora tenha frequentemente explicado algumas de minhas opiniões a pessoas de ótimo espírito", continua Descartes, "e que, *enquanto eu lhes falava,* pareciam entendê-las distintamente, todavia, quando as redizdiam, notei que as mudavam quase sempre de tal sorte que eu não as podia mais confessar como *minhas*"[476]. A mesma deformação ocorre, segundo Descartes, com as opiniões "dos filósofos antigos, dos quais não temos os escritos"[477]. O problema identificado por Descartes afeta, portanto, não apenas a linguagem *falada*, mas também a *escrita*. A primeira que favorece uma falsa aparência de compreensão, provavelmente pelos efeitos da presença do autor[478], mas uma consequência notável desse fracasso do registro oral é a inutilidade da própria linguagem escrita como instrumento de comunicação, na medida em que, sendo o registro mnemônico de pensamentos supostamente realizados pelo próprio autor, reproduzindo-os fielmente, ela se torna letra morta para "os outros", ainda que eles compreendam o sentido das palavras. Sem a experiência de descoberta e de invenção associada a eles[479], os signos escritos só comunicam ao público resultados vazios, consequências sem premissas.

Daí por que Descartes alude a "outras razões" pelas quais, diz ele, "eu deveria verdadeiramente continuar a escrever" *como se* "eu quisesse fazer imprimir" os escritos, embora não devesse "nunca consentir que eles fossem publicados durante minha vida"[480]. O que vemos aqui é o projeto de uma obra feita para ser propositalmente póstuma, trazendo em si o benefício do olhar virtual de outros[481] e do olhar real das gerações futuras. Não podemos esquecer do destino das *Regras*, texto que

475 AT VI, 69.

476 AT VI, 69; grifo acrescentado na tradução. Note-se que o problema não é aqui relacionado a um suposto defeito intrínseco da escrita, mas antes à ausência de *invenção.*

477 AT VI, 70.

478 Cf. Derrida (1993).

479 Cf. AT VI, 72: "se há no mundo alguma obra que não possa ser tão bem-acabada por nenhum outro a não ser pelo mesmo que a começou é esta na qual eu trabalho".

480 AT VI, 65-66.

481 AT VI, 66: "... para ter mais ocasião de bem examiná-las, porque sem dúvida se olha sempre mais de perto o que se acha dever ser visto por muitos, do que aquilo que se faz apenas para si próprio ...".

acompanhou Descartes até sua morte na Suécia[482]. Criador de uma linguagem que só é útil para si mesmo, o autor recusa os leitores do presente e, no entanto, escreve *como se* alguém o lesse.

A imagem de Descartes que emergiu de nossas análises precedentes não é, como se pode notar agora, muito diferente daquela que tradicionalmente se faz dele. Ao contrário de algumas leituras que nos apresentam novas características até então insuspeitas, é um Descartes bem tradicional que aparece ao longo destas páginas: solipsista, preso ao momento presente, defensor do acesso privilegiado aos conteúdos mentais pela intuição intelectual, cético quanto à confiabilidade da memória. Se há algo de inovador neste estudo, é o fato de essa imagem tradicional ser amparada sobre elementos que, até então, não pareciam tão relevantes. Mas outro resultado importante é que tal imagem tradicional aparece de forma menos clara e distinta, como que borrada por certas franjas retóricas que lhe retiram a nitidez. Nosso objetivo inicial foi, justamente, o de, partindo de uma representação determinada da obra de Descartes, acrescentar-lhe progressivamente índices de indeterminação. Particularmente, as análises precedentes mostraram que a "inclinação" que Descartes, constatada por ele mesmo, de "ódio ao ofício de fazer livros" foi mais do que uma observação casual, mencionada sem nenhuma intenção profunda na parte final do *Discurso*, no contexto de suas considerações, na Sexta Parte, sobre suas peripécias como autor. Nesse seu o primeiro livro publicado, suas reservas em relação à palavra escrita anunciam um tipo de desconforto que nunca o abandonará, até o fim de sua longa carreira como autor, treze anos mais tarde, em 1649, com a publicação das *Paixões da alma*. Uma vez percorridos os caminhos de suas obras publicadas em vida, nas quais essa tensão, por razões óbvias, é mais manifesta – afinal, nelas, a decisão de publicar algo aparece ela mesma como texto publicado –, fica claro que o "ódio à escrita" não é a manifestação de um sentimento isolado, de uma curiosidade biográfica, mas uma marca textual importante para entender a gênese da figura mesma de autor que emerge de seus textos. De certa forma, a escrita é uma foma de

482 No item F do *Inventário sucinto dos escritos que se encontraram de Monsieur Descartes após sua morte em Estocolmo em fevereiro de 1650*, estão discriminados "nove cadernos ligados conjuntamente, contendo parte de um tratado das regras úteis e claras para a direção do Espírito na busca da Verdade" (AT X, 9; Paris, Bibliothèque Nationale, MS. fr. n. a., 473º).

afastamento: uma vez colocados sobre o papel, os pensamentos podem ser esquecidos, inaugurando o tempo do ócio. Se é preciso investigar os fundamentos da ciência "uma vez na vida"[483], isso significa que a filosofia deve ser começada e terminada, que algo completo deve poder se oferecer à visão como um todo perfeito, de tal modo que o "resto de meu tempo"[484] possa ser consagrado aos sentidos. Registrar para esquecer, eis o destino peculiar da escrita cartesiana.

Resta ainda, por fim, a tarefa de enumerar e de resumir – essa atividade teórica tão *cartesiana* – os resultados alcançados acima, de tal maneira que os dois termos dessa expressão – "ódio" e "escrita" – sejam mais claramente visíveis e, daí, que a relação entre ambos seja estabelecida de forma definitiva – ou, ao menos, tão definitiva quanto a desestabilização que o afeto do ódio provoca na escrita permita contemplá-la como um objeto estável. Tal enumeração nos permitirá, finalmente, *ver* o objeto deste estudo – o ódio à escrita – de forma adequada, clara e distinta; tal visão tornará possível traçar sua etiologia.

Comecemos pelo termo "ódio"[485]. Lembremos, primeiramente, que, ao menos nas *Meditações*, é na distância entre o "eu" do narrador e o "eu" do autor que vêm se instalar os afetos e as paixões que modulam esse texto cartesiano. De fato, há todo um vocabulário passional presente, geralmente de forma pouco observada, nas *Meditações*: o "eu" meditante manifesta medo, alegria, admiração à medida em que

483 AT VII, 19; IX, 18.

484 AT III, 693.

485 A Parte II das *Paixões* segue uma ordem fixa nas etapas de apresentação de cada uma das cinco paixões primitivas (admiração, amor, ódio, alegria e tristeza). No que diz respeito ao ódio, essa ordem é a seguinte: o Artigo 56 define seu objeto próprio; o Artigo 79 apresenta a definição e a causa próxima do ódio; o Artigo 98 descreve as experiências que nos dão a conhecer os movimentos do sangue e do espírito envolvidos na causa próxima do ódio; o Artigo 103 dá a descrição do movimento do sangue e dos espíritos no ódio; o Artigo 108 aprofunda a investigação causal, formulando a explicação da causa última dessas causas próximas (de tal modo que a causa última do ódio ocorre quando um suco que não é próprio para alimentar o calor produzido pelo coração – podendo até mesmo apagá-lo – entra nele); o Artigo 137 mostra qual é a utilidade do ódio para o corpo; finalmente, o Artigo 140 diz quel é a utilidade do ódio para a alma. Não seguiremos essa ordem na apresentação da paixão do ódio, embora a reconstrução do que teremos a dizer dele segundo essa ordem das razões pudesse nos dar informações adicionais interessantes sobre sua natureza. Deixaremos esse trabalho para uma outra ocasião.

duvida, descobre verdades, prova a existência de Deus[486]. O reconhecimento da presença do vocabulário passional no texto das *Meditações* deve ser reconduzido à fissura entre o "eu" do narrador e o do autor, na qual o registro passional não é exatamente contemporâneo ao percurso metafísico conduzido pelo puro intelecto. Aquele que é talvez o trecho mais nitidamente marcado pela presença das paixões em todo o texto das *Meditações* indica isso de maneira especialmente clara; trata-se do parágrafo final da Terceira Meditação, após as provas da existência de Deus:

> Donde é mui evidente que ele [*Deus*] não pode ser enganador, uma vez que a luz natural nos ensina que a fraude e a mentira dependem necessariamente de algum defeito.
>
> Mas antes que eu examine isso mais diligentemente e passe à inquirição das outras verdades que se pode recolher daí, parece-me bem a propósito demorar-me aqui na contemplação desse Deus, sopesar em mim seus atributos, e intuir, admirar, adorar [*intueri, admirari, adorare*] a beleza dessa luz imensa tanto quanto possa permitir a penetração de meu engenho enevoado. Pois assim como, pela fé, acreditamos que a felicidade soberana da outra vida consiste apenas na contemplação da majestade divina, assim também experimentamos desde agora, por uma contemplação semelhante, ainda que muito menos perfeita, o maior contentamento de que somos capazes de sentir nesta vida[487].

"Intuir, admirar, adorar": nessa sequência, percebemos claramente a conexão entre a admiração, paixão intelectual por excelência, e a atividade intelectual do meditador. Como ocorre frequentemente no começo e no final de cada Meditação, o "eu" narrador dirige-se ao leitor e faz referência ao texto, instruindo-o quanto ao *ritmo* da leitura, suas pausas necessárias e seus pontos de resistência. Neste caso específico, tal interpelação ao leitor é ainda mais patente, na medida em que esse último é exortado a *interromper* a leitura. Para além do "tempo da

486 A conclusão de Shapiro, segundo a qual as *Meditações* conjugam o esforço de fundamentação da ciência e o de uma "regulação das paixões" (2005, p. 27) depende justamente da sua tentativa de tornar o texto cartesiano inteiramente coerente consigo mesmo; na minha leitura, como veremos, é a aposta em uma unidade partida que fornece seu princípio de leitura.

487 AT VII, 52; IX, 41-42.

leitura", novamente vem se imiscuir aqui o "tempo da meditação", o qual traz consigo, invisível, precisamente a figura do "eu". Ao solicitar do leitor uma pausa neste momento do texto, o autor aparece como tal, introduzindo a experiência vivida pelo meditador entre os signos escritos – tal como, nas meditações jesuítas, os leitores devem cumprir as etapas recomendadas pelo diretor de consciência, *distanciando-se* momentaneamente do livro.

A admiração é a paixão dominante no momento em que o leitor deve ser advertido a interromper sua leitura e demorar-se na contemplação do fundamento da filosofia, Deus, o "princípio da sabedoria"[488]. Assim como Aristóteles, Descartes reconhece na admiração e no espanto – que as *Paixões* vão distinguir como dois graus de uma mesma inclinação[489] – a disposição típica do filósofo, daquele que enfim chegou ao princípio da ciência. Na descrição da gênese das paixões, e particularmente dessa peculiar paixão da escrita, devemos centrar nossa atenção sobre o entendimento, mais do que sobre a vontade: enquanto a sede da admiração não se encontra no coração, mas no cérebro, o amor e o ódio serão definidos como paixões que, tendo origem cardíaca, consistem na união ou na separação voluntárias com relação ao objeto amado ou odiado[490]. Entretanto, apesar dessa diferença radical quanto a suas causas, o ódio, como todas as paixões, deriva, em última análise, da *admiração*: essa é a primeira das paixões que encontramos na "ordem das razões" que constitui a teoria das paixões de Descartes nas *Paixões da alma*, e ocorre quando encontramos algum objeto que nos *surpreenda* por sua *diferença* em relação aos objetos que já conhecemos. Trata-se de uma paixão que não tem contrário, em contraste com a maioria das que são listadas em seguida (amor e ódio; veneração e desdém, etc.[491]), já que um objeto que permanece despercebido não

488 *Provérbios* 9:10.

489 Nos Artigos 70 ("*Da Admiração, sua definição & sua causa*") e 73 ("O que é o Espanto [*Etonnement*]") (AT XI, 380-383).

490 *Paixões*, Art. 80 (AT XI, 387).

491 Mas outra "paixão primitiva", o desejo, não tem tampouco contrário. Cf. *Paixões da alma*, Parte II, Art. 87 – AT XI, 193. A unidade sem contrários da admiração, ligada como está ao entendimento humano, tem sua contraparte, também ela unitária e sem contrário, no desejo, ligado à vontade. Intelecto e vontade, sabemos, são as duas únicas faculdades da alma racional segundo Descartes, sendo também, como se vê, suas

nos afeta de forma alguma. A ausência de uma paixão contrária à admiração testemunha, assim, a *unidade* da mente contemplativa – a mente, enfatiza Descartes nas *Paixões da alma*, não tem partes[492] –, à qual corresponde não só a não-partição da mente, mas também a ausência de localização das funções cerebrais capaz de estabelecer um mapeamento das faculdades da alma[493]. A unidade da glândula pineal, situada no centro do cérebro, é, assim, a expressão corporal da unidade da alma, e a paixão da admiração, a contraparte mental da faculdade do entendimento. Porque a admiração é a paixão mais primitiva, ela está situada na *origem* de todas as demais, ou seja: todas elas supõem a admiração, e a envolvem como uma sua condição necessária. Ao contrário das

duas disposições passionais básicas.

492 *Paixões da alma*, Art. 47: "Pois só há em nós uma só alma, e essa alma não tem em si nenhuma diversidade de partes: a mesma que é sensitiva é racional, e todos os seus apetites são vontades" (AT XI, 364). Descartes se posiciona aqui contra as tradições antigas – aristotélica e platônica – que reconheciam partes da alma. A distinção real entre a alma e o corpo mostra, segundo o mesmo Art. 47, que o combate imaginário entre "diversos personagens" no interior da alma deve ser substituído pelo conflito entre as "impulsões" contrárias vindas da alma e dos espíritos animais, que movem "a pequena glândula que está no meio do cérebro" para direções contrárias (AT XI, 365). Descartes parece pensar que a mera determinação espacial do *local da união* (esse estranho oxímoro) pudesse explicar as operações do cérebro, compreendido não mais como a unidade funcional de partes distintas, mas como uma unidade "simples". (Deve-se notar que pela expressão "local da união" não se pretende aqui afirmar que, para Descartes, a alma está unida ao corpo apenas na (pela) glândula pineal, pois o Art. 30 das *Paixões* desmente tal tese cabalmente, uma vez que a natureza funcional da unidade do corpo vivo e o caráter imaterial e "não-local" da alma garantem que ela está unida à totalidade do corpo. A expressão designa, pois, a tese explicitada no Artigo seguinte das *Paixões*, segundo a qual "há uma pequena glândula no cérebro *na qual* a alma exerce suas funções mais particularmente do que nas outras partes" (AT XI, 351; grifo acrescentado na tradução). O uso do localizador "na qual" recoloca, no entanto, sem resolvê-lo, o problema da união da alma com o corpo, desta vez no interior de uma de suas partes. Deve-se notar também, a respeito da tese cartesiana da união "não-local" da alma e do corpo, que David Hume, em seu *Tratado da natureza humana*, não vê nenhum problema com a tese cartesiana segundo a qual coisas puramente mentais e, portanto, não-espaciais, como, por exemplo, o sabor de um figo, possa conviver "localmente" com coisas espaciais – como a figura e a cor do figo. Justamente porque são de natureza distinta, diz Hume, ambas podem ser associadas pelo hábito, de tal maneira que posso, sem impropriedade, afirmar que o sabor do figo se encontra "no" figo) (Hume, 1967, p. 236).

493 Sobre a ausência de partes funcionais nos estudos da fisiologia do cérebro no século XVII, cf. François Laplassotte (1970).

paixões dela derivadas, a paixão primitiva da admiração não é sanguínea nem cardíaca, mas puramente cerebral: a partir dos traços deixados no cérebro pelos objetos externos, graças aos "filetes" que exercem trações sobre algumas de suas partes, a alma tem sua atenção despertada por um dentre eles, diante do qual é afetada – e, pois, alertada – pelos movimentos dos "espíritos animais". Daí decorre que, como não se relaciona ao sangue (isto é, à alimentação e à digestão), a alma, quando é afetada por essa paixão, encontra-se isenta de todo interesse egoísta, ou seja, não considera o objeto que a afeta como bom nem como mau. Longe de ser o que nos identifica com os animais, as paixões, assim, devido a sua origem, são marcadas por um primeiro momento de indiferença contemplativa[494]. Nas *Paixões*, portanto, Descartes parece reconsiderar a tese formulada na Sexta das *Meditações metafísicas*, segundo a qual os "sentimentos" são instituídos pela Natureza (ou seja, por Deus) para indicar aquilo que é mais útil à preservação do composto de mente e corpo – ou seja, segundo a qual as ideias causadas pelas afecções dos espíritos animais na glândula pineal teriam uma natureza constitutivamente interessada e utilitária.

Desde o início deste estudo, trata-se, no final das contas, de entender a frase ou a confissão que lemos na Sexta Parte do *Discurso* ("... minha inclinação, que me fez sempre odiar o ofício de fazer livros"). Para entender como essa frase condensa uma atitude filosófica que se manifesta como um estilo de escrita, é preciso, antes, percorrer o modo como Descartes explica o ódio, usando para isso principalmente o texto das *Paixões*. Veremos, então, como o estilo que ele escolhe para tratar da paixão do ódio anuncia e esclarece o modo como a escrita, em geral, é afetada por essa paixão. Poder-se-ia questionar, neste momento, o recurso às *Paixões*, o último livro de Descartes, para elucidar uma frase contida no *Discurso*, seu primeiro livro publicado. Isso não seria um erro metodológico grave, comum a todos os anacronismos? Devemos manter em mente, porém, o objetivo central de nossa investigação: trata-se de construir uma representação da autoria a partir dos diversos textos cartesianos, percorrendo-os horizontalmente e indistintamente – embora, como foi anunciado na Introdução, os textos publicados em vida gozem de um privilégio metodológico nesta empreitada, uma vez

494 Cf. a observação de Alquié na nota 1 ao Art. 71 ("Que não ocorre nenhuma mudança no coração ou no sangue nessa paixão") das *Paixões da alma* (Alquié, 1967, p. 1007).

que sua finalidade é estudar as relações do autor com a publicação de seus pensamentos. Além disso, a própria noção cartesiana de "ordem" não é estranha ao recurso de momentos posteriores para provar o que veio antes; assim, nas *Respostas às Quintas Objeções*, ele afirma que se vê

> obrigado a advertir que tu[495] não havias prestado atenção suficiente à coerência do que escrevi. Pois creio que ela é tal que, para a prova de cada coisa, todas as coisas que a precedem contribuem, bem como uma grande parte daquelas que a seguem: de modo que vós não podereis relatar fielmente tudo o que disse sobre alguma questão, a não ser que enumeres tudo o que escrevi sobre as outras[496].

Alguém poderia objetar que Descartes tinha em mente aqui os elos dedutivos no interior de uma mesma obra; entretanto, sabemos o quanto ele considerava sua obra como um único todo, ou seja, como o desenvolvimento de um só raciocínio – leiamos novamente, a esse respeito, a primeira epígrafe do presente Capítulo.

Sobre a ordem de exposição adotada no interior das *Paixões*, Alquié afirma que não se trata de "estudar os objetos tais como eles são, mas considerar aquilo em que eles nos são úteis ou nocivos"[497] – ou seja, o

495 No início das *Quintas Respostas*, Descartes muda o pronome de tratamento pelo qual se dirige ao objetor, Pierre Gassendi, substituindo o respeitoso e formal "vós" pelo familiar "tu". Sua justificativa é irônica: não reconhecendo, nas objeções de Gassendi, a sutileza de um verdadeiro filósofo, ele lhe atribui uma intenção pedagógica, como se o objetor tivesse propositalmente se travestido de um homem vulgar, "imerso nos sentidos" e a quem, "portanto, especulações metafísicas são inteiramente detestáveis", para dar a ocasião ao autor de melhor dissipar esses preconceitos. Por essa razão, conclui Descartes, ao invés de se dirigir a Gassendi, as *Respostas* interpelam um "homem carnal" – "tu, ó, carne", será a forma dessa interpelação.

496 AT VII, 379. Sobre esse ponto, relacionado pelo próprio Descartes à suspeita constantemente formulada por seus objetores de que ele cometia "círculos lógicos" em suas argumentações (e as razões dessa suspeita constante correspondem a uma característica essencial do pensamento cartesiano, ainda não totalmente explorada pelos comentadores, embora alguns, como Harry Frankfurt, tenham ido na direção certa – cf. Frankfurt, 1970), ver também a Sexta Parte do *Discurso*: "... que se tenha paciência de ler o todo com atenção, e espero que se ficará satisfeito. Pois me parece que nele as razões se seguem umas das outras [*s'y entre-suivent*] de tal modo que, como as últimas são demonstradas pelas primeiras, que são suas causas, essas primeiras o são reciprocamente pelas últimas, que são seus efeitos" (AT VI, 76).

497 Cf. a nota 1 ao Artigo 52 de sua edição das obras filosóficas de Descartes (1967), p. 998.

princípio de exposição das paixões obedeceria ao critério de discriminar aquilo que é mais ou menos útil ao composto de alma e corpo. A observação de Alquié, no entanto, não dá conta da presença disseminada da admiração em todas as paixões, como um fundamento que as contamina a todas com essa paixão da indiferença. Entenda-se bem: a admiração é, em um certo sentido, o contrário da indiferença, na medida em que é ela que nos faz querer conhecer, ao despertar nosso interesse pelos objetos do mundo – aqueles que, por natureza, são pouco dotados dessa paixão, "são ordinariamente muito ignorantes"[498]. Mas a admiração envolve uma distância com relação a si mesmo, ao corpo próprio e a seu bem-estar. As *Paixões* estão dominadas por um propósito central, o de mostrar que é possível controlar as paixões, domá-las indiretamente de modo a que os traços corporais, que produzem inevitavelmente um *automatismo* na mente, não definam, porém, nosso caráter. O "mecanismo" que funciona automaticamente, determinando nossa vontade, manifesta-se, na paixão primitiva da admiração (e nas suas derivações, a estima, o desprezo, a generosidade ou orgulho, a humildade ou baixeza, a veneração, o desdém e o espanto[499]), não como um interesse da mente pela preservação do composto alma--corpo, mas, antes, como um olhar, desprovido de interesse egoísta, em direção aos objetos externos. Não é de se estranhar, portanto, que no trecho da Terceira Meditação citado acima, Descartes tenha colocado na mesma série os verbos "intuir" e "admirar": sendo bastante rara nas *Meditações*, ao contrário do que ocorre em sua principal obra de juventude, as *Regras*, a referência à intuição intelectual como um substituto, nesta vida temporal, da contemplação beatífica de Deus na outra vida é o modelo por excelência da admiração[500].

498 *Paixões*, Art. 75 (AT XI, 384).

499 *Paixões*, Artigos 54, 55 e 73 (AT XI, 373-374, 382-383). Essas paixões são *acrescentadas* à admiração a partir das qualidades diversas dos objetos que afetam a alma, supondo todas, portanto, a paixão mais primitiva da admiração.

500 A advertência que Descartes faz no início das *Meditações* de que "agora não se trata de agir, mas de conhecer a verdade" (AT VII, 22; IX, 17) deve ser levada a sério: ainda que o objetivo de se transformar no "senhor e mestre da Natureza" guie seu projeto filosófico, ele é perpassado por um *desinteresse* mais fundamental, que situa a ciência no registro dos prazeres inocentes, cuja finalidade é dada neles mesmos.

A admiração faz, assim, da co-habitação entre alma e corpo um convívio problemático, marcado simultaneamente pela indiferença primitiva da alma em relação ao bem a ao mal do composto e pela constatação da presença, também por parte da alma, de um "outro indomável" (o corpo a ela unido contingentemente "nesta vida"), para recorrer à expressão – usada, porém, em um outro contexto – de Jean-François Lyotard[501]. Nas *Paixões*, a admiração é uma paixão da alma causada pelo corpo – sua causa próxima é o movimento dos "espíritos animais"[502] –, distinta das "emoções interiores da alma", que são auto-afecções da alma. Sendo causada pelo corpo próprio de cada um, a admiração é, no entanto, não um evento que marca de forma decisiva a união da alma com "seu" corpo, indicando à alma as necessidades de seu "outro indomável", mas, ao contrário, assinala a presença do corpo como um mecanismo estranho, diante do qual a alma permanece indiferente.

Também na "paixão composta" que é o ódio[503], na medida em que ela tem por objeto o livro e a escrita, a *distância* entre o narrador e o autor mostra-se de forma perspícua – e, novamente aqui, o que está envolvido é uma certa indiferença em relação ao objeto odiado. Ou melhor, o que está em jogo é a *aversão* a ele, mas um tipo de aversão

501 A expressão de Lyotard foi citada por Jacques Rancière (2012), p. 141. Nessa passagem, Rancière descreve a "estética do sublime" de Lyotard como estando comprometida com a ideia de que convivemos, na experiência do sublime, com um "estranho hóspede", cujo "esquecimento o espírito deve esquecer para poder se colocar como senhor de si mesmo" (*idem, ibidem*), descrição essa que poderia ser aplicada, com as devidas ressalvas, ao modo como a relação entre alma e corpo é figurada na obra Descartes, na medida em que ela indicaria que a "noção primitiva" da união da alma com o corpo deixa subsistir nela um traço do dualismo.

502 A teoria dos espíritos animais é originada na Antiguidade, tendo sobrevivido ao longo de toda a Idade Média. Segundo Descartes, os espíritos animais são "um certo vento muito sutil", ou antes "uma chama muito viva e muito pura" (*Paixões*, Art. 10, AT XI, 129-130), correspondendo às partículas mais vivamente agitadas e mais sutis do sangue (*Tratado do Homem*, AT XI, 129). Para uma introdução à história do conceito de espíritos animais, cf. o texto "Sur l'histoire des fluides imaginaires. (Des esprits animaux à la libido)", de Jean Starobinski (1970; 2001), pp. 230-248.

503 O ódio é uma "paixão composta" no mesmo sentido em que todas as paixões utilitárias o são: todas elas envolvem a admiração (e, algumas delas, suas derivações, como o espanto ou a generosidade, cuja diferença específica é dada pelas diversas qualidades dos objetos que afetam o corpo) e os efeitos do movimento dos espíritos animais no sangue e no coração, indicando o que é útil ou nocivo ao composto de alma e corpo.

que é tal que não implica o desejo de *destruição* do objeto odiado, e sim apenas o desejo de *afastamento* (lembremos que o desejo é, para Descartes, uma paixão que não tem nenhuma paixão contrária a ela, de modo que a aversão não se caracteriza por um impulso distinto do que o que move o amor, mas apenas por seus diferentes objetos – o próprio ser amado, no caso do amor, ao qual o amante deseja se unir, e o objeto nocivo, no caso do ódio, do qual o indivíduo deseja se afastar[504]).

Amor e ódio são as duas paixões sanguíneas mais primitivas; elas pressupõem que um objeto seja "representado", respectivamente, como "conveniente" ou "nocivo" em relação a nós (ou seja, ao composto de alma e corpo). Notemos que o uso do vocabulário intencional – tal como o verbo "representar", associado ao amor e ao ódio – por parte de Descartes nas *Paixões* (e também em seus outros textos fisiológicos) é enganador, pois ele poderia levar o leitor acostumado com as *Meditações* e com o *Discurso* a imaginar que se trata, nesse momento, de representações *mentais*, quando, na verdade, trata-se de figuras impressas sobre a superfície da glândula pineal[505]. As representações mentais, igualmente necessárias para a existência das paixões, são, no entanto – ao menos aquelas que não são inatas –, elas também, causadas pelas representações corporais, tanto quanto as emoções que daí surgem. A partir dessa observação quanto ao caráter primitivamente corporal

504 Cf. *Paixões*, Parte II, Art. 87 – AT XI, 193.

505 Cf., por exemplo, o *Tratado do Homem* (AT XI, 176-177): "Ora, entre essas figuras, não são aquelas que se imprimem nos órgãos dos sentidos exteriores ou na superfície interior do cérebro, mas somente as que se traçam nos espíritos sobre a superfície da glândula H, *onde se encontra a sede da imaginação e do senso comum*, que devem ser tomadas por ideias, isto é, por formas ou imagens [....] quero compreender geralmente, sob o nome de *Ideia*, todas as impressões que podem receber os espíritos animais saindo da glândula H...". Note-se que a percepção das figuras envolve o duplo movimento de *tração* dos filetes [*filets*] ou cordas por parte dos objetos externos que afetam nossos órgãos sensíveis e daí nosso cérebro e o movimento de *impulsão* dos espíritos animais através da abertura dos "tubos" [*tuyaux*] no interior dos nervos, correspondentes àquela tração. Note-se também que os espíritos animais que afetam a glândula pineal têm sua origem no interior do próprio cérebro (mais do que das grandes artérias que chegam até ela, eles vêm de suas pequeníssimas ramificações que forram o fundo das concavidades do cérebro): os espíritos, que nunca se encontram em repouso, passam pelos poros da glândula e são encaminhados aos tubos que saem delas (AT XI, 172). Nessa explicação, apenas o conceito de "senso comum" não foi mantido no período de composição das *Paixões*.

das representações envolvidas nas paixões em geral, eis como, no Artigo 79 das *Paixões*, Descartes define o ódio como uma emoção faz com que a alma deseje se separar dos objetos que lhe aparecem como maus, distinguindo o ódio, uma paixão da alma, tanto dos juízos "que também levam a alma a querer se separar voluntariamente das coisas que ela estima como más quanto das emoções que esses juízos, apenas por si mesmos, excitam na alma"[506]. Ou seja, o ódio é uma disposição mais básica, e mais diretamente ligada ao corpo, do que as emoções derivadas de juízos intelectuais. O Artigo seguinte dedica-se a explicar o que significa "separar-se voluntariamente" (ou: "separar-se por vontade"): pela palavra "vontade", diz ele, não se designa aqui o desejo – essa paixão que tem por objeto o *futuro* –, mas o consentimento *presente* pelo qual nos consideramos como separados do que odiamos. "No ódio, consideramo-nos apenas como um todo inteiramente separado da coisa da qual temos aversão"[507]. Ou seja, o ódio move a vontade, essa faculdade livre e *indiferente* de querer ou não querer, em direção contrária (a-versão) à do objeto odiado. Há aqui quase um oxímoro, na medida em que o ódio é descrito como aquilo que constrange causalmente uma ação voluntária.

Não é demais observar que essa inclinação para o isolamento e para a separação marca a vida de Descartes, tal como ela é narrada por ele mesmo (por exemplo, na Primeira Parte do *Discurso*). O abandono da vida civil para o refúgio perfeito da guerra e dos acampamentos militares[508], o auto-exílio nos Países Baixos, deixando para trás as grandes cidades em favor das residências campestres, a retirada final para

506 *Paixões*, AT XI, 387. Esse trecho deixa claro que o verbo "querer" que aparece na definição do ódio não se confunde nem com a vontade livre do sujeito pensante, elemento necessário na formação de um juízo intelectual, nem com as emoções interiores da alma, causadas reflexivamente por atos mentais que envolvem juízos. Ou seja, o "querer" em questão pode ser parafraseado como o ato de "se separar por vontade", invertendo a fórmula definitória do amor ("se unir por vontade" [*se joindre de volonté*]). Como nota Alquié em uma nota em que comenta o modo como essa expressão é usada no Artigo 79, a vontade racional não é pressuposta pelas paixões do amor e do ódio, já que também o feto é dito, no Artigo 107, "unir-se por vontade" ao sangue que o alimenta. No caso das paixões, pois, a vontade é "movida" pelos "espíritos animais", havendo entre elas uma pura relação causal não-intelectual. (Cf. Alquié, 1967, vol. 3, p. 1012, nota 2).

507 *Paixões*, AT XI, 387.

508 E as campanhas de guerra são, por definição, movidas pelo ódio.

a Suécia, todas essas fugas – e lembremos da definição de liberdade na Quarta Meditação: ela é a faculdade de "afirmar ou negar, perseguir *ou fugir*" – são como que a contraparte corporal do isolamento em si mesmo que as meditações solipsistas promovem, para depois o revogarem – mas nunca *completamente*: o "eu" verdadeiro será para sempre desidentificado (por ele mesmo) do corpo que ele "tem". Como mostra o Artigo 80 das *Paixões*, o ódio tem um caráter *reflexivo* que retoma em parte a reflexão solipsista da Segunda Meditação ou da Quarta Parte do *Discurso*: "no ódio considera-se só como um todo, inteiramente separado da coisa pela qual se tem aversão"[509]. Ou seja, a noção de "si-mesmo" é trazida ao primeiro plano na paixão do ódio, mais do que na do amor.

No ódio, então, experimenta-se uma "aversão" ou um desinteresse que exprime o mais nítido interesse por si mesmo. Em seu artigo intitulado "Amor, digestão e potência segundo Descartes", Alexandre Matheron mostra como, para Descartes, mesmo o amor "desinteressado" é, na verdade, modelado no amor do feto pelo alimento sanguíneo, sendo, portanto, uma forma de se aumentar sua perfeição – isto é, sua potência – individual frente às ameaças externas. Quando nos "unimos por vontade" a um objeto, procuramos ou bem torná-lo parte de nós (literalmente, no caso da digestão de alimentos), ou bem tornarmo-nos simbolicamente parte dele, participando assim de sua perfeição/potência. O amor "desinteressado" de um súdito pelo rei, ou de um fiel por Deus, é sempre uma forma de interesse em si, ou seja, de "digerir metaforicamente sua potência"[510]. Estendendo as conclusões de Matheron para o caso do ódio, vemos que o interesse de se aumentar a própria potência através da rejeição do que é nocivo é moldado pelo fenômeno do vômito, como afirma o Artigo 108[511]. Poderíamos

509 *Paixões*, AT XI, 387.

510 Matheron (2011), p. 65.

511 *Paixões*, AT XI, 408. O movimento do sangue, nesse caso, é causado por um duplo fluxo dos espíritos animais: os alimentos nocivos à produção do calor cardíaco fazem com que os espíritos subam do coração para o cérebro, excitando na alma a paixão do ódio; ao mesmo tempo, os espíritos que saem do cérebro atingem os nervos responsáveis por empurrar o sangue do baço e das pequenas veias do fígado para o coração, impedindo assim que os alimentos nocivos entrem nele. Os nervos responsáveis por movimentar o sangue em direção ao estômago e ao intestino, ou que obrigam o estômago a se movimentar em espasmos de vômito, também são ativados.

até mesmo concluir que há também, no caso do ódio, uma separação simbólica com relação ao objeto nocivo, uma espécie de ação de vomitar metaforicamente sua impotência. Portanto, mesmo no caso em que a digestão e a regurgitação passam a ser tomadas não literalmente, mas apenas como um modelo ideal, como deve ser o caso do ódio à escrita, soma-se, ao interesse próprio também presente no caso do amor, uma aversão ao objeto externo e um fechamento de si sobre si mesmo que eleva a referência a si a um nível ausente no caso do amor. O ódio é, assim, a paixão da integridade de si mesmo por excelência.

A indiferença em relação ao objeto, entendida como o resultado final do ódio (afinal, a aversão levará ao afastamento e ao esquecimento), pode ser compreendida melhor se contrastarmos a descrição cartesiana dessa paixão com a de seus contemporâneos. O modo como o século XVII formulava seus inúmeros tratados sobre as paixões articulou algumas vezes o ódio à destruição de seu objeto – basta pensar no Corolário e no Escólio da Proposição 13 da Parte III da Ética de Spinoza. Spinoza define as paixões contrárias do amor e do ódio da seguinte maneira: "Daí claramente entendemos o que são o amor e o ódio. A saber, que o amor não é nada além do que uma alegria concomitante à ideia de uma causa exterior, e o ódio, nada além do que uma tristeza concomitante à ideia de uma causa exterior". Mas, enquanto, no Corolário, o ódio é associado à aversão, seguindo o que é proposto na teoria de Descartes ("... a Mente tem aversão a imaginar [*Mens ea imaginari aversatur*] coisas que diminuem ou coíbem a potência dela ou do Corpo"; no Escólio, entretanto, o "afastamento" com relação ao objeto é assimilado a sua destruição: "aquele que odeia esforça-se para afastar e destruir [*amovere, & destruere*] a coisa de que tem ódio". Há, nessa passagem, inúmeras diferenças em relação à teoria das paixões de Descartes, mas o que nos interessa aqui é sua definição de ódio[512]. O Escólio começa por uma referência ("Daí claramente

Daí por que, conclui Descartes, esses movimentos corporais costumam acompanhar a paixão do ódio.

512 Além do fato de as paixões do amor e do ódio não serem definidas como aquilo que "move nossa vontade", outra diferença aparente é a que define o amor não como a união, em um único todo, do amante com a coisa amada, mas, antes, como o esforço para mantê-la constantemente presente a si. Em outros lugares, porém, Spinoza parece adotar a concepção cartesiano-platônica de amor como união com a coisa amada – basta nos lembrarmos da Parte V da Ética e de todo o *Breve tratado*; ver

entendemos... ") ao que acabara de ser exposto no Corolário da mesma Proposição; nesse último, Spinoza retira uma consequência direta da Demonstração da Proposição, segundo a qual "quando a mente imagina o que diminui ou contraria sua potência de agir do corpo, ela se esforça, tanto quanto pode, para recordar-se das coisas que excluem sua existência". Como Corolário dessa Proposição, lemos que "a mente tem aversão a imaginar o que diminui ou contraria sua potência ou a do corpo"; a "aversão" cartesiana, que nos leva a nos separar do objeto odiado, é descrita aqui como o que nos leva a aniquilá-lo. Assim, nas dez primeiras Proposições da Ética, Spinoza trata de destruir as bases teóricas da filosofia tradicional, antes de iniciar, na Proposição 11, sua própria construção teórica.

Nas *Paixões* de Descartes, porém, o ódio, como vimos, é caracterizado não pelo desejo de destruir seu objeto, mas por uma curiosa paixão do afastamento. A conquista da indiferença envolvida no desejo de separação nos mostra que, no domínio filosófico, o solipsismo cartesiano estava menos empenhando em criticar a tradição escolástico-aristotélica do que em se afastar dela; substituí-la, mais do que refutá-la. Ou ainda: tratava-se de escrever *como se* a filosofia tradicional não exisitisse. A ausência de referências bibliográficas e autorais na maior parte da obra de Descartes é apenas o indício mais visível dessa atitude[513]; seu efeito mais profundo revela-se, como veremos adiante, em um estilo de escrita e em uma concepção de autoria que envolvem uma derrogação da escrita e do autor, e que fazem de tal derrogação a condição mesma da escrita e da autoria. De fato, enquanto alguns

também a carta a Pieter Balling de 20 de julho de 1664 (G IV, 77), na qual Spinoza passa da concepção imaginativa do amor, entendido como conservação da presença ("Portanto, isso se pode imaginar tão firme e vividamente [*firmiter, & vividè*] como se uma coisa desse tipo estivesse presente"), para uma concepção intelectual do amor, entendida como união com a coisa amada. Assim, comentando o pressentimento que Balling teve da morte recente de seu filho, Spinoza afirma que o amor paterno faz com que pai e filho sejam "como que unidos e idênticos" ("*quasi unus, idemque sint*"), de tal modo que um "participa" da essência do outro. Embora muito distante da época de redação do *Tratado teológico-político*, esse trecho pode ajudar a esclarecer a noção spinozana de profecia, na medida em que atribui a potência de dizer a verdade a ideias imaginativas. Sobre a função da paixão do ódio na política segundo Spinoza (cf. *Tratado teológico-político*, cap. 17).

513 Spinoza tampouco tem o hábito de se referir com frequência a autores da tradição.

comentários da obra de Descartes tendem a reconhecer, em seus escritos, uma espécie de "diálogo" subjacente com a tradição, mesmo naqueles que, aparentemente, mais se afastam desse gênero literário, tal como as *Meditações* (segundo tais leituras, o projeto cartesiano deveria ser entendido a partir dessa "estrutura profunda", na qual as teses dos adversários escolásticos estariam sendo questionadas e refutadas)[514], creio que, ao invés disso, devemos levar a sério a aparência superficial do texto, na qual se empreende um esforço para pensar *diferentemente, sem relações* (quer sejam elas de aceitação ou de recusa) com o pensamento tradicional.

O ódio herda, de certa forma, o caráter fundante e primitivo da indiferença da paixão da admiração. Poder-se-ia pensar, de fato, que, sendo colocados no mesmo plano de primeiras paixões utilitárias, logo após[515] a listagem das modulações da admiração, amor e ódio fossem igualmente "primitivos". De certa forma, eles o são: paixões contrárias ligadas ao útil e ao nocivo, elas indicam as duas disposições básicas do composto de alma e corpo diante dos objetos do mundo. Em algumas leituras contemporâneas, porém, é enfatizada a importância do amor na filosofia cartesiana, sugerindo-se, assim, que, longe da imagem de uma filosofia solipsista e individualista, Descartes deveria ser lido como um pensador do coletivo, na medida em que o amor é o impulso inicial que nos une aos demais homens[516]. Como notou Hasana Sharp[517], porém, tais leituras, ao enfatizar o aspecto relacional das paixões – relações essas que ocorrem entre corpo e mente, mas também entre o "composto" de ambos e os outros indivíduos, em especial os outros homens, objetos privilegiados de nossas paixões –, deixam de considerar que o ódio não apenas figura ao lado do amor na explicação das paixões, mas, na verdade, é dito, na antropologia cartesiana, ser mais importante para uma adequada compreensão do homem do que seu complemento oposto. De fato, ao explicar quais são os principais "usos" das cinco paixões utilitárias primitivas (amor, ódio, desejo, alegria e tristeza), o Artigo 137 das *Paixões* termina assinalando que

514 Ver, por exemplo, Gilson (1987), Carriero (2009) e Ariew (2011).

515 Pelo menos nas *Paixões da alma*; para as diversas ordenações do "sistema das paixões" na obra e na correspondência de Descartes, cf. J.-M. Beyssade (1983).

516 Ver, por exemplo, Brown (2006).

517 Hasana Sharp (2011), p. 356.

> a tristeza é de alguma maneira primeira e mais necessária do que a alegria, e o ódio, do que o amor: porque é sobretudo importante repelir [*repousser*] as coisas que são nocivas e podem destruir do que adquirir aquelas que acrescentam alguma perfeição sem a qual podemos subsistir[518].

Essa primazia do ódio sobre o amor, vista sob a luz da aversão característica do primeiro, mostra que o par admiração-ódio reúne, nesse aspecto, elementos mais aparentados do que o par admiração--amor. É verdade que a indiferença característica da admiração não é a exatamente a mesma coisa que a aversão que caracteriza o ódio: enquanto a primeira diz respeito ao afastamento da alma em relação ao bem-estar do composto, a segunda diz respeito à indiferença da alma em relação aos objetos que a prejudicam, e, portanto, está relacionada à busca do bem-estar. Entretanto, ambas indicam uma atitude comum de auto-suficiência e de separação: os objetos do conhecimento e os objetos odiados destacam-se nitidamente do "eu" e dos demais objetos circundantes. Quando admiração e ódio têm por objeto a escrita[519], eles farão com que essa última se manifeste como um esforço de escavar ainda mais o isolamento entre o leitor e o mundo, bem como entre o leitor e ele mesmo. À indiferença do livre-arbítrio humano e divino e à indiferença da livre criação das verdades eternas por Deus, vem se juntar a indiferença da admiração e a aversão do ódio, base da antropologia cartesiana. A indiferença é, de fato, um tema que perpassa a totalidade de suas obras, a tal ponto que podemos dizer que há, em Descartes, uma "paixão da indiferença" que o singulariza ao mesmo tempo como autor e como formulador de uma certa ideia de autoria.

Há outro aspecto que destaca a assimetria entre o amor e o ódio: logo após discriminar, em vários níveis, os diferentes tipos de amor, o Artigo 84 das *Paixões* avisa em seu título que "Não há tantas espécies de ódio quanto de amor". A razão que Descartes dá para essa disparidade entre as duas emoções básicas é que "não observamos tanto a diferença que há entre os males dos quais somos separados voluntariamente quanto fazemos com aquela que há entre os bens aos quais

518 *Paixões*, AT XI, 430.

519 O espanto, modificação da admiração, é, como vimos, para Descartes (ecoando Aristóteles), o começo da filosofia.

nos unimos"[520]. Seria possível supor que o raciocínio subjacente aqui é seguinte: os males têm uma aparência uniforme porque todos eles são igualmente ameaças a nossa integridade, enquanto há diferentes perfeições resultantes da união do amado com o amante, dependendo da natureza de cada um deles ou do aspecto sob o qual a união se dá. Ou, para exprimir o mesmo raciocínio de um ponto de vista epistêmico, e não mais fisiológico, o ódio, como diz Sharp[521], comentando o Artigo 84 das *Paixões*, parece ser prejudicial ao conhecimento, na medida em que é uma *aversão* do objeto odiado: como que viramos nossas costas para ele, o que, por isso mesmo, o torna *confusamente* similar a outros males. Se, na tristeza, o coração se contrái de modo a expulsar o influxo de sucos alimentares nocivos, embora o estômago continue a processar os fluídos, no ódio o estômago não mais funciona corretamente, sendo levado a regurgitar e vomitar a comida[522]. Os dejetos expulsos são, justamente, uma massa informe e indiferenciada. Entretanto, o artigo seguinte reconhece haver uma– e apenas uma – distinção importante entre dois tipos de ódio (e ela também pode ser feita no caso do amor): há os males que "nossos sentidos internos ou a razão" nos fazem julgar contrários a nossa natureza e há aqueles que são "representados por nossos sentidos externos, principalmente pelo da visão, o qual é mais considerado do que todos os outros"[523]. No primeiro tipo, o "ódio à escrita" é uma atitude que favorece o conhecimento, ao invés de o prejudicar: é ele que permite que o narrador e o leitor se subtraiam ao próprio texto, em direção a um movimento espiritual de reflexão que não se confunde com as inscrições feitas sobre o papel. Ou ainda: no ódio, a natureza do indivíduo separa-se dos demais objetos, relacionando-se reflexivamente consigo mesma, isolada da alteridade.

Voltaremos a essa distinção mais abaixo; por ora, importa perguntar quais consequências essa indistinção entre os diversos tipos de ódio traz para nossa tentativa de caracterização do peculiar "ódio à escrita" mencionado por Descartes na Sexta Parte do *Discurso*.

520 *Paixões*, AT XI, 391.

521 Sharp (2011), p. 366.

522 *Paixões*, Artigos 98 e 108, mencionados por Sharp (2011), p. 366.

523 *Paixões*, AT XI, 391-392.

Notemos que a frase do *Discurso* da qual vimos nos ocupando neste estudo não se refere ao ódio diretamente como uma *paixão*, mas antes como uma *inclinação* ("minha inclinação, que me fez sempre odiar o ofício de fazer livros"). Seria preciso um dia levar a cabo um estudo sobre o uso do conceito de inclinação na filosofia cartesiana como um todo, e nas *Paixões* em particular[524]. Por ora, basta observar alguns de seus traços mais importantes, tal como eles são descritos nessa última obra. Notemos, primeiramente, que as inclinações são algumas vezes identificadas às paixões; assim, no Artigo 149, lemos que a estima, "na medida em que é uma paixão, é uma inclinação da alma a se representar o valor da coisa estimada"[525]. Em outras ocasiões, porém, como no Artigo 171, elas são opostas: "A coragem, quando ela é uma paixão, e não um hábito ou uma inclinação natural..."[526]; nesse último caso, uma paixão é caracterizada como "um certo calor ou agitação" que dispõe a alma a se dirigir "potentemente" à execução de seus fins. A inclinação natural, ao contrário, é um traço de personalidade, distinta do hábito apenas pelo fato de ser inata – ambos são disposições permanentes, constantemente reforçadas pelos mesmos movimentos dos espíritos animais e presumivelmente menos potentes do que as paixões súbitas. Finalmente, no Artigo 201, que discrimina dois tipos de cólera[527] – uma delas súbita e exteriorizada, e outra que "corrói o coração" lentamente e tem "efeitos mais perigosos" –, indicando a ocorrência do primeiro deles preferencialmente nos homens que "têm mais bondade", há uma distinção no interior mesmo das disposições permanentes da alma: a *inclinação* do amor é oposta à *aversão* do ódio (e lembremos que "aversão" é o nome cartesiano para o movimento característico envolvido no ódio); diz o texto:

> Assim, o que seria apenas um objeto de indignação para outrem é, para eles [*para os homens naturalmente bons*], um objeto de cólera; e,

524 A começar, evidentemente, pelo *Tratado do Homem*; ver, por exemplo, a associação entre "humores" e "inclinações naturais" em AT XI, 167, ou a assimilação entre inclinação e desejo no Art. 90 das *Paixões* ("E essa inclinação ou desejo [...] é chamada do nome de amor..." (AT XI, 396)).

525 *Paixões*, AT XI, 391-392.

526 *Paixões*, AT XI, 460.

527 No Artigo 65 das *Paixões*, a cólera é definida como a emoção relacionada ao mal que outro homem nos faz, distinguido-se, assim, do simples ódio pelo fato de sua causa ser um agente dotado de razão. Devemos, portanto, distinguir o "ódio à escrita", impessoal, da cólera contra inimigos filosóficos, que também moveu Descartes tantas vezes.

> porque a inclinação que eles têm a amar faz com que tenham muito calor e muito sangue no coração, a aversão que os surpreende pode enviar apenas tão pouco de bile que isso não causa inicialmente uma grande emoção no sangue[528].

A "generosidade" dessas almas "fortes" modera, assim, o ódio, que as toma apenas *de surpresa,* quando estão distraídas. Já as almas "fracas e baixas", tomadas por um "ardente desejo de se vingar" que empalidece a face dos homens por ele afetados, são mais sujeitas ao segundo tipo de cólera; nesses casos, ela começa sem muitos sinais externos, desenvolvendo-se sobretudo nas profundezas de sua interioridade. Embora fosse de se esperar que Descartes se colocasse no partido dos primeiros, o "ódio à escrita" que ele se auto-atribui parece estranhamente próximo do segundo tipo de cólera. Devemos nos lembrar, porém, que se trata aqui da cólera, e não do ódio: enquanto a primeira é própria a homens vis e fracos, o segundo pode coexistir com a generosidade das almas fortes, pois não gera comportamentos de vingança, mas apenas um *afastamento* do objeto odiado. Assim, no Artigo 136 das *Paixões,* ao resumir o "princípio sobre o qual tudo o que escrevi nele [*no Tratado*] está apoiado", Descartes admite que há muitas coisas que não foram explicadas pelo seu estudo, dando como ilustração justamente essas "estranhas aversões" que impedem alguns, por exemplo, de suportar "o odor das rosas, ou a presença de um gato", supondo que, na maior parte dos casos, isso se deve ao fato de, ainda feto, no ventre de sua mãe, essa pessoa, por ter acesso à alimentação através dela, é afetado por aquilo que lhe contraria[529]. Sem certamente identificar nesse estágio fetal sua "aversão" ao ofício de escrever livros, Descartes parece sugerir, no entanto, que tal inclinação é profundamente enraizada em seus "humores", denotando, assim, sua antiguidade. Qual seria, pois, sua origem remota?

528 *Paixões,* AT XI, 480-481. O homem generoso, por ser dotado de um excesso de afeto pelos demais homens, identifica-se com eles ao ponto de não apenas ficar "indignado" com as ofensas que eles sofrem, mas ser tomado de uma "cólera súbita" contra os ofensores. J.-M. Beyssade já mostrou como essa moral aristocrática aproxima a descrição das "almas fortes" em Descartes e os heróis de Corneille (Beyssade, 2011b).

529 Sobre as relações entre as paixões e a alimentação do feto, cf. Matheron (2011) e *Tratado do Homem* (AT XI, 177).

Para responder essa questão, retomemos, em uma nova enumeração, o percurso que fizemos até este momento. O ódio, já vimos, entendido como modificação da admiração, envolve uma certa fixação da atenção em um objeto que, de alguma forma, fascina, mas também a consideração da utilidade própria daquele que o sente. Como também já vimos, na Segunda Parte das *Paixões*, Descartes situa o ódio entre as seis paixões primitivas, ao lado da admiração, do amor, do desejo, da alegria e da tristeza. A partir de sua combinação, todas as demais paixões podem ser derivadas. Ora, todas as paixões têm a mesma causa geral, a saber: "a agitação pela qual os espíritos [animais] movem a pequena glândula que está no meio do cérebro"[530]. É preciso, portanto, identificar a causa particular de cada uma das seis paixões primitivas para que sua classificação seja possível. Amor e ódio são as primeiras paixões que indicam o útil e o nocivo em relação ao corpo próprio[531], mas ambas, assim como todas as outras paixões, derivam da admiração, um sentimento desinteressado através da mediação do qual um objeto se torna notável para nós. A admiração é causada, primeiramente, por uma forte impressão gravada no cérebro, "que representa o objeto como raro e, por conseguinte, digno de ser bastante considerado" e, além disso, "pelo movimento dos espíritos, que são dispostos por essa impressão a tender com grande força em direção ao lugar do cérebro onde ela se encontra para fortificá-la e conservá-la", ou seja, às paredes internas do cérebro e daí em direção aos músculos que são usados para reter a atenção dos sentidos, mantendo-os na mesma situação original[532]. A surpresa em que consiste a admiração muda assim, inopinadamente, a direção dos espíritos animais, permitindo o surgimento e o aumento das demais paixões[533]. Como a admiração é uma paixão onipresente, sua causa não pode ainda especificar cada uma das cinco paixões primitivas restantes. No Artigo 79, como vimos acima, Descartes propõe, assim, uma primeira explicação das duas paixões primitivas opostas, que estão na base de várias outras, o amor e o ódio;

530 Artigo 51 (AT XI, 371). Devemos sempre manter em mente que os "espíritos animais" são corpos sutis e que a "pequena glândula" a que Descartes se refere é a glândula pineal.

531 *Paixões*, Artigo 56 (AT XI, 374).

532 *Paixões*, Artigo 70 (AT XI, 380-381).

533 *Paixões*, Artigo 72 (AT XI, 381).

esse último é caracterizado como "uma emoção causada pelos espíritos, que incita a alma a querer estar separada dos objetos que se apresentam a ela como nocivos"[534]. O princípio de classificação utilizado aqui é, pois, a utilidade do objeto para o composto alma-corpo. Conforme o que já foi dito, enquanto o amor apresenta diversas sub-espécies, o ódio divide-se em apenas duas delas, referentes ao caráter interno ou externo do objeto odiado: quando os objetos são dados pelos sentidos internos[535], chamamos esse tipo de objeto odiado de mal; quando representados pelos sentidos externos, de feio. "E essa última [*espécie de ódio*] pode", conclui Descartes, "ser chamada de horror ou aversão"[536]. (Notemos que a aversão, que caracteriza o ódio tomado em geral, também é o nome de uma de suas espécies, o que mostra que é sua variante estética que constitui o paradigma de seu funcionamento).

O "ódio à escrita" deveria ser classificado entre as emoções éticas ou estéticas? A princípio, a resposta pareceria simples: como a escrita está envolvida em uma espécie de "cálculo utilitário" relativo ao bem-estar individual, seu caráter ao mesmo tempo racional e passional, altruísta e egoísta, a colocaria, aparentemente, entre os objetos representados pelos "sentidos internos" e, portanto, como o termo de uma avaliação moral. A tranquilidade da alma que resulta de uma vida dedicada ao aperfeiçoamento pessoal, longe das disputas infinitas, seria, assim, o contraponto desse ódio peculiar, menos violento do que seu contraponto estético[537], chamado de "horror ou aversão". As reações inflamadas de Descartes contra alguns de seus objetores – especialmente contra Voetius – chegavam, porém, ao ponto de "contaminar" sua própria escrita[538]. Diante de testemunhos como esse, o horror parece ser a

534 *Paixões*, AT XI, 387.

535 Sobre a difícil noção de "sentido interno" no cartesianismo, cf. a nota de Alquié em Descartes (1967, vol. II, 1018, nota 1). No Artigo 85, Descartes especifica o significado de "sentido interno" como nossa "própria razão", o que talvez indique que ele tem em mente os "sentimentos interiores da alma", os quais, como sabemos, são de natureza intelectual (cf. o Artigo 147, AT XI, 440).

536 *Paixões*, Artigo 85 (AT XI, 392).

537 Essa maior violência explica-se pelo fato de que aquilo "que chega à alma pelos sentidos a toca mais fortemente do que aquilo que lhe é representado por sua razão", embora a força dessas impressões corresponda a "menos verdade" nas avaliações delas resultantes. Cf. Artigo 85 (AT XI, 392) e Artigo 88 (AT XI, 394).

538 AT VIII, II, 40; Descartes (1826), p. 44.

paixão que melhor caracterizaria a atitude de Descartes frente à escrita. Talvez a melhor conclusão seja que as fronteiras entre o mal ético e a aversão estética são algumas vezes indiscerníveis do ponto de vista do próprio autor/narrador.

Mas as coisas não são assim; no fundo originário do ódio à escrita, está situada uma paixão estética. De fato, o autor e sua glória literária constroem a persona pública do filósofo. Materializados no livro. Da explicação estritamente materialista do "horror", constituindo, assim, uma espécie de "física" dos sentimentos que acompanham a publicação de ideias e teorias, chegaremos, enfim, à situação peculiar em que, para a alma, o ódio é preferível ao amor. A imagem de si mesmo como um homem "generoso" e "nobre" é, pois, a figura estética a ser preservada contra a imagem de um autor que, por excesso de zelo, acaba por prejudicar o público. Acompanhemos essa gênese.

Como já vimos, a classificação das paixões a partir da utilidade do objeto representado é expressa em um vocabulário materialista, reportando os "movimentos do sangue e dos espíritos" envolvidos em cada um deles. Nesse nível, a primeira distinção importante se dá entre a admiração, por um lado, e todas as outras cinco paixões primitivas, de outro: enquanto a primeira tem suas causas físicas localizadas unicamente no cérebro, as demais são causadas por movimentos que se encontram "no coração, no baço, no fígado e em todas as outras partes do corpo, na medida em que servem à produção do sangue e, em seguida, dos espíritos"[539]. O tamanho das veias que conduzem o sangue em direção ao coração faz com que ele se mova mais ou menos rapidamente, a que se somam as aberturas de diferentes tamanhos pelas quais ele entra no coração – e, daí, é dirigido ao cérebro. Todas essas causas mecânicas produzem, assim, a diversidade de paixões na alma, ligadas à quantidade e à rapidez dos espíritos animais que afetam a glândula. No caso específico do ódio, Descartes observou, através de experimentos,

> ... que o pulso é desigual e menor, e frequentemente mais rápido; que se sente frios entremeados de não sei qual calor áspero e picante no peito; que o estômago para de fazer seu ofício e é inclinado a vomitar e rejeitar as carnes que se comeu, ou ao menos a corrompê-las e convertê-las em humores maus[540].

539 *Paixões*, Artigo 96 (AT XI, 401).

540 *Paixões*, Artigo 98 (AT XI, 402).

É importante notar que os "experimentos" que Descartes realizou foram feitos tanto com os animais dissecados ao longo de sua carreira de cientista natural quanto *sobre si mesmo*[541] e apresentam, portanto, algo de um aspecto testemunhal[542]. Tanto a paixão do ódio quanto os movimentos corporais que a acompanham foram, até esse momento do texto de Descartes, explicados a partir da consciência que o cientista tinha de si mesmo. Logo a seguir, ele passa a explicar as paixões primitivas a partir de movimentos corporais não-conscientes, inferidos[543] das experiências realizadas em primeira pessoa. J.M.-Beyssade, ao tematizar a dificuldade de se admtir uma ciência das paixões fundada sobre a terceira das três "noções primitivas" elencadas por Descartes (a união da alma e do corpo, caracterizada como a síntese das duas noções primárias, o pensamento e a extensão)[544], afirma que, nas *Paixões*, o dualismo entre alma e corpo não é mais "pertinente" (como o era nas *Meditações*)[545]. De um ponto de vista metodológico, porém, essa indiferença não deixa de pôr dificuldades, uma vez que é preciso que a teoria das paixões não seja baseada unicamente nem nas ideias claras e distintas de extensão ou de pensamento, nem nas ideias obscuras e confusas das sensações e emoções. Segundo J.M.-Beyssade,

541 Alquié (Descartes, 1967, vol. II, 1027) afirma que a noção de "experimentos" sobre si mesmo está presente ao longo de toda a obra de Descartes, desde as *Observações* até as cartas a Elisabeth.

542 Evidentemente, o próprio Descartes acreditava poder expurgar esse aspecto pessoal através da generalização e da análise a que submetia tais experiências. No nível em que se situa a análise desenvolvida no presente estudo, porém, é possível tomá-las como testemunhos no sentido estrito. Cf. sobre esse procedimento metodológico, a Introdução deste livro.

543 Não é claro com base em quais regras essas inferências foram feitas. Alquié (1967, vol. II, 1030, nota 1) expõe essa dificuldade, para, logo em seguida (Alquié, 1967, vol. II, 1033, nota 1), chamar nossa atenção para o fato de que a ligação entre movimentos corporais e paixões da alma é sempre arbitrária, tendo sido instituída por Deus em vista a preservação do corpo; "De fato", conclui Alquié, "não poderia haver uma relação lógica e racional entre um estado de consciência e um deslocamento corporal". Mesmo com essa ressalva, permanece, porém, a dificuldade de entender quais são as bases das hipóteses mecânicas enunciadas por Descartes.

544 *Princípios*, I, Artigo 48 (AT VIII, 22-23; IX, II, 45).

545 "Trata-se, porém, da mesma coisa, e Descartes diz indiferentemente um ou outro, porque se trata aqui, com a terceira noção, de uma só e mesma pessoa, que tem conjuntamente uma alma e um corpo". Beyssade (1983), p. 283.

> a dificuldade principal é tornar concordantes, em um mesmo sistema, como Descartes o pretendeu fazer, esses diferentes pontos de vista (da dualidade e da identidade). É impossível concebê-los "ao mesmo tempo" (28 de junho de 1643, III, p. 693), porque eles se contrariam. Descartes parece acreditar que se pode pensá-los sucessivamente, e mesmo voltar de um ao outro: esse movimento de vai-e-vem atravessa constantemente as *Paixões da alma*. Mesmo desenvolvendo as paixões segundo a ordem própria da terceira noção, Descartes não deixa de se apoiar sobre as outras formas da ordem. Donde o embaraço do leitor[546].

Embora não chegue a dizer que esse "movimento de vai-e-vem" seja uma espécie de simulacro cinético do que seria uma noção primitiva do terceiro tipo dotada de uma (impossível) clareza e distinção – pois as noções do terceiro tipo são necessariamente obscuras e confusas[547] –, J.-M. Beyssade abre o caminho para uma tal afirmação. O constante deslocamento de perspectivas produz como que um ponto focal indistinto, não pertencendo exclusivamente a um ou outro tipo de noção primitiva clara e distinta, nem ao terceiro tipo, inevitavelmente obescuro e confuso. É como se um ponto situado em lugar nenhum fosse construído por esse deslocamento constante, assim como o halo fantasmático que se forma em torno de uma roda dentada em movimento rápido[548].

Além de um movimento constante entre explicações fisiológicas e fenomenológicas, entre corpo e alma, as explicações nas *Paixões* desdobram-se também, no interior mesmo da fisiologia, em duas ordens distintas: primeiramente, trata-se de explicar como os movimentos corporais produzidos pelas "ideias de ódio que já se encontram aí [*a*

546 Beyssade (1983), p. 287.

547 É por isso que tais noções são melhor apreendidas não pelo intelecto puro (como as do primeiro tipo), nem pelo intelecto auxiliado pela imaginação (como as do segundo tipo), mas pelas sensações e conversas da vida ordinária. Ver a respeito a Sexta Meditação e a correspondência com a princesa Élisabeth. Ver, sobre esse ponto, Ramos (2017).

548 O "fantasma" em torno da roda dentada em movimento é, como se sabe, um dos exemplos favoritos de Leibniz para ilustrar o conceito de "fenômeno". Cf. *Novos ensaios sobre o entendimento humano*, IV, vi, § 7 (Leibniz, 1990, p. 318).

saber, no cérebro[549]] impressas"[550] fortificam essas últimas, produzindo o que chamamos propriamente de ódio[551]; em segundo lugar, trata-se de reconduzir esses movimentos corporais a movimentos mais primitivos, produzidos no momento em que surgiram "as primeiras paixões que nossa alma teve quando ela começou a ser unida ao corpo"[552]. Em ambos os casos, o ódio é causado pela "desigualdade de calor" das "partes do sangue"[553] – isto é, por seus diferentes graus de fermentação. Tal desigualdade, por sua vez, diz a primeira etapa da explicação, é transmitida aos espíritos animais que vão até o cérebro; adquirindo "partes muito desiguais e movimentos muito extraordinários", os espíritos animais afetam as ideias de ódio impressas no cérebro e "dispõem a alma a pensamentos que são plenos de acidez e amargor"[554].

A segunda etapa da explicação retoma uma característica importante da primeira, a saber, a conexão íntima estabelecida por Descartes entre, por um lado, os movimentos dos espíritos animais no cérebro e, por outro, os movimentos desses mesmos espíritos nos músculos do estômago e dos intestinos. De fato, a primeira etapa da explicação mecânica do ódio estabelecera que

> ... no ódio, o primeiro pensamento do objeto que dá aversão conduz de tal modo os espíritos que estão no cérebro em direção aos músculos do estômago e dos intestinos, que eles impedem que o suco das

549 Deve-se notar que Descartes se refere novamente nessa passagem a *ideias* impressas no cérebro. Nas *Meditações*, ao contrário, o termo "ideia" designa uma modificação da substância pensante. Cf. a definição de "ideia" nas *Respostas às Segundas Objeções*, "Exposição Geométrica" (AT, VII, 160; IX, 124). No *Tratado do Homem*, Descartes já tratara as ideias como modificações do cérebro. Cf., por exemplo, AT XI, 177.

550 *Paixões*, Artigo 103 (AT XI, 404-405).

551 Essa explicação é, aparentemente, circular, pois é preciso supor que o objeto odiado desencadeia um movimento corporal que dá, enfim, nascimento ao próprio ódio. Entretanto, quando, no Artigo 103, Descartes parte do "pensamento do objeto que dá aversão", devemos entender que ele se refere àqueles objetos que, naturalmente nocivos a nosso corpo, foram instituídos pela natureza como unidos a tais movimentos corporais.

552 *Paixões*, Artigo 107 (AT XI, 407).

553 *Paixões*, Artigo 103 (AT XI, 405).

554 *Paixões*, Artigo 103 (AT XI, 405). É curioso notar que os pensamentos são, aqui, caracterizados por qualidades sensíveis gustativas. Notemos que, no *Tratado do Homem*, o primeiro dos sentidos internos ao corpo próprio dos homens mencionado por Descartes é o paladar (AT XI, 145-146).

> carnes misturem-se com o sangue, fechando todas as aberturas pelas quais ele tem costume de escorrer; e ele [*o pensamento*] os conduz [*os espíritos*] também de tal modo em direção aos pequenos nervos do baço e da parte inferior do fígado, onde se localiza o receptáculo da bile, que as partes do sangue que têm costume de ser rejeitadas em direção a esses locais saiam deles e escorram com aquele que se encontra nas ramificações da veia cava em direção ao coração; o que causa muitas desigualdades em seu calor, na medida em que o sangue que vem do baço não se aqueça e mal se rarefaça e que, ao contrário, aquele que vem da parte inferior do fígado, onde se encontra sempre o fel, abrase-se e dilate-se muito prontamente. Após o que os espíritos que vão para o cérebro tenham também partes muito desiguais e movimentos muito extraordinários...[555]

Já na segunda etapa da explicação, a digestão aparece não apenas como uma das causas mais profundas das paixões em geral, e do ódio em particular, mas figura entre seus efeitos mais imediatos. No que diz respeito à causa primeira do ódio, Descartes explica que as "ideias de ódio que já se encontram impressas no cérebro" são produzidas por um desequilíbrio do calor: se um suco estranho, impróprio para entreter o calor produzido no coração, podendo até mesmo apagá-lo, vai em direção a esse órgão, isso causa que "os espíritos que subiam do coração ao cérebro excitassem na alma a paixão do ódio"[556]. A partir daí, todo o movimento descrito nas *Paixões*, Artigo 103, é desencadeado. Nesse nível mais primitivo, o ódio corresponde à experiência inaugural da união da alma com o corpo: o funcionamento do aparelho digestivo propicia o parâmetro inicial para o bem estar do indivíduo (e podemos, nesse momento, inverter a explicação que Descartes fornece dessa experiência primordial, no caso do amor, para aplicá-la ao caso do ódio: esse último ocorreu pela primeira vez quando o sangue ou outro suco que entrava no coração era um alimento menos conveniente que o ordinário para entreter nele o calor, que é o princípio da vida[557]).

No que diz respeito aos efeitos do ódio sobre a digestão, Descartes propõe que os espíritos animais vão do cérebro em direção aos nervos

555 *Paixões*, Artigo 103 (AT XI, 404-405).

556 *Paixões*, Artigo 108 (AT XI, 408).

557 Para a explicação da experiência primordial do amor como princípio da vida, cf. o Artigo 107 das *Paixões* (AT XI, 407-408).

que poderiam impulsionar o sangue do baço e das pequenas veias do fígado em direção ao coração, "para impedir que esse suco nocivo entre nele, e, além disso, vá em direção àqueles que poderiam repelir esse mesmo suco em direção aos intestinos e ao estômago, ou também para, algumas vezes, obrigar o estômago a vomitá-lo"[558]. Ou seja, o ódio impede que o estômago e os intestinos forneçam um alimento deletério ao calor que se encontra no coração.

Logo após uma rica caracterização dos efeitos visíveis das paixões no corpo (e, em particular, na face humana[559]), Descartes passa a examinar sua utilidade para a preservação do corpo e da alma. A análise divide-se, nesse momento, em duas vias, a corporal e a anímica. Do ponto de vista do corpo, o ódio procede da tristeza, constituindo um sinal, para a alma, do estado do corpo ao qual ela está unida. Ele serve, pois, para identificar os objetos que causam dor[560]. É por isso que o ódio é, de certo modo, primeiro e mais necessário do que o amor, pois ele permite que a alma, usando seu livre-arbítrio, procure meios de evitar a destruição de seu corpo. Do ponto de vista da alma[561], porém, a tristeza procede do ódio; nesse caso, o ódio é sempre mau, e nunca pode ser tão pequeno que não seja nocivo[562], na medida em que sempre

558 Artigo 108 (AT XI, 408).

559 Sabemos bem das influências que Descartes exerecerá sobre a pintura das paixões no século XVII, especialmente através de Charles Le Brun, diretor da *Académie royale de peinture et de sculpture* no reinado de Luis XIV.

560 *Paixões*, Artigo 137 (AT XI, 430).

561 Entendamos bem: as paixões têm uma única gênese, já exposta anteriormente. Com a introdução do duplo ponto de vista da alma e do corpo, o que Descartes faz é mostrar que a avaliação da utilidade das paixões é diferente se as consideramos em relação à preservação do corpo ou à preservação da alma. Lembremos que o livro de Descartes estuda as paixões *da alma*, isto é, as afecções da substância pensante causadas pelas modificações do corpo ao qual ela está unida. Comentando o Artigo 139, Alquié afirma (Descartes, 1967, vol. II, 1054, nota 3) que esse duplo ponto de vista corresponde à dupla gênese exposta na carta a Chanut de 1 de fevereiro de 1647. Nessa carta, Descartes distingue as paixões, causadas por movimentos corporais, das emoções interiores da alma, que nada mais são do que movimentos da vontade que pertencem, de forma inata, à alma, independentemente de sua união com o corpo. No caso dos movimentos da vontade, podemos distinguir apenas quatro emoções: o amor, a alegria e a tristeza e o desejo. Portanto, a duplicidade apontada no artigo 139 refere-se a *duas formas de considerar as paixões.*

562 *Paixões*, Artigo 140 (AT XI, 433).

vem acompanhado de tristeza. Ao nos afastarmos do objeto odiado, explica Descartes, privamo-nos, ao mesmo tempo, das perfeições que ele poderia eventualmente trazer para nossa alma.

Diante de uma questão de Chanut – "Qual dos dois desregramentos e maus usos é o pior, o amor ou o ódio?" – Descartes antecipa a conclusão geral de sua análise das paixões primitivas, no Artigo 142 das *Paixões*[563]. Se, *do ponto de vista da alma*, o ódio é, como vimos, sempre mau, é porque ele causa a privação de uma perfeição que poderia nos ser devida: mesmo quando deriva de um conhecimento verdadeiro, ele potencialmente diminui nossa perfeição. O amor, ao contrário, é sempre bom, mesmo quando causado por uma falsidade. Mas, tanto na carta a Chanut quanto nas *Paixões*, Descartes introduz uma reviravolta nessas afirmações aparentemente absolutas: mesmo no que diz respeito apenas à alma, o ódio pode ser preferível ao amor em certas situações específicas. Quando o que está envolvido é a capacidade de as emoções nos conduzirem a excessos, tornando-nos assim capazes de fazer mal ao resto dos homens, o amor, porque tem naturalmente mais força e mais vigor do que o ódio, é pior. Evidentemente, o ódio à escrita situa-se do ponto de vista da alma. Aplicando à escrita e à sua publicação a última reviravolta imposta por Descartes à avaliação das emoções do amor e do ódio, podemos entender em que sentido, para ele, a declaração por escrito de um ódio à escrita pode ser, dos males, o menor. Leiamos, pois, o parágrafo seguinte suplementando o objeto do ódio pela escrita.

Descrevendo a situação originária de nossa alma nos primeiros momentos de sua união ao corpo, Descartes afirma, na carta a Chanut mencionada acima, que, quando o sangue portando nutrientes entra abundantemente no coração, esse último envia uma grande quantidade de espíritos animais para o cérebro, e nisso consiste o amor, que nos enche de força, vigor e coragem – em uma palavra, aumenta nossa *potência*. Já o amargor do fel e a acidez do baço, misturando-se com nosso sangue, é a causa de que ele não envie muitos espíritos ao cérebro, "e assim que se permaneça mais fraco, mais frio e mais tímido". A experiência, continua Descartes, confirma essa análise fisiológica, pois ela mostra que os mais inclinados ao ódio "são fracos e covardes". Daí

563 Carta a Chanut de 1 de fevereiro de 1647 (AT IV, 600).

ele conclui que "o amor que se tem por um objeto de pouca importância pode causar mais mal, estando desregrado, do que o ódio de um outro de mais valor", pois "o mal que vem do ódio estende-se somente ao objeto odiado, enquanto o amor desregrado não poupa nada, a não ser seu objeto"[564]. É assim que poderíamos concluir que o ódio à escrita é menos danoso do que, por exemplo, o amor à glória: a fraqueza, a timidez e a covardia associadas ao primeiro nos privam de perfeições, mas apenas na medida estrita de seu objeto particular. Que Descartes tenha reservado um lugar, senão de elogio, mas ao menos de preferência relativa do ódio sobre o amor mostra que o ódio que dizia sentir à escrita podia ser circunscrito a uma parte relativamente pequena da vida, deixando *todo o resto* livre como objeto de sua fruição.

Essa etiologia do ódio nos permite, então, compreender como ele modula sua relação com a palavra escrita. Um momento privilegiado para o exame de tal relação ocorre entre o final de 1640 e o começo de 1641: na correspondência com Mersenne e Huygens, Descartes, como qualquer autor, encontra-se às voltas com incumbência de revisar seu texto – as *Meditações*[565] –, o que era uma atividade dificultada pela distância (as provas do livro, a ser publicado em Paris, eram enviadas a Descartes, que morava na Holanda[566]). À parte esse estorvo causado pela distância, porém, aparentemente não há, nessa correspondência, nada de distinto do que podemos encontrar em qualquer outro caso semelhante: sugestões, por parte dos encarregados da publicação (e algumas vezes aceitas por Descartes), de correções gramaticais[567] ou de estilo[568]; pedidos, por parte do autor, para que o texto fosse formatado de uma certa forma específica[569]; correções dos erros de impressão contidos nas primeiras provas[570], etc. Aqui e ali nessa correspondência trivial, entretanto, encontramos alguns vestígios que denunciam

564 Carta a Chanut de 1 de fevereiro de 1647 (AT IV, 616).

565 As *Meditações* são o livro sobre o qual dispomos de mais material escrito referente a sua revisão e impressão.

566 Durante o período dessa correspondência, Descartes muda-se de Leyde para Endegeest.

567 Carta a Mersenne de 31 de dezembro de 1640 (?) (AT III, 271-277).

568 Carta a Mersenne de 24 de dezembro de 1640 (?) (AT III, 271-277).

569 Carta a Mersenne de 23 de junho de 1641 (AT III, 386).

570 Carta a Mersenne de 22 de julho de 1641 (AT III, 388).

uma relação particular de Descartes com a publicação de seus escritos. Assim, escrevendo a Mersenne em 21 de abril de 1641, ele lhe diz:

> Remeto-me inteiramente a vós no que concerne à aprovação e à impressão de minha *Metafísica*; pois *sei que vós tendes mais cuidados acerca disso do que poderia ter eu mesmo*, e podeis melhor julgar o que é necessário, encontrando-se aí, do que eu poderia fazer daqui[571].

A esse desdém, talvez um pouco afetado, quanto ao destino de sua publicação (especialmente quanto a seu destino institucional, no que se refere a sua aprovação pelos "doutores da Sorbonne" – os quais, como sabemos, negarão sua chancela oficial alguns meses depois), somam-se muitas passagens em que, comentando o progresso da redação das *Respostas* às *Objeções* que lhe haviam sido enviadas até então, Descartes manifesta a mesma irritação diante da incompreensão de seus interlocutores privilegiados. Na carta a Mersenne de 28 de janeiro de 1641, por exemplo, ele explica o atraso do envio de suas respostas pela constatação de que "aqueles que as [*as objeções*] fizeram parecem não ter compreendido absolutamente nada do que escrevi"[572]. Finalmente, na carta a Mersenne de setembro de 1641, Descartes coloca um ponto final não apenas na tarefa de responder a objeções posteriores ("há muito tempo sei que há tolos no mundo, e dou tão pouca importância a seus juízos que ficaria muito aborrecido de perder um só momento de meu lazer ou de meu repouso por causa deles"; "peço-vos para que, de agora em diante, não me mandeis mais nem nenhumas objeções contra minha Metafísica nem as tocantes a minha Geometria, nem a coisas semelhantes, ou, ao menos, que não espereis mais que eu faça a elas nenhumas respostas"[573]), mas também na relação que ele mesmo tinha com seu livro:

571 AT III, 359; grifo acrescentado na tradução.

572 AT, III, 293. Descartes aparentemente não sabia que o principal autor das *Segundas Objeções* era o próprio Mersenne. Cf. a nota de Alquié (Descartes, 1967, vol. II, 312).

573 No *Tratado teológico-político*, Spinoza descreve a retro-alimentação do ódio pelos indivíduos odiados, o que constrói uma espécie de máquina de moto perpétuo: "Dessa cotidiana recriminação, deveria, por isso, nascer um ódio contínuo nascido da devoção ou da piedade e que, por isso mesmo, se considerava piedoso, o ódio que é, sem dúvida alguma, o mais profundo e o mais irredutível. Não faltava sequer aquela causa que habitualmente faz com que um ódio se torne cada vez mais aceso, ou seja, o sentimento recíproco por parte dos outros, já que as nações estrangeiras não podiam

> E no que se refere a minha *Metafísica*, cessei inteiramente de pensar nela desde o dia em que vos enviei minha resposta *ad Hyperaspisten*, de modo que nem mesmo a tive entre minhas mãos; e, assim, não posso responder a nada acerca de tudo o que vós me escreveis sobre ela, há oito dias, a não ser que vos suplico de não pensar nela mais do que eu mesmo. Eu fiz, publicando-as, aquilo a que pensei estar obrigado pela glória de Deus ..."[574].

Obrigação, desperdício de tempo, indiferença, desprezo: eis o saldo da impressão das *Meditações* para seu autor. A necessidade de se separar do produto de suas ações está ligada justamente ao fato de que *a série foi completada*, o percurso foi feito e, como tal, não tem mais nenhum interesse vital para o autor. De fato, dentre todos os elementos listados na citação acima, o que talvez mais se preste a uma interpretação psicológica é o uso do tempo, uma vez que ele parece se relacionar apenas com a vida privada do escritor, em oposição a sua figura pública, a sua *persona*[575]. Para evitar essa interpretação psicológica, lembremos que a questão do tempo estrutura toda a investigação metafísica de Descartes, uma vez que a prova da existência de Deus tem por objetivo fundamentar a validade da memória – e, em última análise, a possibilidade da própria escrita, entendida como memória corporal. A reflexão sobre o tempo faz parte, assim, fundamentalmente, da determinação da natureza dos signos impressos sobre o papel: mais do que um instrumento de comunicação, o texto aparece como uma espécie de monumento ou lápide que fixa pensamentos por natureza móveis. A

deixar de também nutrir por eles o ódio mais violento" (Spinoza, 1925 - G III, 215).

574 AT III, 436; grifo acrescentado na tradução. A glória a Deus é celebrada pelo holocausto da linguagem. Poderíamos aqui pensar na epígrafe do livro *Mensagem*, de Fernando Pessoa, embora ela tivesse de ser lida como um tipo de amarga ironia: "*Benedictus Dominus Deus noster qui dedit nobis signum*". Como se sabe, a economia da glória, típica da contra-reforma, reconhecia, nas obras, e não apenas na fé, o princípio da salvação.

575 Na primeira frase de um de seus primeiros escritos de juventude, os *Preâmbulos* (publicado pela primeira vez por Foucher de Careil sob o título de *Cogitationes privatæ*), Descartes escreve: "Os atores, quando chamados à cena, para não deixar ver o rubor de suas faces, colocam uma máscara [*personam induunt*]. Como eles, no momento de subir ao teatro do mundo onde, até o momento, era apenas um espectador, avanço mascarado [*larvatus prodeo*]" (AT X, 213). Lembremos que o sentido primário de "*larva*" em latim é "espírito dos mortos", "espectro", fantasma"; é nesse modo espectral, como uma presença ausente, que Descartes entra no "teatro do mundo".

incompatibilidade entre pensamento e extensão exprime-se aqui como uma oposição entre movimento vital e fixidez, a tal ponto que Descartes poderia repetir Malone, no momento mesmo do ato de escrita: "Que é que estou fazendo agora, ganhando ou perdendo tempo?"[576]. A metafísica é aquela tarefa que deve ser empreendida completamente "uma vez na vida"[577] justamente para poder ser deixada de lado, assim como os fundamentos das casas ficam invisíveis depois da construção; sendo assim, o ato de escrevê-la e de publicá-la é destinado a produzir uma obra intangível, *fundamentum absconditus.*

Os preâmbulos de Descartes a seus escritos exprimem essa relação ambígua com a materialidade da obra. Segundo Dunn, os prefácios escritos por Descartes manifestam o conflito entre duas exigências distintas: por um lado, encontra-se nele o "culto ao retiro aristocrático"[578], modelado segundo o individualismo humanista de Montaigne; por outro lado, a legitimidade da autoria deve se apoiar também na esfera pública da voz autoral, o que implica tomar parte no debate impessoal da nova ciência e dar-se a si mesmo, pois, como exemplo passível de ser replicado. Essa ambiguidade – ao mesmo tempo uma marca de pertencimento de classe e uma opção retórica – levaria Descartes, ainda de acordo com Dunn, a figurar-se a si mesmo, enquanto autor, ora como estando fora e ora como estando dentro do texto. O ódio à escrita – e aqui damos um passo além das análises de Dunn, embora, cremos, sem discordar delas – é justamente a expressão afetiva dessa dualidade entre externo e interno; mais do que uma característica psicológica do autor, entretanto, ele é a afecção estilística que realiza a passagem entre esses dois pólos. Deve-se notar que a dimensão ética envolvida na paixão do ódio é apenas *um dos polos* dessa oscilação permanente entre interno e externo. A aversão estética à escrita é precisamente o motor dessa imagem oscilante, na medida em que ela retrata o autor nesse movimento pendular entre ambos, impelindo-o em direção ao recolhimento interno como uma tendência compensatória à exigência ética de exterioridade – ou seja, como uma dialética entre moralidade e felicidade[579]. É em busca

576 Beckett (2004), p. 13.

577 AT VII, 13; IX, 17.

578 Dunn (1994), p. 85.

579 "Qual caminho seguirei na vida?", pergunta-se Descartes nas *Observações*, no relato do sonho em que vislumbrou a "ciência admirável" (AT X, 215-217). Sobre o

dessa justa medida, desse estilo de vida que é também, no caso de um escritor, um estilo de expressão linguística, que o ódio à escrita assume a aparência de um horror à publicidade, ao mesmo tempo em que a exigência ética o impele a promover o bem-estar do público.

Dentre as coisas do mundo corporal, é a linguagem que mantém uma conexão mais íntima com o espírito, talvez só equiparada aos movimentos faciais que exprimem as paixões[580] – lembremos que, na Quinta Parte do *Discurso*, era ela que se apresentava como o primeiro dos "dois meios muito seguros" para distinguir certas máquinas imaginárias, em tudo semelhantes aos homens, dos "verdadeiros homens" (isto é, de uma máquina na qual se aloja um espírito): os falsos homens "nunca poderiam usar palavras, nem outros sinais, compondo-os, como fazemos, para declarar aos outros os nossos pensamentos"[581]. Mas a linguagem é distinguida de todos os outros eventos corporais, pois é ela que tem a capacidade mais própria de exprimir pensamentos: "E não se deve confundir as palavras com os movimentos naturais, que testemunham paixões e podem ser imitados pelas máquinas assim como pelos animais"[582]. Há um parentesco próximo entre a linguagem e o corpo próprio dos homens: ambos expressam a presença subterrânea do espírito.

> Eu descrevera, depois disso – *continua a narração das teses já demonstradas com o auxílio do Método* – a alma racional, e mostrara que ela não pode ser de modo algum tirada do poder da matéria, como as outras coisas de que falara, mas que deve expressamente ter sido criada; e como não basta que esteja alojada no corpo humano, assim como (retomando a metáfora platônica) um piloto em seu navio, *exceto talvez para mover seus membros,* mas que é preciso que esteja junta e unida estreitamente com ele para ter, além disso, sentimentos e apetites semelhantes aos nossos, e assim compor um verdadeiro homem[583].

adjetivo "admirável", devemos nos remeter ao que foi dito neste estudo sobre a paixão da admiração.

580 Sobre o modo como a face se modifica ao exprimir as paixões, cf. os Artigos 112-117 (AT XI, 411-415). Essa relação expressiva é tão íntima que, ao contrário do que ocorre com o movimento voluntário dos membros, ela quase se identifica com a própria paixão da alma que a causa. Como notamos mais acima, os pintores do século XVII não se furtarão a fazer uso da semiótica cartesiana para retratar as paixões humanas.

581 AT VI, 56.

582 AT VI, 58.

583 AT VI, 59; grifo acrescentado na tradução.

É importante notar, na frase grifada, que, em algumas de suas ações, a alma *pode* ser comparada com propriedade a "um piloto em seu navio", isto é, pode – na verdade, deve – ser descrita como uma realidade *externa* ao corpo que comanda, sem que o homem seja caracterizado a partir da "união íntima" de que fala a Sexta Meditação. A linguagem se situa em qual dos dois casos, o de formar com a alma "um único todo" ou a de se relacionar à alma como uma alteridade absoluta? Parece-nos que ela deve ser assimilada ao segundo: o homem pode mover voluntariamente seus braços e pernas para segurar objetos e andar, assim como pode mover sua língua e mandíbula para articular sons e sua mão e seus dedos para escrever, do mesmo modo que um piloto pode mover seu navio. A linguagem não é, pois, explicável a partir das paixões ou dos sentimentos, nos quais a "mistura" da alma e do corpo pode ser apenas constatada obscura e confusamente. O "eu" está situado *fora* desse "navio linguístico", como um fantasma onipresente que comanda algumas de suas partes mecânicas. Ao mesmo tempo, a escrita deve mencioná-lo, para que possa, de seu interior também puramente mecânico, invocá-lo.

Tal desapego com relação a seu principal texto contrapõe-se muitas vezes, porém, a uma forte ligação do autor com a sua obra. Alguns comentadores especulam, por exemplo, sobre a existência de um texto escrito por Descartes, contendo sua metafísica acabada, texto esse que teria posteriormente sido apenas resumido (na Quarta Parte do *Discurso*) ou reescrito (nas *Meditações*). Há algumas pistas de que esse texto realmente existiu. Assim, por exemplo, na carta a Mersenne de 27 de fevereiro de 1637, onde reconhece a insuficiência da metafísica contida no *Discurso*, ele informa a seu correspondente que "há cerca de oito anos escrevi em latim um começo de Metafísica, onde isso é deduzido bastante longamente; e, se uma versão latina desse livro [do *Discurso*] for feita, como já se prepara, eu o poderia colocar aí". Já em uma de suas primeiras cartas a Mersenne, de 15 de abril de 1630, há outra breve menção a esse suposto livro arquetípico:

> No que se refere a vossa questão de Teologia, ainda que ela ultrapasse a capacidade de meu espírito, não me parece que esteja, porém, fora de minha profissão, pois ela não toca o que depende da revelação, o que chamo propriamente de Teologia, mas é antes metafísica e deve ser examinada pela razão humana. Ora, estimo que todos aqueles a quem Deus deu o uso dessa razão estão obrigados a empregá-la principalmente para procurar conhecê-lo e conhecer a si mesmos. *Foi por aí que*

> *procurei começar meus estudos*; e vos direi que não teria podido descobrir os fundamentos da Física se não os tivesse buscado por essa via. Mas é a matéria que mais estudei de todas, e na qual, graças a Deus, estou de algum modo satisfeito[584]; ao menos, *creio ter descoberto* como se pode demonstrar as verdades Metafísicas de uma maneira que é mais evidente que as demonstrações da Geometria; eu o digo segundo meu juízo, pois *não sei se poderia persuadir os outros disso. Os nove primeiros meses* em que tenho estado neste país [Holanda], *não trabalhei em outra coisa*, e creio que já me ouvistes falar antes que *eu tinha a intenção de colocar algo por escrito*; mas *não julgo adequado fazê-lo antes* de ter visto como a Física[585] será recebida. Se, porém, o livro do qual me haveis falado[586] for algo de muito bem feito, e se ele me cair entre as mãos, ele trata de matérias tão perigosas e que estimo tão falsas, se o relatório que vos fizeram é verdadeiro, que *me sentiria talvez obrigado de respondê-lo imediatamente*. Mas não deixarei de tocar, em minha Física, em muitas questões metafísicas, e particularmente nesta: Que as verdades matemáticas, as quais nomeeis eternas, foram estabelecidas por Deus e dele dependem inteiramente, tanto quanto todo o resto das criaturas. É, de fato, falar de Deus como de um Júpiter ou Saturno, e assujeitá-lo ao Estígio e aos Destinos dizer que essas verdades são independentes dele. *Não temeis, peço-vos, de assegurar e de publicar em todos os lugares* que é Deus quem estabeleceu as leis em seu reino[587].

Evidentemente, a existência de tal livro originário permanecerá como uma especulação até que alguma evidência empírica seja encontrada. Entretanto, trechos como os citados acima são evidência suficiente para que examinemos o modo como Descartes *representou a existência* de tal escrito. Na carta de 1637, diz ele, esse texto substituiria a

584 O texto original diz: "*je me suis aucunement satisfait*"; segundo o *Dictionaire critique de la langue française Jean-François Féraud* (1787-88), no verbete "*aucunement*", esse advérbio, "sans négation, [...] est tout-à-fait hors d' usage. On le disait autrefois pour, *en quelque sorte*. 'L'Académie s'est aucunement consolée, voyant que la violence qu'on lui faisoit, s'acordoit avec l'utilité publique'. Sentimens sur le Cid. — On le dit encôre au Palais. 'Ayant aucunement égard à la demande, etc'. Ferrière. On s'en sert aussi dans le style marotique".

585 *O Mundo*, livro abortado três anos mais tarde.

586 Não sabemos a qual livro Descartes se refere nessa passagem.

587 AT I, 144, grifos acrescentados na tradução.

brevidade da metafísica que se encontra na versão francesa do *Discurso*, deduzindo "bastante longamente" o que fora apenas esboçado; como vimos acima, o fato de o francês ser, na época, uma língua não-acadêmica foi um motivo simultaneamente para que o *Discurso* fosse escrito nela – pois o rompimento com os textos escolásticos seria como que "dramatizado" pela recusa da língua mesma em que foram escritos – e para que Descartes censurasse previamente seu próprio texto, tendo em vista o cuidado de não expor os "espíritos fracos" à dúvida cética radical que está oculta sob sua forma suavizada nesse texto[588]. A publicação em francês tem, claramente, um caráter provocativo: ao invés de dialogar com seus opositores escolásticos, Descartes preferiu ignorá-los – figura típica da *aversão* –, dirigindo-se diretamente aos homens comuns, portadores do "bom senso" universal. Mas ela vem também acompanhada de um preço a pagar: as dúvidas radicais que são a condição necessária da metafísica cartesiana – na medida em que se trata da superação de um certo estado mental em direção à autocompreensão renovada da tarefa da filosofia – seriam perigosas na medida em que poderiam ser estendidas indevidamente para os domínios da teologia e da política – como, de fato, os libertinos da época não tardaram a fazê-lo[589]. Já na carta de 1630 citada em parte mais acima, na qual era apresentada a tese da livre criação das verdades eternas como a pedra fundamental de sua metafísica, as mesmas hesitações sobre a oportunidade de publicar seus escritos, ou divulgá-los de forma anônima, são expressas. Aparentemente, Descartes encontrava-se decidido a escrever, mais cedo ou mais tarde, sobre essa tese – a qual, no entanto, só aparece marginalmente nas obras

588 Como se sabe, a dúvida cética exposta nas *Meditações* – um texto originalmente escrito em latim, ainda que, alguns anos mais tarde, fosse traduzido sob a supervisão do próprio Descartes – inclui, para além da dúvida baseada no fato de que sonhamos, a dúvida, muito mais radical, do Deus enganador, que coloca em questão todas as ideias claras e distintas da razão. No *Discurso*, essa última forma de dúvida não aparece, sendo mencionada apenas a razão bem mais fraca e genérica de que "há homens que se equivocam ao raciocinar, mesmo no tocante às mais simples matérias da Geometria, e cometem aí paralogismos" (AT VI, 32). Enquanto as razões de duvidar ocupam apenas parte do primeiro parágrafo da Quarta Parte do *Discurso*, toda a Primeira Meditação é dedicada a elas.

589 Sobre as relações entre Descartes e os libertinos, cf. Jean-Pierre Cavaillé (2003), p. 299. Sobre a prudência de Descartes no tempo da publicação do *Discurso*, cf. Gouhier (1962), pp. 63 e seq.

posteriores. Assim como o livro mencionado e nunca encontrado, essa tese operaria, ocultamente, através de toda a metafísica cartesiana, sem jamais ser reconhecida, porém, como seu fundamento.

A hipótese de um texto não-publicado que teria acompanhado a vida de Descartes e se manifestado em seus diversos escritos torna-se menos implausível quando nos lembramos que foi exatamente isso o que ocorreu com o texto – inacabado[590] – das *Regras*: seu manuscrito, hoje perdido, foi encontrado entre os pertences de Descartes em Estocolmo, fazendo parte de seu espólio[591]. Escritas em latim (*Regulæ ad directionem ingenii*), as *Regras* poderiam ser esse livro oculto, se não fosse o fato de nelas não estarem presentes as teses anunciadas na carta de 1630. Ainda assim, não deixa de ser significativo pensar que Descartes tenha escolhido levar esse manuscrito em sua mudança para a Suécia.

Se um texto suprimido e uma tese oculta – tal como o Deus abscôndito que é seu objeto –, servindo como bases invisíveis de suas publicações, ilustram perfeitamente a disposição afetiva de Descartes em relação a sua obra, resta ainda ampliar a descrição das paixões despertadas em Descartes pela expressão escrita de seus pensamentos, voltando-nos para uma outra forma de manifestação de suas relações tensas com a teologia em particular, e com a escrita em geral, a saber, aquelas ocasiões em que, ao invés de procurar se subtrair à discussão e silenciar, ele fazia questão de publicar suas opiniões sobre – e contra – os teólogos de seu tempo.

590 No plano original, o livro seria composto de três partes, cada uma com doze regras; na cópia que possuímos, ele termina na Regra XVIII (as Regras XIX, XX e XXI são enunciadas, mas não desenvolvidas e explicadas como as demais).

591 Segundo Alquié, a *Regras* foram provavelmente escritas em 1628, retomando notas mais antigas. O manuscrito das *Regras* aparece no inventário de Estocolmo na letra F; tendo sido remetido a Clerselier, esse "o comunicou a Arnauld e Nicole, a Nicolas Poisson, talvez a Malebranche, e o legou a J.-B. Legrand, que, por sua vez, o emprestou a Baillet. Daí por que a segunda edição da Lógica de Port-Royal (1664), e também a vida de Descartes de Baillet, contém extratos da obra. Mas o manuscrito desapareceu, e é sobre uma cópia que foram feitas a edição holandesa de 1684 e, posteriormente, a edição latina de 1701. É o texto dessa edição (*R. Descartes Opuscula Posthuma*, Blaeu, Amsterdã) que retoma AT X, 359 a 469, corrigindo-a somente, em alguns pontos, a partir de uma outra cópia, dita impropriamente manuscrito de Hanover, cópia essa que Leibniz tinha comprado na Holanda" (Descartes, 1967, I, 69-70). Pode nos parecer estranho que Descartes, que sempre acusou os "Antigos" de ocultarem de seus leitores as regras que lhes permitiram obter seus resultados, tenha procedido da mesma maneira.

CONCLUSÃO

As séries finitas e seus limites

"Eles são como a hera, que não tende a subir mais alto que as árvores que a sustentam, e que frequentemente até mesmo volta a descer depois de ter chegado a seu topo; pois me parece que também eles voltam a descer, isto é, tornam-se de certa forma menos sábios do que se se abstivessem de estudar, os quais, não contentes de saber tudo o que é inteligivelmente explicado em seu autor, querem, além disso, encontrar nele a solução de muitas dificuldades, das quais ele nada diz e nas quais nunca talvez pensou. Todavia, sua maneira de filosofar é muito cômoda para aqueles que têm tão-somente espíritos muito medíocres ...".
Descartes, *Discurso do método*, Sexta Parte.

"Todos vivem, absurdo! A estupidez de confiar no idioma, meu caro doutor, absurdo!, penso; e não só no idioma, mas sobretudo nele... A estupidez resultante do idioma, penso. A estupidez de um mundo composto de vantagens e desvantagens, e de nada mais... Filosofar! Não!".
Thomas Bernhard, *Perturbação.*

O texto das *Segundas Respostas*, parece, à primeira vista, caracterizar as verdades da teologia como intrinsecamente obscuras e confusas. Se fosse assim, daí se seguiria que a teologia estaria situada para além dos limites do conhecimento humano; sobre ela, deveríamos nos calar. No entanto, a posição de Descartes frente à teologia é mais complexa do que essa, pois seu silêncio ou sua relutância em relação ao domínio teológico não o impediu de reconhecer que ele pode ser objeto de um conhecimento claro e distinto. Por um lado, ao conceder a Mersenne que as verdades da fé são "obscuras e confusas", Descartes sempre o fez acompanhado de reservas ("Pois, *ainda que seja dito* que a fé tem por objeto coisas obscuras" ["*Etsi enim fides dicatur esse de obscuris*"]; "E, quanto à matéria, ninguém jamais negou que ela *possa ser* obscura" ["*Et quantum ad materiam, nemo unquam negavit illam esse posse obscuram*"]; "Ora, ainda que *se diga ordinariamente* que a fé porta sobre coisas obscuras" ["*Jam vero, etsi fides vulgo dicatur esse de obscuris*"][592]). As expressões "ainda que" ou "ordinariamente" poderiam indicar uma distância entre a posição do próprio autor e o que poderia ser a descrição do que ocorre com outras pessoas: assim, as verdades da fé *poderiam* ser obscuras (para aqueles homens comuns [*etsi fides vulgo dicatur*] que, não tendo meditado sobre tais assuntos, têm deles apenas ideias obscuras e confusas), mas isso não implicaria que eles sejam *necessariamente* obscuros – homens como Descartes poderiam, após uma meditação cuidadosa, ter deles ideias claras e distintas – ou, pelo menos, poderiam mostrar que nada neles está em contradição com ideias claras e distintas. Por outro lado, porém, a distinção, proposta nessas mesmas *Segundas Respostas*, entre "matéria" e "razão formal" da crença aplica-se claramente ao próprio autor desta proposição: "aquilo que *nos* faz crer", diz Descartes, incluindo-se então entre os fiéis que, todos, necessariamente precisam da luz divina para crer, "não é obscuro, mas é mais claro do que qualquer luz natural"[593]. Dito de outra maneira, o sentido da distinção entre "matéria" e "razão formal" depende da admissão de que os fundamentos das verdades da fé são intrinsecamente obscuros e confusos e de que, portanto, seria impossível compreendê-los racionalmente.

A descrição cartesiana do campo teológico envolve, assim, uma separação nítida entre dois de seus elementos: as verdades reveladas, que se situam para além da compreensão humana, e as verdades racionais, passíveis de serem conhecidas pelos homens. Essa distinção é bastante tradicional, e Descartes não inova em nada aqui. Assim, por exemplo, São Tomás, para quem a teologia parte de verdades reveladas, procedendo, a partir delas, de forma racional: "... modos diferentes de conhecer (*ratio*

592 AT VII, 147-148; grifo acrescentado na tradução.

593 AT VII, 147; IX 115; grifo acrescentado na tradução.

cognoscibilis) nos dão ciências diferentes. [....] Portanto, não há nada que impeça uma outra ciência tratar, sob a luz da revelação divina, aquilo que as disciplinas filosóficas tratam como conhecível sob a luz da razão humana"[594]. Sua novidade consiste em aduzir razões – para além dos motivos prudenciais – para se adotar o silêncio até mesmo sobre aquelas partes da teologia que são objetos da luz natural da razão. Como já foi visto acima, tanto quanto a teologia de Arnauld, o cartesianismo depende da aceitação de uma experiência não-compreensível, embora inteligível – a experiência da liberdade – para dar conta do problema do merecimento da graça; além disso, ele coloca no centro da teologia racional a tese da livre criação das verdades eternas por Deus. Esses dois infinitos – o da vontade humana e o da divina –, que não precisam apenas, tal como é o caso da "filosofia primeira", ser inteligidos fora das séries dedutivas, como seu fundamento, devendo, além disso, ser um elemento das séries, forçam a teologia em direção a um discurso infinito, cuja disposição em uma série dedutiva completa é impossível. Ou seja, Descartes chama a atenção dos leitores para o caráter inassimilável da teologia racional (ou: da parte da teologia que é racional) à ordem das razões, mesmo sendo cada uma de suas verdades clara e distintamente demonstrável. A originalidade de Descartes reside, então, em que, sem negar a possibilidade de uma teologia racional – como o farão, no século seguinte, David Hume e alguns dos enciclopedistas –, recomenda, no entanto, que o silêncio caia sobre elas.

Voltemos nossa atenção, ainda que brevemente, nesta conclusão de nosso estudo, para alguns textos nos quais, contrariamente à tendência ao silêncio e a resistência à escrita, o que sobressai é a disposição de escrever abertamente sobre as querelas teológicas. Veremos, então, que o ódio à escrita conserva seu vigor mesmo nesses textos, e por razões similares às que regulam o silêncio e a resistência mencionados acima. Haverá em alguns desses textos, no entanto, uma inflexão com a qual, até então, não havíamos nos deparado: o exercício da retórica jurídica. Assim, na famosa *Carta a Voetius*[595], Descartes combate a crítica segundo a qual nem ele nem seu discípulo na Faculdade de Medicina de Utrecht, Regius, dominariam os conceitos básicos da escolástica. A

594 *Summa theologiae*, Ia.1.1 ad 2.

595 Descartes anuncia, na Introdução da *Carta*, que seu comentário vai seguir a ordem das críticas de Voetius.

crítica de Voetius dirigia-se à pretensão de Descartes, explicitada na *Carta a Dinet*, de resolver todos os problemas da teologia de modo mais fácil do que a escolástica; esse "ignorante inimigo das luzes", escreve Voetius, pretende superar uma teoria que nem ao menos compreende. Voetius cita, então, precisamente o trecho da *Carta a Dinet* (que já examinamos mais acima, na Introdução deste estudo) no qual Descartes se vangloria dessa proeza:

> E afirmo até mesmo que não há questão religiosa que não possa ser explicada tão, ou até mais facilmente, por meus princípios, em vez dos que são vulgarmente aceitos. Creio já ter dado um exemplo notável disso no final de minhas respostas às quartas Objeções, que versam sobre uma questão na qual é notoriamente difícil conciliar a filosofia com a teologia. E estarei ainda pronto a fazer a mesma coisa sobre todas as outras questões, se tal fosse necessário[596].

Em sua resposta, Descartes não renega a *Carta a Dinet*; ao contrário, diante da acusação de Voetius de que a carta só conteria "falsidades e bufonarias" afirma que, "de todas as suas obras, aquela na qual mais me esforcei de me mostrar grave e verdadeiro é essa carta que enderecei a um homem da mais alta consideração"[597]. Descartes não recua, tampouco, de suas críticas a "toda a pobreza da filosofia vulgar" [*ou seja, da filosofia peripatética*][598]. Mas os termos da citação acima explicam por que Voetius percebia, no cartesianismo, uma forma talvez até mesmo mais perigosa de heresia do que o arminianismo[599]: a pretensão de fazer

596 AT VII, 581.

597 AT VIII, II, 17 e Descartes (1826), p. 13. Descartes, porém, foi o partido condenado pelo Conselho Municipal (*Vroedschap*) da cidade de Utrecht: tanto a *Carta a Dinet* quanto a *Carta a Voetius* foram consideradas "libelos difamatórios", o que poderia implicar a prisão de seu autor.

598 AT VIII, II, 18; Descartes (1826), p. 14. A *Carta a Voetius* foi, a partir de 1650, ano da morte de Descartes, impressa no mesmo volume das *Meditações*, o que mostra a importância que tinha a polêmica aos olhos de seus contemporâneos. O "Apêndice" das *Meditações* tinha uma numeração de páginas à parte da da obra principal. Seu conteúdo incluía as *Quintas* e *Sétimas Objeções e Respostas*, seguidas da *Carta a Dinet* e, finalmente, da *Carta a Voetius*. As quatro edições seguintes de Elsevier (de 1654, 1663, 1670 e 1678) mantêm esse "Apêndice". Para essas e outras informações editoriais sobre as *Meditações*, ver "Advertência" de AT VIII, II, IV.

599 Jacobus Arminius (1560-1609) e seus seguidores, os protestantes holandeses co-

da filosofia algo a mais do que um auxiliar da teologia manifestava-se, aos olhos de Voetius, na asserção de que Descartes poderia "explicar" as verdades da teologia melhor do que a filosofia peripatética. O problema dessa pretensão, para Voetius, não era o de estar contida nela uma espécie de explicação racional qualquer – afinal, mesmo os teólogos mais ortodoxos aceitavam que tanto a teologia quanto a filosofia deveriam esclarecer racionalmente as verdades da fé. O próprio Voetius, em uma de suas primeiras teses defendidas em Utrecht, pretendia mostrar, em termos que soam perfeitamente cartesianos, que "a luz da natureza não luta contra a luz da graça, nem a filosofia com a teologia. São, portanto, a-teológicos e também fazem injúria contra Deus e Sua verdade aqueles que condenam a filosofia"[600]. O verdadeiro problema estava na pretensão cartesiana de questionar o senso comum – isto é, o aristotelismo – e de erigir uma *nova* doutrina em seu lugar. Voetius, é bom lembrar, praticava um tipo de filosofia neo-escolástica (ou seja, uma filosofia composta por doutrinas escolásticas que sucederam a Reforma, tal como a formulada por Suarez) amplamente disseminado nas Universidades europeias da época – uma forma de aristotelismo que conservava muitas vezes mais a terminologia do que propriamente as doutrinas aristotélicas. Foi a partir de sua defesa da neo-escolástica no interior do calvinismo protestante que Voetius escreveu, antes e depois de sua guerra contra Descartes, vários textos em que explicava sua posição "conservadora", tais como: *Sobre o uso da razão em questões de fé* (1636), *Sobre a teologia escolástica* (1640) e *Sobre a douta ignorância* (1655)[601] – a querela contra o cartesianismo ocupava, assim, apenas mais um capítulo de uma longa polêmica intelectual.

Essa polêmica, Descartes a enfrentará como advogado, produzindo documentos extensos em sua própria defesa e retomando, assim, os

nhecidos como remonstrantes, defendiam que todos os textos da Escrituras Sagradas eram passíveis de interpretação de acordo com a razão natural dos homens. Em conexão com essa tese, contestavam os calvinistas, questionando sua doutrina da eficácia necessária da graça divina.

600 *Apud* Goudriaan (2006), p. 30, nota 5. O texto original diz: "*Lumen naturae cum lumine gratiae, Philosophia cum Theologia non pugnant. Itaque ἀθεόλογοι sunt, insuper in Deum et veritatem ejus injurii, qui Philosophiam condemnant*".

601 *Apud* Verbeek (1992), p. 6.

elementos de sua formação em "jurisprudência" em Poitiers[602]. O estilo jurídico já fora mobilizado por Descartes em outras ocasiões, como na teodiceia da Quarta Meditação[603], mas é no momento em que ele *se representa* a si mesmo diante do tribunal de Utrecht que sua autofiguração autoral aparece mais nitidamente no interior desse estilo. Ou, mais precisamente, é em nome da novidade de sua filosofia que a discussão com Voetius dará a Descartes a oportunidade de avançar na constituição de sua imagem como autor de uma filosofia *inédita*. Mas como a declaração de guerra contra a escolástica da *Carta a Voetius* pode ser compatibilizada com as frequentes hesitações de Descartes em expor "sua" teologia? A resposta torna-se mais visível se lembrarmos que, mesmo nas passagens em que afirma abertamente poder expor de modo claro e distinto as verdades da teologia, tais hesitações permanecem. O que está em jogo nessa resistência não é o temor de não conseguir explicar racionalmente as verdades da fé, mas antes a presença de uma noção de "explicação" que não era mais a mesma de Voetius e de seus modelos escolásticos[604]. O que um *autor* deveria fazer ao explicar algo era a novidade a ser anunciada com orgulho, e o que a explicação traria à tona, na arena das disputas infindáveis, seria precisamente um *estilo* de pensamento (e uma nova figura de autor), no qual o que importaria menos seria o conteúdo explicado do que a forma da explicação. A polêmica em torno da teoria cartesiana da eucaristia, principalmente após 1657, quando Mersenne publica, postumamente, a correspondência de Descartes sobre o assunto, indicam precisamente isso. Uma das "novidades" mais importantes contidas nessas cartas dizia respeito justamente ao modo como deveria ser entendida a relação entre fé e razão: enquanto, por um lado, essa última continuaria a ser pensada, na teologia cartesiana, como tendo por tarefa a fundamentação das verdades da fé, o sentido mesmo da "fundamentação" havia sido transformado; tratava-se, agora, de conduzir todos os elementos do problema a um solo comum, o da nova ciência mecânica. Assim, os conteúdos das verdades reveladas passam a ser pensados como ideias obscuras e confusas na mente de um indivíduo que as deve

602 Sobre os anos de formação de Descartes, cf. Geneviève Rodis-Lewis (1995), p. 39 e Descartes (1987).

603 Cf. Gordon Baker e Katherine J. Morris (2004).

604 Goudriaan (2006), p. 33.

medir todas, sejam elas ou não pertencentes ao campo teológico, sejam elas ou não iluminadas pela luz clara e distinta da graça sobrenatural, em contraposição às ideias claras e distintas da matemática, da física e da metafísica. Todos os elementos da formulação do problema são homogêneos, pertencem a uma mesma classe de entes, e a fundamentação das verdades da fé deve operar a partir dessa homogeneidade. Em contraposição a esses elementos homogêneos, um "eu" individual e situado fora de qualquer tradição os reconheceria, ordenaria e julgaria. (Note-se bem: identificar-se como estando fora de qualquer tradição é uma *condição* para a caracterização desse "eu").

Não se trata apenas de dizer que Descartes flertava com certas heresias racionalistas, como o socianismo. Embora a presença dessas ideologias em território holandês talvez explique, mais do que o desejo de tranquilidade para se dedicar aos estudos, a escolha de Descartes por morar nesse país, reduzir seu pensamento a uma variante das heresias em curso no século XVII seria demasiadamente simples – o mais correto seria supor que Descartes e o socianismo, os remonstrantes e os calvinistas escolásticos constituiam, todos, um complexo jogo de ressonâncias. Com relação ao cartesianismo, a mera oposição entre, por um lado, teólogos ortodoxos, como Voetius, que afirmavam a prioridade da tradição como fonte primária de autoridade em matérias de fé, e "inovadores", como o próprio Descartes, que confiavam na suficiência da razão individual para a formulação de uma "teologia natural", deixa na sombra a oposição que realmente importa. Afinal, tanto Descartes quanto Voetius admitiriam que a razão humana não pode ser a norma das verdades da fé, e que apenas a luz do Espírito Santo pode proporcionar a certeza de que as palavras de Deus são verdadeiras. Mas, enquanto, para teólogos como Voetius, a impotência da razão deriva da Queda, que fez com que essa faculdade humana fosse corrompida ela mesma pelo pecado, não sendo mais capaz de perceber diretamente a imagem de Deus[605], para Descartes, a impotência da razão humana em estabelecer a verdade das ideias religiosas deriva ela mesma de uma fraqueza intrínseca, descoberta pelo exame racional da razão que ele empreende. Paradoxalmente, Voetius tinha mais confiança no uso da razão em questões teológicas do que Descartes,

605 Cf. *De docta ignorantia*, de 1655 (SDTh III, 668–692) e *De ratione humana in rebus* *dei*, tese 2 (SDTh I, 2), *apud* Goudriaan (2006), pp. 39-41.

uma vez que, para o primeiro, as restrições a esse uso cessavam uma vez que, iluminada pela tradição, pela fé e pela graça divina, a razão se dedicasse a elucidar as consequências das verdades reveladas, enquanto que, para Descartes, a razão natural, iluminada pela graça, ainda assim se mostraria incapaz de realizar a tarefa demandada pela teologia. Ou seja, Descartes e Voetius comungariam da mesma conclusão sobre a prioridade da revelação divina sobre a razão nas matérias da fé, mas, no que diz respeito ao modo de estabelecer tal conclusão, cada um chegaria a ela na contramão do outro. Era esse caminho conflitante, e não o ponto de chegada, que incomodou os teólogos do século XVII; era em relação a ele que a resistência de Descartes ao escrever sobre temas teológicos manifestava-se mais propriamente – afinal, suas conclusões eram, se não inteiramente ortodoxas (sua teoria sobre a eucaristia certamente não poderia ser qualificada como ortodoxa), pelo menos não tão heréticas quanto as reações a elas poderiam fazer supor.

É curioso notar que o próprio Descartes parece genuinamente surpreso em suas respostas às acusações de heresia – não estavam, ele e seus detratores, concordando sobre o fundamental? Neste ponto, é preciso reconhecer que, na construção de sua posição autoral, há algo que fica de fora do que é figurado por Descartes nos textos em que discorre sobre seu ponto de vista: o próprio olho que vê não pode ser um dos objetos da figuração; será preciso então reconhecer, *nos textos*, esse objeto ausente, e trazê-lo ao primeiro plano. Tomemos um exemplo: um dos tópicos mais frequentes das acusações lançadas contra o cartesianismo por Voetius era a atribuição, a Descartes, da pretensão desmedida de ser um *autor* que se colocava contra a tradição, contra *os livros* do passado (o discípulo de Voetius, na sua *Filosofia cartesiana*, não se cansa de repetir essa imagem, retirada sem dúvida da Primeira Parte do *Discurso* e da Primeira Meditação); um autor que pretenderia, enfim, escrever o Livro definitivo, o único necessário. Por mais que proteste contra as acusações injustas de que desprezaria os livros, *todos eles*, Descartes, ao se defender, põe em marcha uma estratégia discursiva que parece, em certos pontos ao menos, confirmar as suspeitas dos seus inimigos e que indicam, como em uma confissão muda, sua "culpa". Uma boa parte da *Carta a Voetius* é composta por essa legitimação da "novidade" – se, por um lado, não se deve propor inovações em religião, diz Descartes, pois cada um deve adotar aquela que lhe foi dada por Deus, por outro lado, é "glorioso" ser inovador na filosofia[606]. A própria *forma* do texto cartesiano trai suas intenções declaradas: o "eu" meditativo só pode ser compreendido na medida em que se destaca de um "nós" da tradição e se afirma como instância primeira de autoridade.

Aos olhos do aristotélico Voetius, o platonismo cartesiano, como muitas formas contemporâneas de platonismo, geralmente conduzia a heresias[607]. Mas, novamente aqui, é preciso não nos refugiarmos em termos vagos como "platonismo": o que importa é identificar o modo como essa qualificação se manifesta nos textos cartesianos. Ao comentar as acusações de querer introduzir, com sua filosofia, inovações ameaçadoras da "nossa teologia", perturbando assim "a paz e o repouso das escolas" e introduzindo com ela "novas heresias na Igreja"[608], Descartes propõe, na *Carta a Dinet*, uma inversão surpreendente, distinta da orgulhosa auto-denominação de "inovador" da *Carta a Voetius*: "Eu digo, além disso, o que poderá parecer paradoxal, que não há nada em toda essa filosofia [*i.e., na filosofia escolástica*], enquanto peripatética e diferente das outras, que não seja novo, e que, ao contrário, não há nada na minha que não seja antigo"[609]. Ao invés de reivindicar a novidade, Descartes parece, retoricamente, refugiar-se na antiguidade – talvez no platonismo, que está, ele mesmo, na origem do aristotelismo; entretanto, a justificativa que ele dá para essa reversão surpreendente elimina a impressão inicial de um jogo puramente retórico: sua filosofia é a mais antiga, diz Descartes, porque, "no que diz respeito aos princípios, só admito aqueles que até agora foram admitidos geralmente por todos os filósofos, e que, por isso mesmo, são os mais antigos de todos [*antiquissima*]"[610]. Já a filosofia escolástica é, devido a sua *forma*

606 AT VIII, II, 26; Descartes (1826), pp. 25-26.

607 Cf. AT VIII, II, 162 e Descartes (1826), p. 167: o "método cartesiano" [*Philosophandi Methodum*] nos conduz diretamente "não somente ao ceticismo, mas ao entusiasmo, ao ateísmo e ao frenesi" [*Enthusiasmum quoque, Atheismum ac phrenesim ducere*].

608 AT VII, 579.

609 AT VII, 580.

610 AT VII, 580. Ver também *Carta a Voetius* (AT VIII, II, 41 e Descartes (1826), p. 45): "Negligenciar as fontes e se dirigir, se posso falar assim, a esses riachos [*fontibus neglectis, ad rivulos istos tantum accedunt*], é querer só beber de águas turvas, ou seja, renunciar a toda verdadeira erudição".

de exposição mesma (disputas e raciocínios dialéticos, isto é, composto da contraposição de teses e respostas[611]), sujeita a mudanças "todos os anos por aqueles que se imiscuem em ensinar filosofia"[612]. A evidência das verdades simples das quais parte a filosofia cartesiana, ao contrário, calará todas as disputas e nos levará a uma espécie de atemporalidade, subtraindo-nos da mudança e da insconstância; sua "novidade" consiste em visar o eterno *nesta vida.* Ao final da *Carta,* Descartes afirma enfaticamente a Dinet: "protestei frequentemente que não queria me misturar a nenhuma controvérsia de teologia". Nesta passagem, a justificativa para sua reticência em abordar temas teológicos não residia nem na prudência diante de assuntos polêmicos nem na incapacidade de dar conta deles racionalmente, mas na *forma* mesma da polêmica, ou seja, de um pensamento estruturado como uma disputa: todas as teologias, *desde que* não sejam contrárias à "luz natural", não podem ser contrárias à sua filosofia[613], escrita a partir de um ponto de vista atemporal[614]. Descartes se colocaria assim, na sua posição autoral, como escrevendo pré-lapsiariamente. Desse ponto de vista "eterno", não haveria lugar para uma teologia puramente negativa, segundo a qual não poderíamos conhecer adequadamente Deus, devido à corrupção de nossa razão. Ao contrário, temos uma ideia clara e distinta de Deus, e podemos, a partir dela, formular uma "teologia verdadeira".

611 É interessante notar que, alguns anos depois da querela de Utrecht, motivada, em parte, pelo ensino da filosofia cartesiana na Faculdade de Medicina por seu discípulo Regius, Descartes romperá com esse último motivado, principalmente, pela adoção de uma forma de exposição "dialética" de sua filosofia. Cf. *Notae in Programma.*

612 AT VII, 580.

613 AT VII, 598. Poucas linhas antes, Descartes lembra a Voetius que "atestei frequentemente que não gostaria de me imiscuir em nenhuma controvérsia de teologia".

614 Gouhier (1924) conclui seu livro avançando a tese de que, para Descartes, haveria uma incomensurabilidade entre filosofia e teologia, razão pela qual, diz ele, elas seriam compatíveis entre si – afinal, entre o que não tem medida comum não pode haver tampouco contradição. Para Gouhier, portanto, a posição de Descartes sobre as relações entre razão e fé seria semelhante à de Spinoza, que, no título do capítulo 15 de seu *Tratado teológico-político,* anuncia uma das conclusões principais do livro: "que nem a teologia está a serviço da razão, nem a razão, da teologia". Ao contrário de Gouhier, propomos aqui que, para Descartes, a teologia – pelo menos a teologia racional e natural, e não a revelada – encontra-se no mesmo nível das demais verdades racionais, e que até mesmo as revelações divinas, iluminadas pelo Espírito Santo, são, segundo a expressão utilizada por nós mais acima, "elementos homogêneos" de uma série.

A reação jurídica a Voetius mostra, pois, mais uma instância da constituição de sua imagem autoral; de certa maneira, ainda nos movemos no terreno vago (tão vago quanto o termo "platonismo") do lugar-comum que faz de Descartes o "pai da filosofia moderna", aquela imagem heróica do autor que fez avançar as luzes da racionalidade individual contra as trevas da tradição. Se é verdade que esse lugar-comum pôde se cristalizar nos manuais de história da filosofia, isso está longe de esgotar todos os seus desdobramentos semânticos, e, particularmente, para o que nos interessa aqui, as articulações textuais que traçam a emergência, em seus textos, da ideia mesma de autoria, ou seja, da (auto) imagem de Descartes como autor, algumas das quais procuramos estabelecer ao longo deste estudo. Ao caracterizar Descartes como um "inovador" e, *por isso mesmo*, um perigo, Voetius está apenas repetindo um gesto característico da "querela dos Antigos e dos Modernos" que atravessa o século XVII e chega ainda com força ao século seguinte. Afinal, a mesma acusação fora lançada contra Hobbes e será retomada contra Spinoza e, de um modo geral, contra todos os que se auto-identificavam como "Modernos". A rejeição da modernidade e da inovação enquanto tais, independentemente do *conteúdo* que elas defendem, é tão antiga quanto a história da filosofia (basta lembrar de Sócrates na sua apologia), e fora precedida, na época de Descartes, por casos ilustres (pelo fogo que queimou Giordano Bruno, pelas traduções de Lutero, pelo suicídio de Uriel da Costa).

Mas é preciso assinalar o que o caso de Descartes tem de singular, isto é, o que nos impede de simplesmente assimilá-lo ao de inúmeros outros "inovadores". Tal singularização do "caso Descartes" é precisamente o que permitiu elegê-lo como objeto de nosso estudo. Tal objeto é a conexão entre sua reserva para tratar de temas teológicos com duas dimensões ontológicas opostas entre si, a saber: a infinitude de Deus e a finitude do "eu". Nesse sentido, foi preciso sobretudo compreender como o "ponto de vista da eternidade", essa espécie de "céu platônico", a partir do qual os textos de Descartes se articulam, tornou-se parte constitutiva da imagem de um autor auto-designado pelo pronome "eu". É esse ponto simples, diante do qual toda a tradição se anula, sendo substituída por séries homogêneas, que será capturado, enfim, nos textos que hesitam por algum tempo antes de enunciar o que, a princípio, não deveria ser dito.

Vemos, portanto, que, tanto quanto os textos reticentes, os textos aguerridos também exprimem a mesma disposição de Descartes frente à publicidade de sua obra. A falta e o excesso, a opção pelo silêncio e as disputas judiciais barulhentas e panfletárias não são, no entanto, caracteres contraditórios inconciliáveis, mas antes deslocamentos em uma mesma direção, movidos pelo signo do ódio, mesmo quando – e, talvez, sobretudo quando – seja do lado do silêncio, e não do excesso, que o pêndulo se encontre. Capturar a dimensão textual dessa resistência ao texto foi a tarefa deste estudo.

De fato, ao longo das páginas precedentes, foram as noções de série finita e daquilo que, de uma forma ou de outra – ou por ser a ela absolutamente exterior, ou, de forma surpreendente, por ser seu elemento mais interno –, lhe escapam que nos permitiu *inteligir* (embora não, por isso mesmo, *compreender*) a resistência de Descartes à escrita. Tal "disposição" de aversão radica-se nos escritos de juventude, moldando toda a obra que se seguirá deles[615]. A ideia de uma série completa como realização da ciência e conquista da certeza aparece, assim, desde seu primeiro texto filosófico mais extenso, as *Regras*; no enunciado da Regra VI, lemos:

> Para distinguir as coisas simplicíssimas das complexas, e para as percorrer ordenadamente, é preciso, em cada série de coisas [*in unaquaque rerum serie*], nas quais diretamente deduzimos certas verdades umas das outras, observar a que é a maximamente simples e de que modo todas as outras são mais, ou menos, ou igualmente distantes[616].

Pouco antes, na Regra IV, ao propor a "verdadeira matemática" [*veræ Matheseos*] como novo modelo de pensamento para a ciência em geral (ou seja, para o que ele chama de "filosofia"), Descartes não deixa de admitir seu caráter insuficiente. Mas, ao mesmo tempo, reconhece que ela contém "certas sementes de verdade [*veritatum semina*] colocadas no engenho pela natureza"[617]. Se, até o momento, a matemática não pôde ser desenvolvida até sua perfeição, isso se deve, ao menos em

615 Seria preciso analisar a função que a imagem dos dois livros desempenha na célebre narrativa do sonho que Descartes teve na noite de 10 para 11 de novembro de 1619, narrado por Baillet e já mencionado mais acima.

616 AT X, 381.

617 AT X, 376.

parte, ao procedimento desonesto dos matemáticos da Antiguidade, que ocultavam de seus leitores o caminho até seus resultados:

> Mas é de se crer que esses mesmos escritores[618], por uma certa astúcia perniciosa, posteriormente a suprimiram[619]; pois assim como é certo que muitos artífices o fizeram com suas invenções, eles talvez temeram que, porque era facílima e simples, ela perderia porventura seu valor quando divulgada [*ne vulgata vilesceret*], e preferiram nos exibir em seu lugar algumas verdades estéreis demonstradas dedutivamente com sutileza como os efeitos de sua arte, para que os admiremos, mais do que ensinar essa própria arte, o que teria suprimido toda a admiração[620].

A essa suspeita paranóica que atribui aos escritos dos Antigos a intenção refletida de enganar seus leitores, Descartes contrapõe sua própria sinceridade[621]. Ao desenvolver o conteúdo da Regra VI, ele nos informa que, embora o que ela enuncia não pareça ser nada de novo, na verdade ela contém todo o segredo de sua arte [*artis secretum*]. Ao expor abertamente esse segredo logo no início de seu tratado, Descartes não se refere apenas ao método das ciências, mas às regras que guiam a escrita do próprio texto que as formula. A Regra VI ensina que "todas as coisas podem se dispor sob a forma de séries"[622] [*omnes per quasdam series posse disponi*], tendo o cuidado de distinguir tais séries das categorias do ser tal como apresentadas por Aristóteles[623]. De fato, enquanto essa última diz respeito ao ser enquanto tal, as séries cartesianas são ordenadas a partir do que é conhecido por nós. Assim, ao

618 Descartes refere-se aqui particularmente a Pappus e Diofante, mas suas conclusões estendem-se a todos os "Antigos".

619 Isto é, suprimiram a verdadeira matemática, a via da descoberta de novas verdades.

620 AT X, 376-377.

621 E não a sinceridade dos "Modernos" em geral: romper com a tradição é um compromisso estritamente individual, impossível de ser abarcado em um movimento comum. Assim, a crítica aos Antigos repercute sobre as gerações presentes: "As ciências estão agora mascaradas [*Larvatæ nunc scientiæ*]; retiradas as máscaras [*larvis sublates*], elas aparecerão belíssimas" (*Preâmbulos*, AT X, 215).

622 AT X, 381.

623 Para se compreender o sentido dessa negação, é preciso remeter o leitor ao livro *Sur l'ontologie grise de Descartes. Science cartésienne et savoir aristotélicien dans les « Regulae »*, de Jean-Luc Marion, cuja primeira edição é de 1975.

dividir os termos que compõem as séries, Descartes os denomina naturezas "absolutas" ou "relativas" [*absolutas vel respectivas*], com o cuidado de esclarecer que o que é absoluto em um certo contexto cognitivo pode ser relativo em um outro. "Absoluto" é aquilo que "contém em si, em estado puro e simples, a natureza sobre a qual incide a questão"[624]; enquanto "relativo" se diz daquilo que "participa dessa mesma natureza, ou ao menos de algo dela, em virtude do que se pode relacioná-lo ao absoluto, e deduzi-lo dele percorrendo-se uma série"[625]. O apelo à ideia platônica de "participação" mostra que se trata de construir um único todo complexo, chegando ao elemento último após se passar pelo encadeamento ordenado de todos os intermediários que o ligam ao termo absoluto. Já observamos, mais acima, como a Regra XI acrescentará, a essa série dedutiva, o esforço de enumeração de todos os seus elementos "por um movimento contínuo e ininterrupto do pensamento", de forma a emular a instantaneidade da intuição.

Ora, o infinito absoluto que é Deus, embora faça parte das séries dedutivas (nas *Meditações*, como se sabe, ele aparece pela primeira vez na Terceira Meditação, ressurgindo depois na Quinta Meditação), introduz nelas um conteúdo representativo que, sendo inteligível, não é, no entanto, incompreensível. Devido a essa sua característica, ele reverte a ordem na qual a série metafísica vinha sendo até então desenvolvida (partindo do "eu penso" até a primeira prova da existência de Deus e tendo como principal elemento mediador a teoria das ideias). Ao mostrar-se como a verdadeira natureza absoluta, mais simples e mais evidente do que o "eu", a ideia de Deus passa a ocupar a função de princípio primeiro e de fundamento da ciência, justamente porque designa o único elemento da série dedutiva da metafísica que não pode ser compreendido em seu interior, sendo, no entanto, condição de todas as séries (inclusive da metassérie metafísica). A rigor, o que a série metafísica demostra é que a existência de Deus não é propriamente demonstrada, mas intuída[626]; nesse contexto, a meditação

624 AT X, 381.

625 AT X, 382.

626 O quinto Postulado da razões para provar a existência de Deus, expostas "segundo a maneira geométrica" no final das *Segundas Respostas*, pede aos leitores para "contemplar longamente a natureza do ente soberanamente perfeito", de tal modo a perceber que a existência necessária está contida em seu conceito – "Pois, apenas daí,

é menos uma dedução do que o caminho que elimina os preconceitos imaginativos que impedem que a intuição se exerça sem obstáculos[627].

Cronologicamente, o primeiro elemento da série metafísica, o "eu" que pensa "eu penso, eu existo" na Segunda Meditação, é também ele a conclusão de uma dedução que nos conduz, para além das ideias obscuras e confusas da sensação, até a apreensão intuitiva do elemento mais simples presente em todo e qualquer pensamento (inclusive nas dúvidas formuladas na Primeira Meditação). Se é possível duvidar das aparentes evidências sensíveis (como a de que estou aqui agora, vendo minhas mãos), pelo "argumento do sonho", e até mesmo das verdadeiras evidências matemáticas (como a de que dois e três somam cinco), pelo "argumento do Deus enganador", não é possível duvidar daquilo que permite o pensamento, e cujo conteúdo não é separável do ato mental pelo qual se pensa nesse conteúdo, o "eu". Mesmo as ideias matemáticas têm uma distância separando sua "realidade formal" - o ato de pensamento - e sua "realidade objetiva" - o conteúdo pensado. Das verdades matemáticas, posso perguntar a que correspondem, se é que correspondem a algo distinto dos atos de pensamento pelos quais são pensadas; já no caso do "eu", sua simplicidade consiste em sua autorreferência. Como primeiro elemento da série, o "eu" é absoluto e simples, evidente por si e, portanto, plenamente compreensível. No entanto, o caráter absoluto do "eu" torna-se, com a entrada em cena do Deus veraz na Terceira Meditação, apenas um elemento relativo da série. O verdadeiro absoluto é a existência do Deus infinito que garante a verdade de todos os conteúdos finitos pensados pelo "eu", inclusive

e sem nenhum discurso, conhecerão que Deus existe; e não lhes será menos evidente por si do que lhes é manifesto que dois é um número par e que três é um número ímpar, e coisas semelhantes. Pois há coisas que são assim conhecidas por alguns como evidentes por si, que outros não entendem senão por discurso" (AT VII, 163-164; IX, 126-127). Como vimos mais acima, a tradução francesa desse Postulado afirma a equivalência entre "ser evidente por si" e "não necessitar de prova" (daí a introdução, ao longo do texto traduzido, das expressões "*et sans aucun raisonnement*", "*sans autre preuve*", "*connues sans preuve*", "*un long discours et raisonnement*").

627 A dez primeiras Proposições do Livro I da Ética de Spinoza terão essa mesma função propedêutica que prepara a intuição direta de Deus (embora, na Proposição 11, sejam oferecidas quatro provas da existência de Deus, a primeira e mais importante delas é mais propriamente a transcrição de um ato de intuição intelectual do que uma dedução).

aquele conteúdo autorreferencial que havia instalado esse último como primeiro princípio da filosofia[628].

Finalmente, a vontade infinita desse "eu" reintroduz, em seu interior mesmo, um outro tipo de infinitude que é imediatamente objeto de uma experiência interna intuitivamente dada. Se tal infinitude antropológica não se põe como fundamento das séries dedutivas, tal como ocorre com a ideia de Deus, isso se dá porque ela não explica nenhum conteúdo específico, mas apenas sua existência como "realidade formal" do pensamento, na medida em que é pela vontade que me decido a pensar neste ou naquele conteúdo racional. Deve-se notar que a vontade, não sendo uma realidade inteiramente externa (como Deus) nem inteiramente interna (como o "eu" que se representa a si como "coisa pensante") às séries, está em – ou melhor, é – seus limites: é ela que permite as séries, não só no sentido em que me dá pensar ideias racionais[629], mas também no sentido em que a atenção é um ato da vontade e, portanto, condição da clareza e distinção.

O "eu", assim, tem propriedades finitas e infinitas, cada um desses tipos de propriedade respondendo a um papel distinto na constituição das séries dedutivas: o "eu" concebido como coisa pensante é interno à série metafísica e é inteiramente compreensível, enquanto que o "eu" considerado como agente livre encontra-se no limite inicial das séries e é apenas inteligível. Como Deus imprime em mim sua "imagem e semelhança"[630] pelo fato de eu ser livre, e como a ideia das coisas finitas (inclusive do que há de finito no "eu") deriva da ideia do infinito[631], a série metafísica, sendo inteiramente inteligível, não pode ser completamente compreendida, uma vez que é sustentada pela visão clara e distinta do abismo divino no centro da razão.

628 Sobre a transformação de termos absolutos em termos relativos, cf. Regra VI (AT X, 381-382).

629 "E o que acho aqui mais considerável é que encontro em mim inúmeras ideias de certas coisas que, embora talvez não exibam nada fora de mim tampouco posso dizer serem nada; e ainda que em certa medida sejam pensadas a meu arbítrio, não são, porém, inventadas por mim, mas têm suas naturezas verdadeiras e imutáveis" (AT VII, 64; IX, 51).

630 Terceira Meditação (AT VII, 51; IX, 41).

631 *Idem, ibidem.*

Se, do ponto de vista racional, todos os elementos da série metafísica são pensáveis, em que exatamente a transcrição dessa série para a linguagem escrita e a circulação desses textos entre o público leitor introduz algum tipo de resistência por parte de Descartes? Formulando a questão em outras palavras: se a única interdição formulada por Descartes para si mesmo, considerado enquanto autor de uma obra, dizia respeito apenas à necessidade de não afirmar nada além dos limites do que é estabelecido pelas percepções claras e distintas do entendimento puro, por que a representação desses dois elementos inteligíveis – Deus e o "eu" – na linguagem seria problemática?

A resposta a essa questão é clara: a linguagem escrita e sua publicidade introduzem um movimento próprio ao pensamento por elas expresso. Por um lado, é inevitável, na ciência, usar a escrita para reter as ideias envolvidas em séries complexas, devido às restrições de minha memória finita. Assim, por exemplo, no projeto cartesiano de algebrização da geometria, ao invés de "traçar linhas sobre o papel", é proposto que

> basta designá-las por algumas letras, cada uma por apenas uma. Como, para adicionar a linha DB a GH, eu nomeio uma *a* e a outra *b*, e escrevo $a + b$; e $a - b$ para subtrair *b* de *a*; e *ab*, para as multiplicar uma pela outra; e , para dividir *a* por *b*; e *aa* ou *a*2, para multiplicar a por si mesmo, e *a*3, para multiplicá-lo ainda uma vez por *a*, e assim ao infinito; e , para tirar a raiz quadrada de $\sqrt{a2 + b2}$; e , para tirar a raiz cúbica de $\sqrt{a3 - b3 + abb}$, e assim outras[632].

Por outro lado, o registro das séries em letras inscritas sobre o papel afeta o pensamento de uma maneira que não se limita a servir-lhe de "auxiliar da memória". No que se refere aos dois infinitos que se encontram no centro dos debates teológicos, a saber, a experiência intelectual da vontade livre e a ideia que representa a livre criação das verdades eternas por Deus, é sua inteligibilidade mesma que faz com que o texto que as comunica apareça como um *problema*. De fato, nesses dois casos, é o aspecto comunicacional da linguagem que desperta as resistências de Descartes a escrever sobre tais temas. Excluída a interpretação psicológica de que foi por prudência que ele queria evitar que

632 *A Geometria*, Livro I (AT VI, 371).

suas ideias potencialmente heréticas circulassem, resta a leitura literal das advertências que Descartes sempre adicionava a suas manifestações públicas quando era instado a se pronunciar sobre a teologia: o que o infinito inteligível, mas não compreensível, demanda do teólogo é que ele ocupe o centro de suas preocupações teóricas. Ou seja, o que ele demanda é a tarefa impossível de compreender o incompreensível. Tal tarefa não é impossível por princípio, pois o inteligível inicia séries dedutivas que têm por função justamente ampliar o domínio da compreensão. Mas tal tarefa é *de fato* impossível: demanda um tempo infinito – e, consequentemente, gera séries infinitas e, portanto, querelas e debates infinitos. Por ser racional, a teologia é impossível.

O caso do "eu" que serve de ponto de partida para a série metafísica é distinto e, por isso mesmo, reside nele a generalização da resistência à escrita não apenas quando ela tem por objeto temas teológicos, mas também quando se refere à publicação de livros em geral, sejam eles dedicados ou não à teologia. No caso do "eu", a afecção da linguagem incide sobre o pensamento e subtrai desse último seu caráter instantâneo, ao promover uma confusão inevitável entre o "eu" narrador do drama do espírito em busca de certeza e o "eu" intuído que a estabelece pela primeira vez, em meio às incertezas das dúvidas metafísicas. A escrita contamina esses dois circuitos, pois não pode fazer economia de nenhum deles, nem pode deixar de lhes atribuir o mesmo nome, o pronome anafórico "eu". Ser inteiramente compreensível é, aqui, o anátema dessa ideia figurada pela linguagem escrita.

Além disso, o "eu" não deixa de ser afetado, ele mesmo, pelo infinito: ele tem em si dois tipos de propriedade ou faculdade, uma delas – a vontade – infinita e a outra – a percepção intelectual – finita. O "eu" finito e compreensível impõe a resistência à escrita e à publicidade, justamente por ser um elemento intuitivamente simples que dá origem à série; já o "eu" infinito e apenas inteligível o aproxima mimeticamente de Deus, mostrando que tanto o criador quanto a criatura, objetos que são de intuições intelectuais simples, devem caminhar, no caso da teologia, em direção a sua compreensibilidade total. A linguagem escrita, que se prolonga na duração do corpo extenso imaginado e sensível, deve exprimir o que, por natureza, é excessivo em relação ao próprio tempo, por maior que seja seu intervalo, a saber: a eternidade das naturezas eternas e imutáveis. Ela fixa, assim, o pensamento em um monumento corporal dirigido ao público, dando origem a uma nova *tradição*. A invenção de um pensamento inovador tem de se conformar à imobilidade de sua expressão partilhada. A essa conformação se dá muitas vezes o nome de o "estilo" de Descartes.

A oposição entre os atos intelectuais de inteligir e de compreender, relacionada a sua dupla inserção nas séries finitas de deduções registradas por escrito, foi, pois, usada para dar conta tanto da relação de Descartes com a expressão escrita de "sua" teologia quanto com a publicação de qualquer um de seus pensamentos filosóficos e científicos. Na Introdução deste estudo, já me detive longamente sobre o método pelo qual se deve entender a ação de "dar conta de" aqui desenvolvida. Sem pretender retomar esses postulados preliminares, cabe apenas ainda assinalar que a intelecção e a compreensão foram não apenas um objeto central de minha investigação, mas também parte de seu método. Com efeito, não se tratou de compreender a resistência de Descartes à escrita a partir de sua contextualização em um domínio mais amplo de sentido, quer esse último se expressasse por categorias sociológicas, históricas ou psicológicas, mas antes de, isolando "seus" textos de todo contexto, inteligir o funcionamento local de alguns de seus mecanismos. Se "ver" é assimilável ao "toque", e se "inteligir" é explicado pela analogia de "tocar" com as mãos uma montanha sem que seja possível "abraçá-la", então meu estudo pode ser assimilado a esse tatear em várias direções, procurando algo que não se sabe bem onde está nem onde se encontra.

Ao longo deste livro, a noção de limite – manifesta tanto no gesto de traçar, de uma vez por todas, as fronteiras do que pode ser clara e distintamente conhecido quanto nesse outro movimento, dependente do primeiro, mas não redutível a ele, de escolher o que pode ou não ser escrito publicamente – foi explicada a partir do interior do próprio pensamento de Descartes. Ou seja, ao invés de refletir "extrinsecamente" sobre o modo como Descartes caracterizou ou usou essa noção, situei-me nessa terra de ninguém que é o próprio limite, espaço sem extensão que me força a cambiar continuamente entre os dois domínios que ele divide, o pensável e o impensável, o dizível e o indizível. Permanecer no limite e fazer reverberar nele os signos que o compõem me levou também a explorar *esse outro signo*, o ódio, entendido como um esquema afetivo de subjetivação. Que o ódio tenha sido tomado aqui não como uma *causa* psicológica que explica a relação de Descartes com a escrita, mas, antes, como sendo ele mesmo um signo, representado em seus escritos ao lado de outros, determina a metodologia deste estudo, restrita à imanência do texto e comprometida com a recusa de qualquer tentação "referencialista" ou causal. Nenhuma realidade extra-sígnica – a "vida" de Descartes, suas intenções ao escrever isso ou aquilo, o contexto social de sua produção ou a realidade descrita por suas teses filosóficas – foi usada ao longo destas páginas como princípio heurístico. Mesmo os breves momentos interpretativos foram reconduzidos, assim que possível, a esse horizonte a um só tempo imanente e absoluto da letra do texto. Paradoxalmente, porém, a decisão de permanecer "no interior" do pensamento de Descartes me forçou a percorrer seus impasses e fissuras, sem síntese possível. O "interior", na verdade, nunca foi dado nem nunca existiu como um todo autocontido. Entre ele e seu "fora", incontáveis fronteiras indecidíveis multiplicam-se.

Nessa atitude ambígua, oscilando entre o desprezo pela escrita e pela publicação de sua obra e a dedicação de uma vida à produção de textos, encontra-se, como eu procurei assinalar acima, a oposição entre pensamento e extensão, sua união e sua separação contraditórias entre si – e, em última análise, o que poderia ser denominado uma teoria cartesiana da escrita. A escrita representa o pensamento sob a condição de não poder representar o que lhe é mais importante, a intuição presente de uma ideia clara e distinta. Como monumento de uma realidade que não mais existe, sua força repousa inteiramente em um ente espiritual que lhe escapa. Ao tomar como objeto próprio de investigação uma tensão interna, muitas vezes a tentação do comentador é a de eliminá-la, procurar a coerência profunda que une todas as teses em um movimento coerente. Outra opção, que é a adotada por mim, consiste em ler, tanto na resistência à escrita quanto em seu excesso, uma condição de possibilidade do texto como um todo, posto em movimento pelo afeto do ódio. No presente caso, isso significa afirmar que os preâmbulos hesitantes de Descartes a suas teses teológicas não são apenas um adendo curioso, próprio para ser investigado de um ponto de vista biográfico ou sociológico, mas que eles exprimem, além disso, um elemento "intrínseco" – se é que tal palavra ainda pode ser usada – constitutivo da própria obra.

O ódio à escrita foi, assim, entendido a partir do conceito de disposição, sem que esse último não signifique nada além do que um certo estilo de escrita que se caracteriza por uma resistência à própria escrita. Em outros termos, foi como elemento genético da obra que tal "disposição" foi posta sob exame. Tendo em vista esse objetivo, é importante lembrar que a ideia mesma de disposição envolve em si uma estranha duplicidade: por um lado, ela é o resultado das paixões da alma que, desde o útero, informam o composto corpo-mente de sua conexão com o mundo externo; por outro lado, ela é uma determinação interior da vontade, na medida em que essa última é afetada por tais paixões. A disposição é, pois, externa e interna, adventícia e intrínseca. É assim que o desejo é definido, nas *Paixões da alma*, como uma agitação da alma que a dispõe a querer certas coisas futuras (como o desejo é uma paixão sem contrários, ele explica tanto a inclinação em direção ao objeto amado quanto a aversão ao objeto odiado). O querer, por sua vez, na medida em que se refere à vontade, não se volta para o futuro, sendo antes um consentimento pelo qual me considero desde o presente unido ao objeto amado, formando com ele um único todo, inteiramente separado da coisa pela qual sinto aversão[633].

Mas o ódio não desempenha uma função meramente negativa na relação de Descartes com a escrita e com a publicação de seus pensamentos. Ao contrário, há nele, como foi visto, uma dimensão constitutiva que permite estabelecer a "disposição" particular que corresponde extamente o ódio à escrita – embora, como também já foi visto, o ódio, ao contrário dos múltiplos objetos do amor, não seja divisível em muitas espécies, na medida mesma em que relega o que é nocivo à indiferença do puramente exterior. Sem pretender relembrar, neste momento final, todas as características do estilo de pensamento de Descartes, na medida em que ele é afetado pela escrita, é preciso assinalar de forma breve apenas um elemento não desenvolvido anteriormente. Notei, na Introdução deste estudo, que as *Meditações* de Descartes simultaneamente se filiam às meditações jesuítas e são transpassadas por uma outra *ordem* de considerações, que as distorce em direção ao jansenismo. A narrativa confessional de Descartes afasta-se dos exercícios espirituais de Loyola exatamente na medida em que se aproxima

633 Cf. *Paixões*, Artigos 80, 86-88, 90 (AT XI, 387-396).

da tentação do silêncio. De fato, o "eu" das *Meditações* desloca-se em relação a si mesmo, deixando vago o lugar de "primeiro princípio", na Segunda Meditação, para ser ocupado pelo Deus da Terceira Meditação. A transformação do "eu" é menos uma forma de tomada de posse ativa da verdade e da graça do que um apelo à contemplação intuitiva. Nesse sentido, seria mais adequado aproximar as meditações e discursos cartesianos das obras dos Solitários de Port-Royal do que dos exercícios espirituais dos jesuítas. Assim, por exemplo, Jean Hamon escreve que "Deus quer que eu ore para tornar-me pobre, mortificado e solitário, e não que eu escreva sobre a pobreza, sobre a mortificação e sobre a solidão"[634]. Como assinala Guy Basset, trata-se, entre os Solitários, "raramente de uma questão de palavras, mas mais frequentemente de economia de palavras, ou mesmo de silêncio"[635]. Sua grande ocupação desenvolve-se nessa economia dual, excluindo todo o resto da humanidade em nome da possibilidade de alcançar a verdadeira sabedoria no ato mesmo de calar-se. A prece que Hamon fazia algumas vezes, sua frequente comunhão, diz o seguinte:

> Meu Senhor Jesus, que vós vos tenhais retirado em um deserto para aí jejuar, ainda que não tivésseis nenhuma necessidade nem de deserto nem de jejum, fazei-nos a graça de buscar continuamente a solidão como um asilo seguro no meio de tantos escândalos e da extrema fraqueza que nos envolve[636].

A forma meditativa, devido a seu caráter fundante de toda a filosofia, vincula todas as obras de Descartes a esse silêncio, a esse deserto, a esse ódio à escrita. Tal ódio manifesta-se na própria escrita como a tematização da tentação de entregar-se ao mutismo e como a elaboração de um estilo de escrita que se coloque no lugar dessa tentação não realizada. O estilo de Descartes é, pois, a expressão de uma tal resistência à intenção de calar-se. Mas a possibilidade do silêncio continua assombrando a escrita, produzindo, como seu efeito, uma multiplicação de estratégias discursivas. O principal resultado desse estilo é a produção de uma "narrativa de si mesmo", uma linguagem

634 *Apud* Le Charpentier (1924), p. 51.

635 Basset (2002), p. 184.

636 *Apud* Le Charpentier (1924), p. 81.

que se diz como linguagem de um "eu" e produz sua própria forma de isolamento através da comunicação. Notei mais acima que o esboço do texto intitulado *A busca da verdade*, que pretendia reproduzir o movimento argumentativo das *Meditações* no gênero literário do diálogo, é interrompido bruscamente – permanecendo para sempre inacabado – no momento em que as personagens se aproximam da enunciação do "*cogito, ergo sum*", isto é, do momento solipsista da teoria de Descartes. Tal interrupção é a forma mesma do estilo de Descartes: mesmo nos textos concluídos e até nos manifestos aguerridos, é ela que, corroendo por dentro os textos, permitem sua constituição.

Seria o objeto de um outro estudo percorrer os desvios que informam o cartesianismo de Port-Royal. Mas é possível adivinhá-lo em muitos textos do próprio Descartes, nos quais o silêncio ecoa em cada frase, seja para reconhecer a imensidão do infinito em contraposição aos limites do pensamento e da linguagem, seja para indicar aos leitores de seus livros um método peculiar para compreendê-los – um procedimento que aposta na rapidez da leitura como a chave de sua decifração –, seja, enfim, para nos inscrever os homens essencialmente na linguagem, como a propriedade distintiva que os distingue dos outros seres criados, ainda que ela traga consigo a marca de sua própria imperfeição. Nos textos publicados durante sua vida, Descartes quis traçar, para além dos limites entre o natural e o sobrenatural, entre o claro e o obscuro, entre o distinto e o confuso, um outro limiar, interno, no interior da própria razão, entre o compreensível e o inteligível, o qual, sem se identificar com os primeiros, de alguma forma os reproduz e os mimetiza:

> E ele me pergunta aqui, com bastante razão, se eu conheço claramente e distintamente o infinito; pois, ainda que tenha tratado de prevenir essa objeção, entretanto ela é tão óbvia a todos que é necessário que eu a responda um pouco amplamente. Daí por que eu diria aqui primeiramente que o infinito, enquanto infinito, não é de fato compreendido, mas que ele é ao menos inteligido, pois inteligir claramente e distintamente que uma coisa seja tal que não possamos encontrar nela limites é inteligir claramente que ela é infinita. E faço aqui uma distinção entre o indefinido e o infinito. E não há nada que eu denomine propriamente infinito a não ser aquilo no qual de todas as partes eu não encontre limites, em cujo sentido só Deus é infinito. Mas as coisas nas quais, sob alguma consideração

eu apenas não veja o fim, como a extensão dos espaços imaginários, a multiplicidade dos números e outras coisas semelhantes, eu as chamo de indefinidas, e não de infinitas, porque de todas as partes elas não são sem fim nem sem limites. Além disso, faço a distinção entre a razão formal do infinito, ou a infinitude, e a coisa que é infinita. Pois, quanto à infinitude, ainda que a intelijamos ser muito positiva, só a inteligimos, porém, de uma maneira negativa, a saber, porque não observamos na coisa nenhuma limitação. E quanto à coisa que é infinita, a inteligimos de fato positivamente, mas não adequadamente, isto é, não compreendemos tudo o que nela é inteligível. Mas da mesma forma que, quando lançamos os olhos sobre o mar, não se deixa de dizer que o vemos, ainda que nossa visão não atinja todas as suas partes e não meça sua imensa vastidão, e, de fato, quando o observamos de longe, como se quiséssemos abraçá-lo inteiramente com os olhos, só o vemos confusamente, como também só imaginamos confusamente um quiliógono quando tentamos imaginar todos os seus lados conjuntamente, mas, quando nossa visão se detém somente sobre uma parte do mar, essa visão então pode ser muito clara e muito distinta, como também a imaginação de um quiliógono, quando ela se estende somente sobre um ou dois de seus lados, pela mesma razão concedo, com todos os Teólogos, que Deus não pode ser capturado pela mente humana, e até mesmo que ele não pode ser distintamente conhecido por aqueles que tentam abraçá-lo inteiramente e simultaneamente pelo pensamento, e que o observam como que de longe; é nesse sentido que São Tomás disse, no lugar citado acima, que o conhecimento de Deus é em nós uma espécie de confusão. Mas aqueles que consideram atentamente cada uma de suas perfeições e que se esforçam para aplicar todas as forças de seu intelecto a contemplá-las, não tanto para capturá-las, mas antes para ser capturado por elas, esses, digo, encontram nele muito mais amplamente e facilmente matéria de conhecimento claro e distinto do que se encontram em quaisquer das coisas criadas. O que o próprio São Tomás não negou, como é manifesto no fato de que, no artigo seguinte, ele afirma que a existência de Deus é demonstrável. Quanto a mim, todas as vezes em que disse que Deus pode ser conhecido claramente e distintamente, nunca pretendi falar desse conhecimento finito e acomodado à pequena capacidade de nossos espíritos. Tampouco foi necessário inteligi-lo de forma diversa para a verdade das coisas que asseri, como aparece facilmente se se atenta que só disse isso em dois lugares, em um dos quais era questão de saber se algo de real estava contido na ideia que formamos de Deus, ou antes se só estava contida nela uma negação de coisa, como talvez se possa duvidar se, na ideia do frio, há apenas uma negação do calor, o que não pode ser duvidado; e, no outro, asseri que a existência não pertencia menos à natureza do Ente sumamente perfeito do que os três lados pertencem à natureza do triângulo: o que pode ser também inteligido, sem que se tenha um conhecimento adequado de Deus[637].

Eu teria também acrescentado uma palavra de advertência a respeito da maneira de ler este livro, a saber, que eu gostaria que em primeiro lugar se o percorresse inteiramente, assim como um romance, sem forçar muito sua atenção nem se deter nas dificuldades que se pode encontrar nele, afim somente de saber em geral quais são as matérias das quais tratei; e que, depois disso, se se acha que elas merecem ser examinadas e que se tem a curiosidade de conhecer suas causas, pode-se lê-lo uma segunda vez, para notar a sequência de minhas razões; mas não se deve recuar imediatamente se não se as pôde conhecer bastante totalmente, ou se não se as entende todas; é preciso somente marcar com um traço de pluma os lugares onde se encontrará a dificuldade e continuar a ler sem interrupção até o fim; depois, se se retoma o livro por uma terceira vez, ouso crer que se encontrará nele a solução da maioria das dificuldades que se terá marcado antes e que, se ainda restam nele algumas, se se encontrará enfim a solução relendo[638].

E detivera-me particularmente neste ponto, para mostrar que, se houvesse máquinas assim, que tivessem os órgãos e a figura de um macaco, ou de qualquer outro animal sem razão, não disporíamos de nenhum meio para reconhecer que elas não seriam em tudo da mesma natureza que esses animais; ao passo que, se houvesse outras que apresentassem semelhança com os nossos corpos e imitassem tanto nossas ações quanto moralmente fosse possível, teríamos sempre dois meios muito seguros para reconhecer que nem por isso seriam verdadeiros homens. Desses, o primeiro é que nunca poderiam usar palavras, nem outros sinais, compondo-os, como fazemos para declarar aos outros os nossos pensamentos. Pois pode-se muito bem conceber que uma máquina seja feita de tal modo que profira palavras, e até que profira algumas a propósito das ações corporais que causem qualquer mudança em seus órgãos: por exemplo, se a

637 *Respostas às Primeiras Objeções* (AT VII, 112-113; IX, 89-90).

638 Carta-Prefácio aos *Princípios* (AT IX, II, 11-12).

tocam num ponto, que pergunte o que se lhe quer dizer; se em outro, que grite que lhe fazem mal, e coisas semelhantes; mas não que ela as arranje diversamente, para responder ao sentido de tudo quanto se disser na sua presença, assim como podem fazer os homens mais embrutecidos. E o segundo é que, embora fizessem muitas coisas tão bem, ou talvez melhor do que qualquer de nós, falhariam infalivelmente em algumas outras, pelas quais se descobriria que não agem pelo conhecimento, mas somente pela disposição de seus órgãos. Pois, ao passo que a razão é um instrumento universal, que pode servir em todas as espécies de circunstâncias, tais órgãos necessitam de alguma disposição particular para cada ação particular; daí resulta que é moralmente impossível que numa máquina existam bastante diversas para fazê-la agir em todas as ocorrências da vida, tal como a nossa razão nos faz agir

Ora, por esses dois mesmos meios, pode-se também conhecer a diferença existente entre os homens e os animais. Pois é uma coisa bem notável que não haja homens tão embrutecidos e tão estúpidos, sem excetuar mesmo os insanos, que não sejam capazes de arranjar em conjunto diversas palavras, e de compô-las num discurso pelo qual façam entender seus pensamentos; e que, ao contrário, não exista outro animal, por mais perfeito e felizmente engendrado que possa ser, que faça o mesmo. E isso não acontece porque lhes faltem órgãos, pois vemos que as pegas e os papagaios podem proferir palavras assim como nós, e todavia não podem falar como nós, isto é, testemunhando que pensam o que dizem; ao passo que os homens que, tendo nascido surdos e mudos, são desprovidos dos órgãos que servem aos outros para falar, tanto ou mais que os animais, costumam inventar eles próprios alguns sinais, pelos quais se fazem entender por quem, estando comumente com eles, disponha de lazer para aprender a sua língua. E isso não testemunha apenas que os animais possuem menos razão do que os homens, mas que não possuem nenhuma razão. Pois vemos que é preciso muito pouco para saber falar; e, posto que se nota desigualdade entre os animais de uma mesma espécie, assim como entre os homens, e que uns são mais fáceis de adestrar que outros, não é crível que um macaco ou um papagaio, que fossem os mais perfeitos de sua espécie, não igualassem nisso uma criança das mais estúpidas ou pelo menos uma criança com o cérebro perturbado, se a sua alma não fosse de uma natureza inteiramente diferente da nossa. E não se deve confundir as palavras com os movimentos naturais, que testemunham as paixões e podem ser imitados pelas máquinas assim como pelos animais; nem pensar, como alguns antigos, que os animais falam, embora não entendamos sua linguagem: pois, se fosse verdade, porquanto têm muitos órgãos correlatos aos nossos, poderiam fazer-se compreender tanto por nós como por seus semelhantes. É também coisa mui digna de nota que, embora existam muitos animais que demonstram mais indústria do que nós em algumas de suas ações, vê-se, todavia, que não a demonstram nem um pouco em muitas outras: de modo que aquilo que fazem melhor do que nós não prova que tenham espírito; pois, por esse critério, tê-lo-iam mais do que qualquer de nós e procederiam melhor em tudo; mas, antes, que não o têm, e que é a natureza que atua neles segundo a disposição de seus órgãos: assim como um relógio, que é composto apenas de rodas e molas, pode contar as horas e medir o tempo mais justamente do que nós, com toda a nossa prudência.

Eu descrevera, depois disso, a alma racional, e mostrara que ela não pode ser de modo algum tirada do poder da matéria, como as outras coisas de que falara, mas que deve expressamente ter sido; e como não basta que esteja alojada no corpo humano, assim como um piloto em seu navio, exceto talvez para mover seus membros, mas que é preciso que esteja junta e unida estreitamente com ele para ter, além disso, sentimentos e apetites semelhantes aos nossos, e assim compor um verdadeiro homem. De resto, eu me alonguei um pouco aqui sobre o tema da alma, porque é dos mais importantes; pois, após o erro dos que negam Deus, que penso haver refutado suficientemente mais acima, não há outro que afaste mais os espíritos fracos do caminho reto da virtude do que imaginar que a alma dos animais seja da mesma natureza que a nossa, e que, por conseguinte, nada temos a temer, nem a esperar, depois dessa vida, não mais do que as moscas e as formigas; ao passo que, sabendo-se o quanto diferem, compreende-se muito mais as razões que provam que a nossa é de uma natureza inteiramente independente do corpo e, por conseguinte, que não está de modo algum sujeita a morrer com ele; depois, como não se veem outras causas que a destruam, somos naturalmente levados a julgar por isso que ela é imortal[639].

Fui nutrido nas letras desde a infância, e por me haver persuadido de que, por meio delas, se podia adquirir um conhecimento claro e seguro de tudo o que é útil à vida, sentia extraordinário desejo de aprendê-las. Mas, logo que terminei esse curso de estudos, ao cabo do qual

639 *Discurso* (AT VI, 56-60).

se costuma ser recebido na classe dos doutos, mudei inteiramente de opinião. Pois me achava enleado em tantas dúvidas e erros, que me parecia não haver obtido outro proveito, procurando instruir-me, senão o de ter descoberto cada vez mais a minha ignorância. E, no entanto, estivera numa das mais célebres escolas da Europa, onde pensava que deviam existir homens sapientes, se é que existiam em algum lugar da Terra. Aprendera aí tudo o que os outros aprendiam, e mesmo, não me tendo contentado com ciências que nos ensinavam, percorrera todos os livros que tratam daquelas que são consideradas as mais curiosas e as mais raras, que vieram a cair em minhas mãos. Além disso, eu conhecia os juízos que os outros faziam de mim; e não via de modo algum que me julgassem inferior a meus condiscípulos, embora entre eles houvesse alguns já destinados a preencher os lugares de nossos mestres. E, enfim, o nosso século parecia-me tão florescente e tão fértil em bons espíritos como qualquer dos precedentes. O que me levava a tomar a liberdade de julgar por mim todos os outros e de pensar que não existia doutrina no mundo que fosse tal como dantes me haviam feito esperar.

Não deixava, todavia, de estimar os exercícios com os quais se ocupam nas escolas. Sabia que as línguas que nelas se aprendem são necessárias ao entendimento dos livros antigos; que a gentileza das fábulas desperta o espírito; que as realizações memoráveis das histórias o alevantam, e que, sendo lidas com discrição, ajudam a formar o juízo; que a leitura de todos os bons livros é igual a uma conversação com as pessoas mais qualificadas dos séculos passados, que foram seus autores, e até uma conversação premeditada, na qual eles nos revelam tão-somente os melhores de seus pensamentos; que a eloquência tem forças e belezas incomparáveis; que a poesia tem delicadezas e ternuras muito encantadoras; que as Matemáticas têm invenções bastante sutis, e que podem servir muito, tanto para contentar os curiosos, quanto para facilitar todas as artes e diminuir o trabalho dos homens; que os escritos que tratam dos costumes contêm muitos ensinamentos e muitas exortações à virtude que são muito úteis; que a Teologia ensina a ganhar o céu; que a Filosofia dá meio de falar com verossimilhança de todas as coisas e de se fazer admirar pelos menos eruditos; que a Jurisprudência, a Medicina e as outras ciências trazem honras e riquezas àqueles que as cultivam; e, enfim, que é bom tê-las examinado a todas, até mesmo as mais supersticiosas e as mais falsas, a fim de conhecerlhes o justo valor e evitar ser por elas enganado.

Mas eu acreditava já ter dedicado bastante tempo às línguas, e mesmo também à leitura dos livros antigos, às suas histórias e às suas fábulas. Pois quase o mesmo que conversar com os de outros séculos, é o viajar. É bom saber algo dos costumes de diversos povos, a fim de que julguemos os nossos mais sãmente e não pensemos que tudo quanto é contra os nossos modos é ridículo e contrário à razão, como soem proceder os que nada viram. Mas, quando empregamos demasiado tempo em viajar, acabamos tornando-nos estrangeiros em nossa própria terra; e quando somos demasiado curiosos das coisas que se praticavam nos séculos passados, ficamos ordinariamente muito ignorantes das que se praticam no presente. Além do mais, as fábulas fazem imaginar como possíveis muitos eventos que não o são, e mesmo as histórias mais fiéis, se não mudam nem alteram o valor das coisas para torná-las mais dignas de serem lidas, ao menos omitem quase sempre as circunstâncias mais baixas e menos ilustres, de onde resulta que o resto não parece tal qual é, e que aqueles que regulam os seus costumes pelos exemplos que deles tiram estão sujeitos a cair nas extravagâncias dos paladinos de nossos romances e a conceber desígnios que ultrapassam suas forças[640].

640 *Discurso* (AT VI, 4-7). Tradução de J. Guinsburg e Bento Prado Júnior (Descartes, 1979, pp. 4-6).

BIBLIOGRAFIA

Obras de Descartes

DESCARTES, René. Œuvres de Descartes (11 volumes). Ed. por Charles Adam e Paul Tannery. Paris : Vrin, 1996.

______. Œuvres Philosophiques (3 volumes). Ed. Por Ferdinand Alquié. Paris: Garnier, 1967.

______. *Discurso do método*; *Meditações* e *Objeções e Respostas*. Tradução de J. Guinsburg e Bento Prado Júnior. Notas de Gérard Lebrun. Os Pensadores. São Paulo: Editora Abril, 1979.

______. *Princípios da filosofia*. Tradução de Guido Antônio de Almeida. Rio de Janeiro: Editora UFRJ, 2002.

______. Œuvres de Descartes. Editado por Victor Cousin. Paris: F. G. Levrault, 1826.

______. *L'entretien avec Burman*. Edição, tradução e notas de Charles Adam. Paris: Vrin, 1975.

______. *L'entretien avec Burman*. Edição, tradução e notas de Jean-Marie Beyssade. Paris: Presses Universitaires de France, 1981.

______. Texte original et traduction française d'un inédit de Descartes: la *dédicace du placard de licence en droit* soutenue par Descartes le 21 décembre 1616 à Poitiers, par Jean-Robert ARMOGATHE et Vincent CARRAUD. In: *Bulletin Cartésien* XV. *Archives de Philosophie* 50, Cahier 1, 1987.

Outras obras citadas

ADAM, Charles. "Introduction". *Entretien avec Burman.* Paris: Vrin, 1975, pp. vii-xv.

AGOSTINHO. Œuvres complètes de Saint Augustin traduites pour la première fois en français sous la direction de M. *Poujoulat et de M. l'abbé Raulx, Bar-Le-Duc.* 1864, Troisième série. Lettres CXXIV-CCXXXI. Lettres écrites depuis l'année de la Conférence de Carthage, en 411, jusqu'à sa mort, en 450. In: http://www.abbaye-saint-benoit.ch/saints/augustin/index.htm Consultado em: 15/05/2014.

ALAIN (CHARTIER, Émile-Auguste). *Histoire de mes pensées.* In: *Les Arts et les Dieux.* Paris: Gallimard, 1958.

ALQUIÉ, Ferdinand. *La découverte métaphysique de l'homme chez Descartes.* Paris: PUF, 1950.

ARIEW, Roger. *Descartes among the Scholastics.* Leiden: Brill, 2011.

ARNAULD, Antoine. *Œuvres de Messire Antoine Arnaul,* editada por G. Du Pac De Bellegarde e J. Hautefage, junto com uma *Vie de Messire Antoine Arnauld par N. De Larrière.* Paris-Lausanne: Sigismond D'Arnay et Cie 1775-83.

ARISTÓTELES. *De Interpretatione.* Tradução de J. L. Ackrill. In: *The Complete Works of Aristotle,* Volume 1. Princeton University Press, 1985.

AUCANTE, Vincent. *La philosophie médicale de Descartes.* Paris: PUF, 2006.

BACHELARD, Gaston. *L'intuition de l'instant.* Paris: Éditions Gonthier, 1932.

BAILLET, Adrien. *Vie de Monsieur Descartes.* Paris: La Table Ronde, 1946.

BAKER, Gordon e MORRIS, Katherine J. "The *Meditations* and the logic of testimony". In: *British Journal for the History of Philosophy,* 12(1) 2004: pp. 23–41.

BASSET, Guy. "La Solitude, un essai de definition autour de *La Solitude* de Jean Hamon". In: *La Solitude et les Solitaires de Port-Royal.* Paris: Bibliothèque Mazarine, 2002, pp. 183-194.

BECK, J. *The Metaphysics of Descartes*. Oxford: Clarendon Press, 1965.

BECKETT, Samuel. *Théatre I. En attendand Godot. Fin de partie. Actes sans paroles I et II*. Paris: Les Éditions de Minuit, 1971.

______. *Malone meurt*. Paris: Éditions du Minuit, 2004.

______. *L'innomable*. Paris: Les Éditions de Minuit, 1953.

______. *O inominável*. Tradução de Ana Helena Souza. São Paulo: Globo, 2009.

BERGSON, Henri. *Essai sur les données immédiates de la conscience*. Paris: Presses universitaires de France, 1970.

BERNHARD, Thomas. *Verstörung*. Suhrkamp Verlag, Frankfurt am Main, 1969. (tradução para o português: *Perturbação*. Rio de Janeiro: Rocco, 1999, p. 112. Tradução de Hans Peter Welper e José Laurenio de Melo).

BEYSSADE, Michelle. "A doutrina da liberdade de Descartes: diferenças entre os textos francês e latino da Quarta Meditação". In: revista *Analytica*. Vol. 13, n. 2, 2009, pp. 225-242. Tradução de Mariana de Almeida Campos e Marcos André Gleizer.

______. *La philosophie première de Descartes*. Paris: Flammarion, 1979.

______. "La classification cartésienne des passions". In: *Revue Internationale de Philosophie*, Vol. 37, No. 146 (3), *Descartes* (1983), pp. 278-287.

______. "Sur les 'trois ou quatre maximes' de la morale par provision". In: *Descartes au fil de l'ordre*. Paris: PUF, 2001a, pp. 237-258.

______. "Descartes et Corneille, ou les démesures de l'*ego*". In: *Descartes au fil de l'ordre*. Paris: PUF, 2001b, pp. 277-306.

______. "Toute-puissance de Dieu et et nécessité des principes physiques". In: Études sur Descartes. L'histoire d'un esprit. Paris: Éditions du Seuil, 2001c, pp. 53-82.

BLANCHOT, Maurice. "La pensée et l'exigence de discontinuité", in: *L'entretien infini.* Paris: Gallimard, 1969.

______. "La main de Pascal". In: *La part du feu.* Paris: Gallimard, 1949, pp. 249-262.

BOÉCIO. *Consolatio philosophiæ.* Bryn Mawr Commentaries, 1984.

BOLTON, Martha Brandt. "Spinoza on Cartesian Doubt". In: *Noûs,* vol. 19, n. 3 (1985), pp. 379-395.

BORGES, Jorge Luis. "Pierre Menard, autor do *Quixote*". In: *Obras completas de Jorge Luis Borges,* volume 1. São Paulo: Globo, 2000, pp. 490-498.

BROWN, Deborah. *Descartes and the Passionate Mind.* Cambridge: Cambridge University Press, 2006.

CahnÉ, Pierre-Alain. *Un autre Descartes: le philosophe et son langage.* Paris: Vrin, 1980.

CAMUS, Albert. *L'été.* Paris: Gallimard, 2010.

CARRIERO, John. *Between Two Worlds. A Reading of Desacartes's* Meditations. Princeton: Princeton University Press, 2009.

CARRAUD, Vincent. "Le jansénisme". Société des Amis de Port-Royal. Bibliothèque électronique de Port-Royal (ISSN 1776-0755), Deuxième série (année 2007), Document 4. In: http://www.amisdeportroyal.org/articles.php?lng=fr&pg=282. Documento consultado em 15/09/2016.

CAVAILLÉ, Jean-Pierre. "Les libertins: l'envers du Grand Siècle". In: *Libertinage et philosophie au XVII siècle. La résurgence des philosophies antiques.* PU Saint-Etienne, 2003, pp. 291-320.

CHARTIER, Roger; CAVALLO, Guglielmo. *Histoire de la lecture dans le monde occidental.* Paris: Éditions du Seuil, 1997.

DELEUZE, Gilles e GUATTARI, Félix. "28 novembre 1947 - Comment se faire um corps sans organes?". In: *Mille plateaux – Capitalisme et schizophrénie 2.* Paris: Les Éditions de Minuit, 1980.

DELPORTE, Christophe. "La figure de l'ascète au siècle classique". In: *La solitude et les solitaires de Port-Royal. Chroniques de Port-Royal.* Paris: Bibliothèque Mazarine, 2002, pp. 37-68.

DENZINGER, Henrich. *Compêndio dos símbolos, definições e declarações de fé e moral.* Traduzido por José Marino e Johan Konings. São Paulo: Paulinas: Edições Loyola, 2007.

DERRIDA, Jacques. *De la gramatologie. L'écriture et la différance.* Paris: Les Éditions de Minuit, 1967.
______. "Signature événement contexte". In: *Marges de la philosophie.* Paris: Les Éditions de Minuit, 1972.

DUMMETT, Michael. "The Reality of the Past". In: *Truth and Other Enigmas.* London: Duckworth, 1978, pp. 358-374.

______. *Limited Inc.* Paris: Éditions Galilée, 1990.

______. *La voix et le phénomène.* Paris: Presses Universitaires de France, 1993, 2a edição.

DUNN, Kevin. *Pretexts of Authority: The Rhetoric of Authorship in the Renaissance Preface.* Stanford University Press, 1994.

FAYE, Emmanuel. "Cartésiens et 'augustiniens' au XVIIe siècle: présentation de la question". In: *Corpus,* Revue de Philosophie, n. 37, 2000.

FICHTE, Johann Gottlieb. Über Geist und Buchstabe in der Philosophie - In einer Reihe von Briefen. In: *Johann Gottlieb Fichte's Sämtliche Werke.* Bd. 8. Berlin, 1846, pp. 270-300. (tradução para o português: *Sobre o espírito e a letra na filosofia.* Tradução de Ulisses Razzante Vaccari. São Paulo: Humanitas, Imprensa Oficial do Estado de São Paulo, 2014).

FOUCHER DE CAREIL, Louis Alexandre comte de (ed.). *De la persécution du cartésianisme en Hollande, d'après de nouveaux documents.* (*Mémoire de Descartes à M. de la Thullerie contre Gisbert Voetius d'Utrecht,* 1644). Mémoire presenté devant Académie des Sciences Morales et Politiques. Compte-rendus des Séances et travaux de l'Académie des sciences morales et politiques, 1862, tome 62, pp. 217-243.

FRANKFURT, Harry G. *Demons, Dreamers, and Madmen: The Defense of Reason in Descartes's Meditations.* Indianapolis: The Bobbs-Merrill Company, 1970.

______. "Continuous Creation, Ontological Inertia and the Discontinuity of

Time". In: *René Descartes. Critical Assessments*, Volume III. Editado por Georges J. D. Moyal. London & New York: Routledge, 1991.

FUMAROLI, Marc. "Ego scriptor: rhétorique et philosophie dans Le *Discours de la Méthode*". In: *Problématique et réception du* Discours de la méthode *et des* Essais, ed. Henri Méchoulan (Paris: Vrin, 1988).

GAUKROGER, Stephen. *Descartes, An Intellectual Biography*. Oxford: Oxford University Press, 1995. (tradução para o português: *Descartes. Uma biografia intelectual.* Tradução de Vera Ribeiro. Rio de Janeiro: EdUERJ/Contraponto, 1999).

GILSON, Éttiene. *Commentaire du Discours de la Méthode*. Paris: Vrin, 1987.

GOUDRIAAN, Aza. *Reformed orthodoxy and philosophy, 1625-1750: Gisbertus Voetius, Petrus van Mastricht, and Anthonius Driessen.* Leiden: Brill, 2006.

GOUHIER, Henri. *La pensée religieuse de Descartes* (Études de philosophie médiévale, VI). Paris: Vrin, 1924, 328 pp.

______. *La pensée métaphysique de Descartes.* Paris: Vrin, 1962.

______. *La pensée métaphysique de Descartes.* Paris: Vrin, 1962.

GUEROULT, Martial. *Descartes selon l'ordre des raisons.* 2 volumes. Paris: Aubier, 1953.

HALLYN, Fernand. *Descartes: Dissimulation et ironie.* Geneva: Droz, 2006.

HJELMSLEV, Louis. *Essais linguistiques.* Paris: Éditions de Minuit, 1997.

HERMANS, Michel ; KLEIN, Michel. "Ces *Exercices spirituels* que Descartes aurait pratiqués". In: *Archives de Philosophie* 59, 1996, pp. 427-440.

HUME, David. *Treatise on Human Nature.* Ed. Por L.A. Selby-Bigge. Oxford: Clarendon Press, 1967.

JAN-BOS, Erik. "Descartes's Lettre Apologetique aux Magistrats d'Utrecht: New Facts and Materials". *Journal of the History of Philosophy* 37:3 July 1999, pp. 415-433.

KAMBOUCHNER, Denis. *Le style de Descartes.* Paris: Éditions Manucius, 2013.

KANT, Immanuel. *Kritik der reinen Vernunft.* In: *Kant Werke.* Band 3. Dramstadt: Wissenschaftliche Buchgesellschaft, 1983.

KAUFMAN, Dan. "God's Immutability and the Necessity of Descartes's Eternal Truths". In: *Journal of the History of Philosophy,* vol. 43, no. 1 (2005) 1–19.

KIEFT, Xavier. "L'entretien de Burman avec Descartes: un malentendu historico-philosophique". *Klesis - Revue Philosophique*: 2009/11, pp. 108-134.

KREMER, Elmar. *Antoine Arnauld.* Verbete da *Stanford Encyclopedia of Philosophy.* In: http://plato.stanford.edu/entries/arnauld/, 2007; 2008.

LAPLASSOTTE, François. "Quelques étapes de la physiologie du cerveau du XVIIe au début du XIXe siècle". In: *Annales. Économies, Sociétés, Civilisations.* 25e année, N. 3, 1970. pp. 599-613.

LE CHARPENTIER, Constant. *Un médecin mystique au XVIIe siècle, Monsieur Hamon, médecin et solitaire de Port Royal (1618-1687), étude biographique.* Gabriel Enault, 1924.

LEIBNIZ, Gottfried Wilhelm. *Briefwechsel Leibniz, Arnauld und dem Landgrafen Ernst von Hessen-Rheinfels.* In: *Die philosophischen schriften von Gottfried Wilhelm Leibniz, herausgegeben von C. I. Gerhardt,* Berlin, 1875–1890, reprint, Hildesheim: Georg Olms, 1965, volume 2.

______. *Nouveux essais sur l'entendement humain.* Paris: Flammarion, 1990.

LENNON, Thomas M. *The Battle of the Gods and Giants. The Legacies of Descartes and Gassendi, 1615-1755.* Princeton, Princeton University Press, 1993.

LEVY, Ken. "Is Descartes a Temporal Atomist?". In: *British Journal for the History of Philosophy,* 13(4), 2005, pp. 627-674.

LUTERO, Martinho. *Da vontade cativa.* In: *Obras selecionadas.* Volume 4. *Debates e controvérsias, II.* São Leopoldo; Porto Alegre: Editora Sinodal; Concórdia Editora, 1993.

LYOTARD, Jean-François. *L'Inhumain. Causeries sur le temps.* Paris: Éditions Galilée, 1988.

MAIA NETO, José Raimundo. "Descartes e a teologia. Entre o Molinismo e o Agostinismo". In: revista *Analytica*. Vol. 2, n. 2, 1997, pp. 187-201.

MANGUEL, Alberto. A *History of Reading*. Penguin Books, 1997.

MARION, Jean-Luc. *Sur la théologie blanche de Descartes*. Paris: Presses Universitaires de France, 1981; 2a edição: 2009.

______. *Sur l'ontologie grise de Descartes. Science cartésienne et savoir aristotélicien dans les* Regulae. Paris: Vrin, 1975.

MARX, Karl; ENGELS, Friedrich. *Die deutsche Ideologie*. In: *Werke* III. Berlin: Dietz Verlag, 1969.

MATHERON, Alexandre. "Amour, digestion et puissance selon Descartes". In: Études sur Spinoza et les philosophies de l'âge classique. Paris: ENS Éditions, 2011, pp. 55-65. Publicado originalmente em: *Revue Philosophique de la France et de l'Étranger*, T. 178, No. 4, *Descartes. Les Passions de l'âme* (Octobre--Décembre 1988), pp. 433-445.

NADLER, Steven. "Arnauld, Descartes, and Transubstantiation: Reconciling Cartesian Metaphysics and Real Presence". *Journal of the History of Ideas*, Vol. 49, No. 2 (April-June, 1988), pp. 229-246.

PEDEN, Knox. *Spinoza Contra Phenomenology. French Rationalism from Cavaillès to Deleuze*. Stanford: Stanford University Press, 2014.

PERRY, John. *Identity, Personal Identity, and the Self*. Indianapolis, Cambridge: Hackett Publishing Press, 2002.

PESSOA, Fernando. *Mensagem*. Lisboa: Parceria António Maria Pereira, 1934.

POPKIN, Richard. *The History of Scepticism from Erasmus to Spinoza*, University of California Press, 1979.

RAMOND, Charles. *Descartes. Promesses et Paradoxes*. Paris: Vrin, 2011

RAMOS, Carmel da Silva. *Conservar a vida e não temer a morte: filosofia prática na correspondência entre Descartes e Elisabeth*. Dissertação de Mestrado. Rio de Janeiro, 2017. Disponível em: https://ppglm.files.wordpress.com/2008/12/dissertac3a7c3a3o-carmel-ramos.pdf - Consultado em: 20/11/2018.

RANCIÈRE, Jacques. "S'il y a de l'irreprésentable". In: *Le destin des images*. Paris: La Fabrique, 2003, pp. 123-154. (tradução em português: "Se o irrepresentável existe". *O destino das imagens*. Rio de Janeiro: Contraponto, 2012, pp. 119-150).

RIBEIRO Jr., João. *Pequena história das heresias*. Campinas: Papirus, 1989.

RICOEUR, Paul. "The Critique of Religion". In: *The Philosophy of Paul Ricouer*, ed. por Charles E. Reagan e David Stewart. Boston: Beacon Press, 1978. *Apud*: LEVENE, Nancy. "Ethics and Interpretation, or How to Study Spinoza's *Tractatus Theologico-Politicus* Without Strauss". *The Journal of Jewish Thought and Philosophy*, Vol. 10, pp. 57-110, 2000.

RODIS-LEWIS, Geneviève. *L'œuvre de Descartes (À la recherche de la vérité)*. Paris: Vrin, 1971, Vol. 2.

______. *Descartes. Biographie*. Paris: Calmann-Lévy, 1995.

ROUSSEAU, Jean-Jacques. *Lettre à d'Alambert sur les spectacles*. In: Œuvres complètes, V. Paris: Gallimard, 1995, pp. 3-128.

RUBIDGE, Bradley. "Descartes's Meditations and Devotional Meditations". In: *Journal of the History of Ideas*, Vol. 51, No. 1 (January-March 1990), pp. 27-49.

SCHLEGEL, Friedrich. "Über die Unverständlichkeit". In: *Friedrich Schlegel Kritische Ausgabe*. Zweiter Band: *Charakteristiken und Kritiken I (1796-1801)*. München; Paderborn; Wien: Verlag Ferdinand Schöningh, 1967, pp. 363-372.

SCHMALTZ Tad M.. "What Has Cartesianism to Do with Jansenism?". *Journal of the History of Ideas*, Vol. 60, No. 1 (Jan., 1999), pp. 37-56.

______. *Descartes on Causation*. Oxford, New York: Oxford University Press, 2008.

SECADA, Jorge E. K. "Descartes on Time and Causality". In: *The Philosophical Review*, vol. 99, n. 1 (Jan. 1990), pp. 45-72.

SHAPIRO, Lisa. "What Are the Passions Doing in the *Meditations?*". In: *Persons and Passions. Essays in Honor of Annete Baier*. Ed. por Joyce Jenkins, Jennifer

Whiting e Chrispother Williams. Notre Dame, Indiana: University of Notre Dame Press, 2005, pp. 14-33.

SHARP, Hasana. "Hate's Body. Danger and the Flesh in Decartes' *Passions of the Soul*". In: *History of Philosophy Quarterly*. Volume 28, Number 4, October 2011, pp. 355-372.

SPINOZA, Baruch. *Spinoza opera*. Im Auftrag der Heidelberger Akademie der Wissenschaften hrsg. von Carl Gebhardt. [Ursprünglich] Vier Bände, Heidelberg, Carl Winter-Verlag, 1925 [Unveränderter Nachdruck: Heidelberg: Carl Winter-Verlag, 1972].

______. *Tratado da emenda do intelecto*. Tradução de Cristiano Novaes Rezende. Campinas: Editora da Unicamp, 2015.

______. *Tratado teológico-político*. Tradução de Diogo Pires Aurélio. Lisboa: Imprensa Nacional-Casa da Moeda, 2004.

STAROBINSKI, Jean. "Sur l'histoire des fluides imaginaires. (Des esprits animaux à la libido)". In: *La relation critique*. Paris: Gallimard, 1970 (1a edição); 2001, pp. 230-248.

STRAUSS, Leo. *Persecution and the Art of Writing*. Chicago & London: The University of Chicago Press, 1988.

TOMÁS DE AQUINO. *Summa theologiae*. London, New York: Eyre & Spottiswoode; McGraw-Hill Book Company, 1964-1980.

UNGER, Peter. *Ignorance. A Case for Scepticism*. Oxford: Clarendon Press, 1975.

VERBEEK, Theo. *Descartes and the Dutch. Early Reactions to Cartesian Philosophy 1637-1650*. Carbondale e Edwardsville: Southern Illinois Press, 1992.

VIEIRA, António. *Obra completa*. Tomo II: parenética, volume IV: *Sermões da Quaresma e da Semana Santa*, 1ª parte, ciclo temporal litúrgico. Direção: José Eduardo Franco e Pedro Calafate. São Paulo: Edições Loyola, 2015.

VOETIUS, Gisbertus. *Selectarum disputationum theologicarum* (5 vols.; Utrecht: J. à Waesberge, 1648-1669). Abreviado como SDTh, seguido do número do violume em números romanos e do número da página em números arábicos.

WAHL, J. *Du role de l'idée de l'instant dans la philosophie de Descartes.* Paris: Vrin, 1953.

WILLIAMS, Bernard. *Descartes. The Project of Pure Enquiry.* London: Penguin Books, 1978.

WITTGENSTEIN, Ludwig. *Tractatus logico-philosophicus.* Edição bilíngue. Tradução de Luz Henrique Lopes dos Santos. São Paulo: Editora da USP, 1994 (2ª edição).

COLEÇÃO

Mire e Veja